KB215843

황무지가
장미꽃같이

2

새벽을 깨우리라

미문커뮤니케이션

「황무지가 장미꽃같이」

김진홍 목사 자·전·에·세·이

2

새벽을 깨우리라

황무지가 장미꽃같이
새벽을 깨우리라 2

하늘님, 좀 내려오시라요

독자 여러분께 드리는 말

성서도 하나의 이야기책입니다.
이야기책이되 여느 책과 다르게
인간 구원의 이야기라고 생각합니다.
그래서 나도 살아온 세월을 이야기로 써 봅니다.

첫째, 정직하고 '솔직하게' 쓰고 싶습니다.
둘째, 쉽고 '재미있게' 쓰고 싶습니다.
셋째, 재미있되 '깊이 있게' 쓰고 싶습니다.
넷째, 읽는 이의 가슴에 울림을 주고 싶습니다.

세상살이에서 지지리 쌓인
아픔과 상처가 치유되는
그런 글을 쓰고 싶습니다.

서른두 살 때 쓴 『새벽을 깨우리로다』는
너무 짧은 기간의 이야기였습니다.
이제 아예 다시 씁니다.

제가 만난 사람들

천민들, 고아들, 꼴찌들 …

돈이든 권력이든, 뭔가에 미친 사람들 …

밑바닥 사람의 기도는 한결같았습니다.

“하늘님, 좀내려오시라요.”

그런 갈급함 속에

하나님께서 어떻게 함께 하셨는지

어떻게 함께 뒹굴며 함께 우셨는지

그리고 함께 웃으셨는지

이제 쓰기를 시작합니다.

1999년에 남양만에서 펴냈습니다.

세월이 지나

통일이 되면 청계천이나 남양만처럼 될

북녘땅의 동포들을 생각하며 다시 펴냅니다.

2025년 2월 23일

쇠목골 두레수도원에서 김진홍

돌아오는 길에 한 주민이 말했다.
"폐병 걸린 이후 첨으로 기를 펴고 웃어보는구먼."
"쥐구멍에도 볕들 날 있다더니,
우리 헌티도 오늘 같은 날이 있구먼요.
그렇게 세상은 살고 볼일이여.
이 사람들아, 죽어빼리면 이런 일도 못 보잖는가!"
"암시롱, 그렇게 악착같이 살아남아야제.
오늘부터 폐병약 열심히 묵자덜."

1

바닥에 살아도 하늘을 본다

바닥에 살아도 하늘을 본다

1972년 새해는 시련으로 시작되었다. 새해가 시작되자마자 교회당이 불법 건물이니 철거하라는 서울특별시 시장 이름으로 보낸 계고장이 날아들었다.

> 활빈교회 교회당은 무허가건물이니 0일까지 자진 철거하기 바람. 만일 지정한 날짜까지 자진 철거하지 않을시에는 강제 철거를 집행하겠으니 유의하시기 바람.

이런 내용의 통보서였다. 교회당은 무허가 건물이긴 했지만, 인가된 건물이었다. 서울시청에서 발급한 24-24622호란 무허가건물 인정번호판이 붙어 있었다.

자유당 말기부터 형성되기 시작한 서울 시내의 판자촌은 그 숫자가 점차 늘면서 큰 사회문제가 되기 시작했다. 4 · 19가 지나고 5 · 16

을 거치며 판자촌은 급속도로 늘어났다. 그간에 실패를 거듭한 농업 정책의 여파로 농촌 인구가 대거 서울로 몰려들면서 이농민들은 어느 곳이든 빈 공간만 있으면 판잣집을 지었다.

이에 대처하여 서울시는 1970년 이전에 세워진 건물은 인정해 주고 그 후에 세운 건물과 앞으로 세울 건물에 대해서는 강력히 단속할 방침을 세웠다. 활빈교회가 교회당으로 쓰고 있는 건물은 8년 전에 세워졌기에 인정번호가 나와 있었다. 그런데도 서울시는 철거 계고장을 발부했다. 나는 활빈교회 건물을 철거하려는 시청의 의도가 무엇인지 여러 면으로 살폈다.

성동구청 쪽에 연줄이 닿는 주민을 통해 철거 계고장이 발부된 경로를 탐색했다. 얻은 결론은 두 가지였다.

첫째, 활빈교회는 이름도 수상하고 하는 일도 수상하다. 교묘한 방법으로 판자촌 주민들의 민심을 모아가는 것을 볼 때 방치했다가는 장차 큰 화근이 될 듯하니 더 커지기 전에 꺾어야겠다.

둘째, 지난 성탄절 잔치 때 주민들이 철거반을 쫓아내는 내용을 연극으로 공연했다는 보고가 구청에까지 들어갔다. 교회에서 신앙에 관계되는 연극이나 할 것이지, 관민을 이간시키는 연극을 공연하는 것은 불순한 세력이니 그냥 두었다가는 장래 판자촌 행정에 암적 존재가 될 것이다.

이런 판단으로 활빈교회를 없애는 방침을 세웠다는 정보였다.

이 상황에서 어떤 대책을 세울 것인가를 고심하다가 나는 주민들을 모아 공론에 부치기로 했다. 그날 저녁 교회당에 주민들이 모이자 철

거 계고장을 보여주었다. 주민들은 펄쩍 뛰면서 이럴 수 없다고 했다.

"왜 하필이면 교회당을 찍는 거야?"

"그 이유가 뭐냐?"

"우리도 이번에 힘을 모아 한 번 해보자."

모두 흥분하여 떠드는 중에 한 연장자가 침착하게 말했다.

"여러분, 우리가 처음부터 강경하게 부딪칠 일이 아닌 것 같습니다. 처음에는 진정서를 내고 동네 대표를 뽑아 구청과 시청으로 보내 실정을 이야기하는 식으로 순리대로 나갑시다. 그런 뒤에도 굳이 교회당을 철거하겠다면 그때 우리들이 뭉쳐 한번 맞서 보도록 합시다!"

"옳소."

"찬성이오."

"그렇게 합시다."

그 발언에 모두 찬성이었다.

무허가 판잣집은 실제로는 지어진 상태에서 조금도 손대지 못하게 되어 있었다. 지붕에서 비가 새거나 방바닥에서 연탄가스가 스며들어도 손대지 못하게 되어 있었다. 만일 수리를 할 경우에는 즉시 철거반이 들이닥쳐 집을 통째로 헐어버렸다.

서울시청의 주장은 무허가로 지어진 건물이긴 하지만 어쩔 수 없이 인정은 해준다. 그러나 있는 상태에서 그대로 주저앉을 것이지 수리하여 오래 살 생각은 말라는 것이었다. 그러나 그 안에 살고 있는 주민들로서는 그런 방침을 도저히 따를 수 없었다.

루핑으로 덮은 지붕은 이내 비가 새게 마련이다. 또 급히 꾸민 방들인지라 연탄가스가 스며들고 습기가 심하다. 동네에서는 해마다 7, 8명이 연탄가스 중독으로 죽어 나가고 있다. 습기로 인해 아이들은 기관지염, 폐렴, 피부병 등이 그칠 날이 없었다. 그러니 지붕을 고치고 온돌을 만들고 환기통을 내지 않을 수 없다.

그러나 그렇게 하면 어느새 철거반이 들이닥친다. 한밤중에 이웃도 모르게 구들장을 고쳤어도 철거반은 귀신같이 알고 온다. 듣기로는 동네 구석구석에 정보원을 확보해 두고 수리하는 집을 보고하게 한다는 것이었다. 그 때문에 판자촌 주민들의 당국에 대한 반발과 원성은 굉장했다. 어떤 계기가 있어 불만 지르면 폭발할 상태였다.

그러던 어느 날, 서울시의 한 고관이 승용차를 타고 와서 동네 주민들에게 연설했다.

"왜 당신들은 허가 없이 불법으로 집을 짓고 살고 있습니까? 민주시민들은 법을 지켜야 합니다."

서울시청에서 높은 사람이 왔다기에 무얼 좀 도와주겠다고 말하려나 기대를 걸었던 동네 아낙네들은 그 말을 듣자 화가 치밀어 올랐다. 두서너 명이 이마를 맞대고 수군대더니 야무지게 달려들었다.

"야, 이 씹색까, 너 법 좋아하는구나. 넌 날 때부터 허가 내서 낳았냐? 동민 여러분, 저 새낀 허가 내고 난 개비요. 허가 내서 난 놈들은 그 연장에 금테 두르고 나왔는가 한번 확인해 봅시다요."

"옳은 말이여, 바지 한 번 벗겨봅시다."

동네 아낙들이 우 달려들어 그의 허리띠를 끄르고 바지 단추를 따려 들자 고관 나리는 혼비백산하여 몸을 빼려 했다. 아낙네들은 팔다리

를 잡고 놓아주지 않고…. 그가 당황해하는 모습은 실로 구경거리였다. 비서와 운전기사, 동네 반장의 도움을 받아 그야말로 구사일생으로 도망칠 수 있었다. 그런 소란통에 구두 한 짝이 벗겨졌으나 챙기지도 못하고 갔다. 동네 아낙네들이 그 구두 한 짝을 교회로 들고 와서는 내게 말했다.

"전도사님, 이 구두는 허가 내고 난사람 껀디요, 혹시 찾으러 오거들랑 연장에 금테 둘렀는가 구경허고 내주시라요. 이 구두는 전도사님이 야무지게 챙기시라요."

그 구두는 여전히 교회당 한켠에 모셔져 있다.

이런 판에 교회당 건물에 철거 계고장이 나왔으니, 주민들이 흥분할 것은 당연했다. 모두 한두 번씩은 철거반에게 당했던 사람들인지라 자기가 당했던 때의 울분과 무력감을 이 판에 한 번 풀어보려 했다. 그런 와중에도 신중론을 펴는 이도 있었기에 분위기가 가라앉았다.

그날 회의에서 주민들은 대표 다섯 명을 뽑아 일을 맡겼다. 뽑힌 대표들은 진정서를 작성하여 주민 수백 세대의 서명날인을 받아 서울시장과 성동구청장 앞으로 보냈다. 진정서 요지는 다음과 같았다.

활빈교회는 우리 송정동 판자촌에서 주민교육과 건강관리 및 청소년 선도에 지대한 공적을 미치고 있는 교회다. 그래서 활빈교회의 교회당 건물은 단지 교회당으로만 있는 것이 아니라 우리 판자촌 지역의 주민회관이요, 1천 600세대의 희망의 상징이다. 그런즉 서울시에서 발부한 철거 계고장을 철회해 주기 바란다.

진정서를 보낸 후 며칠이 지나도 아무런 소식이 없었다. 나는 오전에 넝마주이 나갔다가 들어올 때마다 교회당 건물이 온전한가 부터 살폈다. 그동안에 혹시 헐렸을지도 모른다는 불안감에서였다. 서울시청으로부터 아무런 회신이 없자 우리는 진정서가 효력을 본 모양이라고 안심했다.

새해 들어 철거 관계로 첫 사망자가 생겼다. 그야말로 비극 중의 비극이었다. 이땅에서 도무지 일어나서는 안 될 사건이었다. 죽은 사람은 세 아이가 딸린 스물아홉의 여인이었다. 해묵은 결핵으로 고생하고 있었다.

지난해 가을, 각 가정에 대한 DDT 방문에서 알게 된 후 나는 그녀를 살리려고 온갖 노력을 다했다. 그렇게 애쓴 보람이 있어 건강이 조금씩 좋아져 가는 기미가 보였다.

그녀의 남편 박씨는 얼마 전까지만 해도 버스 운전기사로 일했는데, 운전 중 부주의로 운전면허증을 빼앗겼다고 했다. 면허증을 다시 찾으려면 돈을 들여야 하는데, 당장 먹고살기에 급급해 못 찾고 있다는 것이었다. 앞뒤가 잘 안 맞는 말이었지만 나는 그냥 고개를 끄덕이며 들었다.

그는 언제나 술에 취해 있었다. 하도 딱해서 어떻게 그렇게 술만 마시고 사느냐? 그렇게 술 마실 돈으로 약을 사서 아내를 치료하고 돈을 모아 면허증을 찾아야 하지 않겠느냐고 일렀더니, 술은 자기 돈으로 사 먹는 것이 아니고 친구들이 받아주어 마신다는 대답이었다.

남편 박씨가 하는 꼬락서니를 보면 돌아볼 여지조차 없는 터였지만,

병든 부인과 어린 세 아이를 보아서는 도저히 외면할 수 없는 가정이었다.

나는 거의 날마다 그 집에 들러 스트렙토마이신 주사를 놓아주고 결핵약과 소화제에 비타민류들을 먹게 했다. 덕분에 많은 차도가 있어 겨울을 잘 나고 봄이 되면 회복될 것이라고 안심하던 참이었다.

그런데 겨울 냉기가 환자에게 해롭다고 방구들을 고친 것 때문에 그 집이 철거당하게 되었다. 호되게 추운 날씨에 집이 철거당했고 철거 후 서울시장 이름으로 고발장이 나왔다. 불법 건축물의 경우 철거 후 고발장이 나오고 약식 재판을 거쳐 벌금을 무는 것이 상례였다.

호주인 박씨는 고발장에서 출두하라는 날 사라져 버렸다. 검찰에서는 피고소인이 출두하지 않으니까 경찰에게 연행해 오게했다. 그런데 경찰이 집에 가보니 박씨는 없고 부인만 있으니까 남편 대신 부인을 연행해 갔다. 부인을 데려가면서 아이들에게 엄한 얼굴로 말했다.

"너희 아빠 찾아서 경찰서로 오시라고 해라. 너희 아빠가 와야 엄마를 보내준다."

다음날 새벽녘에 그녀는 파김치가 되어 돌아왔다. 기어 오다시피 와서는 문지방을 잡고 쓰러졌다. 동부경찰서 유치장의 차가운 마룻바닥에서 밤새 떨었다는 것이다. 그녀는 그길로 누워 다시 일어나지 못했다. 고열에 헛소리를 지르다가 며칠 후 숨졌다. 어린아이들 셋이 마음에 걸렸던지 눈도 감지 못한 채 숨이 멎었다.

나는 그녀의 장례를 치르며 극도의 무력감을 느꼈다. 이런 사람들에게 도움을 줄 수 있어야 하는데 실제로는 아무 도움도 줄 수 없었기 때문이다. 벽제 시립화장터에서 한 줌 재를 보자기에 싸서 돌아오는 길에 제2한강교로 갔다. 다리 난간에 기대서서 흐르는 한강 물에 재를 뿌렸다. 조금씩 조금씩 뿌리며 넋두리처럼 말했다.

"부인, 저 넓은 곳으로 가세요. 서울은 착한 사람이 살기에는 너무나 비좁습니다. 태평양 넓은 바다 한복판으로 가세요. 거기 따뜻하고 포근한 나라로 가서 쉬세요. 거기에는 철거반도 없고 유치장도 없습니다. 거기서 그림 같은 집을 짓고 물고기들과 이웃하고 사세요. 사람들에게 상처 입은 영혼을 물고기들이 감싸줄 겁니다."

나는 쏟아지는 눈물을 훔치며 다짐했다.

이런 슬픈 사연이 없는 사회를 이룩해야 한다. 가난하다는 이유로 사람 대접도 못 받는 사람이 없는 나라를 세워야 한다. 정말 그런 시대가 오게 해야 한다.

그날부터 나는 빈민촌에서 결핵 퇴치 운동을 시작했다. 빈민촌에서 가장 많은 질병이 결핵이었다. 너무 많은 사람들이 결핵에 걸려 노동력을 잃고 고통 속에 있었으므로 개인과 가정은 물론이려니와 국가적 손실도 막심했다.

우리는 결핵협회의 협조를 받아 결핵검진차를 불러왔다. 송정동 판자촌의 1천 600여 세대를 대상으로 엑스레이 촬영을 하고 판독한 결과 263명이 결핵환자임이 판명되었다.

활빈교회는 교회당 한켠에 이들의 신상 카드를 비치하고 개인별로 치료 상황을 점검했다. 결핵환자에 대해서는 구청 보건소에서 무료로 치료해 주도록 제도화되어 있었기에 우리는 지역 내 환자들을 만나

설득하여 보건소에서 치료받으라고 독려했다.

그런데 문제가 있었다. 보건소에 갔던 환자들은 두서너 번 가고 나면 계속 다니지 않으려고 했다. 결핵은 치료하다 중단하면 그 약에 내성이 생겨 다시는 그 약으로 치료할 수 없으므로 투약을 중단해서는 안 된다. 결핵환자가 먹던 약을 중단하는 것은 죽으려고 작정한 것과 같다. 나는 보건소 다니기를 중단한 환자들을 일일이 찾아다니며 계속 다닐 것을 권유하고, 또 왜 보건소에 가는 것을 기피하는지 알아보았다.

"앓느니 죽고 만다고, 차라리 폐병으로 죽는 것이 낫지. 보건손가 뭔가 하는 곳에는 안 갈끼요."

"왜 그러세요? 돈 없는 환자를 돈 안 받고 치료해 주는 곳엘 왜 안 가세요?"

"그 새끼들이 사람을 사람 취급해야지."

"와 그라십니까? 환자가 환자 취급 받으면 될 거이지 뭔 사람 취급을 받겠다고 그라요. 꾹 참고 반년만 더 다니시면 완치될 거입니다. 그들이 다소 섭하게 대하더라도 나가세요."

"아닙니다, 전도사님. 나 그냥 앓다 죽고 말라요. 그런 곳엔 다신 가기 싫습니다."

"도대체 보건소에서 어쨌길래 그러세요?"

"전도사님이 환자라 생각하고 한번 가보시면 알게 될 겁니다."

그들에게 마지막 남은 재산은 자존심이다. 그 자존심이 보건소에 가서 상하게 된 모양이었다. 그래서 하루는 시간을 내어 환자 몇 사람과 함께 보건소에 가보았다.

접수구에 카드를 들여놓고 한 시간이나 복도에서 기다리니 우리 일행 중에 한 사람의 이름을 불렀다. 그가 "예" 하고 다가가니 간호사가 물었다.

"가래 받아왔어요?"

"예? 가래침을 받아와요? 전 모르는 일인데요."

"아니, 지난번에 가래침 받아오랬잖아요?"

"아뇨. 전 그런 말 못 들었어요."

"그럼 받아오세요."

"지금 여기서 받으면 안 됩니까?"

"좌우지간 받아오세요."

그러고는 문을 탁 닫아버렸다. 나는 그들이 보건소에 잘 오려 하지 않는 이유를 알 것만 같았다. 앞으로 263명의 환자를 다 치료하려면 무슨 특별한 조치가 있어야지 이 상태로는 안 되겠다는 생각이 들었다. 보건소 측과 환자들 간의 관계를 바꾸어야 할 필요가 있었다. 나는 노크를 하고 방으로 들어가 그 간호사에게 물었다.

"방금 그 환자 가래침을 받아오랬는데, 언제 어떻게 받아오면 되는지요? 좀 더 구체적으로 알려주세요."

"아저씬 본인이세요?"

"저는 본인이 아니고 친굽니다."

"본인에게 방금 말했는데 왜 그러세요? 여기는 바쁜 곳이니 나가주세요."

간호사는 나를 본 척도 않고 창밖을 향해 “다음 환자 들어오세요” 하고 소리쳤다. 나는 화가 치밀어 올라 넝마주이 근성을 드러냈다.

“야, 이 가시나야! 이게 돼질라고 약 쓰냐, 알아듣도록 갈쳐줘야 될 거 아이가.”

“어머, 이 아저씨 봐. 어디서 시비를 걸고 욕하시네?”

“이 ×년, 어따 악을 써?”

내가 때릴 듯이 손을 번쩍 들었다 놓았더니 간호사는 화가 나서 눈물을 글썽이며 안으로 들어갔다. 조금 후 흰 가운을 입은 남자 여럿이 나왔다. 모두 강도라도 때려잡을 듯이 기세가 등등했다.

“누가 여기서 행패를 부리는 거야!”

몸집 좋은 친구가 나서자, 간호사가 나를 지적하며 말했다.

“선생님, 저기 작업복 입은 저 사람이에요.”

그는 나에게로 오더니 눈을 부라리며 말했다.

“뭐 땜에 간호사에게 행패를 부리는 거야!”

간호사가 옆에서 바람을 넣으며 말했다.

“불친절하대요.”

그는 다짜고짜 내 뺨을 후려쳤다. 그 순간 같이 있던 동네 사람들의 인상이 싹 바뀌더니 그를 에워쌌다. 분위기가 심상치 않자 흰 가운이 경찰을 부르라고 소리쳤다. 주민 한 사람이 내게로 와서 물었다.

“전도사님, 오늘 여기서 한번 영겨붙을까요? 좋은 찬슨데요.”

“오늘은 그냥 갔다가 내일 단체로 옵시다. 모두 밖으로 불러내세요.”

내가 먼저 보건소 밖으로 나오자, 주민들은 뒤따라 나오며 분을 삭이지 못해 씨근거렸다. 한 부인은 귀한 전도사님이 우리 때문에 왔다가 뺨까지 맞았다고 울먹였다. 왜 따지지도 않고 그냥 나오는 거냐고 남정네들에게 항의했다. 나는 그녀를 위로하며 말했다.

"아주머니, 마음 놓으세요. 오늘 일로 좋은 일이 있을 겁니다."

동네에 도착하는 즉시 263명의 결핵환자에게 연락했다. 동 반별로 긴급 연락을 취했다.

"내일 아홉 시까지 활빈교회로 모이십시오. 열 시에 보건소에 단체로 갈 일이 있습니다. 아마 좋은 일이 있을겁니다. 한 분도 빠짐없이 모이십시오."

그날 저녁 결핵환자 중 똘똘한 환자 다섯 명을 뽑아 계획을 짰다. 다음날 아침 아홉 시가 되니 환자 150여 명이 모여들었다. 보건소로 함께 가서 보건소 건물의 모든 방마다 밀고 들어갔다. 놀란 보건소 사람들이 영문을 몰라 허둥지둥하는데 어제 나를 때렸던 흰 가운이 나서서 소리쳤다.

"여러분, 이거 무슨 일입니까? 이유가 뭡니까? 대표자 나오세요."

주민 중에 누군가가 나서며 대답했다.

"야, 이 색꺄, 폐병쟁이들이 먼 대표가 있겠냐. 다 대표제! 야, 너희들이 폐병쟁이 위해 쓰라고 나오는 약 중에 비싼 건 다 팔아먹는 담시러. 니 배는 그 약 팔아먹어서 그리 나왔냐?"

그러면서 주먹으로 흰 가운의 배를 쿡쿡 찔렀다. 그러는 사이에 경찰이 왔다. 그러나 아무도 경찰이 온 것에 신경 쓰지 않았다. 경찰이

나서서 말했다.

"조용히 하세요. 무슨 일입니까? 질서를 지키지 않으면 입건하겠습니다."

그 말에 환자들이 와 웃으며 손뼉을 쳤다.

"우릴 입건하겠대. 이거 호강하겠는데?"

경찰은 호루라기를 불며 말했다.

"조용히들 하세요. 대표가 나와서 말씀해 보세요."

우리는 모의한 대로 다섯 명이 나갔다. 보건소 측 사람들과 다섯 명의 환자 대표와 경찰관들이 소장실로 들어가고 문이 닫혔다. 우리는 밖에서 잡담을 나누며 기다렸다. 모두 즐거운 표정이었다. 얼마 후 환자 대표 중 한 명이 나와 내게 말했다.

"어제 전도사님을 때린 건 모르고 그랬다며 사과하겠다고 그러구요, 간호사 한 명을 송정동 환자 전담으로 배치하고 일주일에 한 번씩 동네로 나와서 진료해 주겠다는데요. 어떻게 할까요?"

"아니, 대표들이 뽑혔으면 알아서 결정할 일이지 나에게 물을 거 없지요."

"그래도 어디 그런가요? 다들 전도사님 의견대로 하겠다는데요."

나는 그들이 아직 자신감이 없어 자기들 문제를 스스로 해결하지 못하는 것으로 여겨져 시간을 두고 훈련할 필요가 있겠다고 생각했다.

"나에게 사과하는 건 필요 없어요. 일차 약으로 치료가 안 되는 환자들에게는 이차 약을 먹여야 하는데, 보건소에서는 이차 약은 예산이 없어서 못 준다고 하니 이차 약도 지급해 달라고 구해보세요. 그리고 나머지는 알아서 하시면 됩니다."

그가 들어간 후 얼마 안 지나 다시 문이 열리고 기분 좋은 얼굴로 나와서 주민들에게 설명했다.

"매주 목요일 의사와 간호사가 활빈교회로 나와 진료하기로 했고, 이차 약은 보건소 측에서 예산이 확보되는 대로 배려하겠다고 약속했습니다."

돌아오는 길에 한 주민이 말했다.

"폐병 걸린 이후 첨으로 기를 펴고 웃어보는구먼."

"쥐구멍에도 볕들 날 있다더니, 우리 헌티도 오늘 같은 날이 있구먼요. 그렇게 세상은 살고 볼일이여. 이 사람들아, 죽어뻐리면 이런 일도 못 보잖는가!"

"암시롱, 그렇게 악착같이 살아남아야제. 오늘부터 폐병 약 열심히 묵자덜."

2월 27일이었다. 아침에 관할 파출소에서 경찰이 찾아왔다. 무허가 건축 관계로 고발되었으니 파출소로 같이 가자는 것이었다. 급한 일이 있어 일을 마치고 가겠다고 했더니 당장 연행해 가야 한다고 했다.

나는 하는 수 없이 일을 중단하고 그를 따라갔다. 아내가 불안한 표정으로 언제 오느냐고 물었다. 나는 대수롭지 않은 투로 "글쎄, 곧 보내주겠지" 하고 경찰을 뒤따라가는데, 아내가 혹시 필요할지 모르니 지니고 가라며 3천 원을 주머니에 넣어 주었다. 이웃집 박씨도 함께 붙잡혀갔다. 그도 집을 수리했다는 이유로 고발당했다고 한다. 파출

소에서는 다시 동부경찰서로 이송했고, 경찰서에서는 뚝섬에 있는 즉결재판소로 데려갔다.

즉결재판소에 도착하니 창경원에 있는 호랑이굴 같은 곳으로 우리를 들여보냈다. 이미 200여 명이 들어와 있었다. 그곳에서 오후 두 시가 넘도록 기다렸다. 지루하고 춥고 시장했다. 무허가 판잣집을 짓고 들어온 사람, 통행금지를 위반한 사람, 파출소 앞에서 오줌 누다 잡혀 온 사람, 도박하다 잡혀 온 사람 등 가지각색의 사연으로 들어온 사람들이었다.

두시가 지나자 문이 열리고 재판정으로 데려갔다. 판사석 아래 줄을 지어 앉히고는 고개를 숙이라고 했다. 고개를 들면 안 된다고 경찰이 소리쳤다. 나는 우습다는 생각이 들었다.

무엇 때문에 고개를 들면 안 된다는 건가? 판사면 판사지 왜 고개까지 들지 못하게 할까? 죄가 있으면 죄지은 만큼 벌받으면 되는 거지, 고개를 드는 것과 무슨 관계가 있단 말인가? 재판도 받기 전에 고개도 못 들게 한다는 것은 인권유린이다. 이런 건 일본 식민지 시대의 유산이다.

이런 생각을 하며 고개를 번쩍 들고 어떤 분들이 들어오는지를 살폈다. 그랬더니 한 경찰이 잡아먹을 듯이 소릴 질렀다.

"야, 임마! 왜 고개를 들어!"

나는 그를 뻔히 쳐다보다가 그가 계속 핏대를 올릴 것이 측은해 고개를 숙여주었다. 판사가 들어왔다. 내 또래의 젊은 판사였다. 맨 먼저 열다섯 명 정도를 불러 세우더니 헛기침을 한번 하고 나서는 질문하기 시작했다.

"너희는 0일 0시 집단시위를 한 것이 사실인가?"

"예!"

"집단시위를 한 것이 위법이란 사실을 몰랐는가?"

"알았습니다."

"위법인 줄 알면서 왜 데모했는가?"

"우리는 00시장에 세들어 있는 소상인들입니다. 시장 조합장이 사기를 쳐서 돈을 갈취한 뒤 돌려주지 않기에 데모를 한 겁니다!"

"그렇다면 법을 따라 해야지, 법치국가에서 법에서 벗어난 행동을 해서는 안 되잖는가?"

"우리도 처음에는 법으로 하려고 애를 썼는데, 법이 우리 편을 들어주지 않으니까 할 수 없이 행동으로 한 겁니다!"

"법이 너희 편을 들어주지 않았다는 말이 무슨 뜻인가? 법이 법대로 다스려지는 것이지 어찌 어느 편을 들 수 있겠는가?"

"그런 게 아니라 조합장이 우리의 정당한 요구를 무시하고는 국회의원 빽만 믿고 우리에게 공갈협박을 계속했기 때문에 참다못해 단체행동을 한 겁니다!"

"국회의원 빽이라니, 무슨 말인가?"

"그 조합장이 모 의원 빽을 가지고 경찰서까지 움직여 경찰서에서도 우리가 억울한 줄 알지만 어떻게 할 수 없다고 했습니다. 조합장은 청와대에도 연줄이 닿는다고 합니다!"

"쓸데없는 소리하면 안 돼. 국회나 청와대가 다 국가의 신성한 법을

수호하는 기관인데 그런 일에 말려들 턱이 있겠는가? 그런 소리 하면 안 되고, 아무튼 피고들은 법치국가에서 법을 어겼으니 법의 제재를 받을 수밖에 없게 된 것이야."

"우리가 법을 어겼다니 억울합니다. 왜 죄 있는 사람은 버젓이 행세하고 억울한 우리들만 잡아 가둡니까?"

"그만들 해."

판사는 그들의 항의를 제지하고 서류를 뒤적였다. 판결을 내리려는 모양이었다. 나는 사건의 전모를 짐작할 수 있을 것 같았다. 어느 시장의 조합장이 영세상인들의 등을 친 것이다. 상인들이 이를 알고 항의하자 그는 돈으로 국회의원을 움직였다. 경찰서에서도 상인들의 억울한 사정을 짐작은 하고 있었지만, 조합장 뒤에 있는 빽이 신경 쓰여 방관하고 있는 모양이었다. 국회니, 청와대니 하지만 실제로는 조합장의 허세고, 고작 국회의원의 비서쯤 통했는지 모른다. 그런 일에 국회나 청와대가 움직여준다면 나라 꼴이 말이 아니지 않겠는가?

어쨌든 상인들은 말로도 법으로도 안 되니 집단으로 조합장 집에 가서 한판 벌인 모양이었다. 아마 의자를 던지고 전화통을 집어던지는 정도였을 것이다. 조합장은 오히려 잘됐다고 생각했을지 모른다. 부근 다방에 앉아 경찰서장에게 전화를 했을 게다. 그러고는 다방 마담에게 농담이나 걸었을 게다.

서장은 사건 내용은 알지만 자리를 지키기 위해 백차를 보내 연행하여 즉결재판소로 보낸 모양이었다.

나는 활빈교회가 할 일이 너무나 많다고 생각했다. 바닥에서부터 힘을 쌓아 눌린 백성들의 권리와 이익을 지켜주는 일을 해야 한다고 생각했다.

곧이어 판사는 누구는 석방, 누구는 벌금 3천 원, 누구는 구류 15일 등으로 판결을 내렸다. 나는 그 판사가 딱하다는 생각이 들었다. 고등고시에 합격하여 판사가 되었으니 머리가 나쁘지는 않을 것이고 사건의 진상은 능히 짐작하고 있었을 것이다. 그런데 큰 도둑은 잡을 생각도 못 하고 불쌍한 영세상인들에게 "구류 15일!"하고 판결을 내리고 있으니 딱한 지성이라 생각되었다.

오래전 나 자신도 '축 서울법대 합격'이라는 글귀를 써 붙여두고 입시 공부하던 때가 생각났다. 나도 그때 법대에 갔었다면 지금쯤 저와 비슷한 일을 하고 있을까? 나는 지금 현명한 인생길을 택했다고 생각돼 감사를 드렸다.

판사가 "김진홍"하고 부르기에 "예"하고 엉겁결에 일어서니 나를 보지도 않은 채 물었다.

"무허가 집을 지었어?"

"집을 지은 것은 아니고."

"알았어, 알았어. 벌금 이천 오백 원."

나는 말을 시작하려고 더듬는데 판사는 이미 판결을 내린 후 딴 사람을 부르고 있었다. 우리는 다시 대기실로 들어왔다. 거기서 벌금형을 받은 사람들은 벌금을 내고 풀려나갔다. 벌금 낼 돈이 없는 사람들은 경찰서로 실려 가서 벌금 대신에 하루 500원씩 깎아주는 콩밥을 먹어야 했다.

나는 집을 나올 때 아내가 넣어준 3천 원이 있으니 2천 500원을 내고 집으로 가리라 생각했다. 그때 같이 갔던 박씨가 큰일 났다고 했다. 그도 2천 500원의 벌금을 받았는데 돈이 모자란다는 것이었다. 오늘 꼭 집에 들어가야 할 일이 있는데 낭패라며 울상을 지었다.

얼마가 모자라느냐고 물었더니 1천 500원이 모자란다고 했다. 그에게 1천 500원을 빌려주었다. 그가 전도사님은 어떻게 하느냐고 묻기에 나는 바쁜 일이 없으니 천천히 나가도 된다고 일러 주었다. 그는 내가 추운 날 고생할 거라고 걱정했다.

"아니, 괜찮습니다. 남자가 이런 경험도 한 번쯤은 해봐야지요."

박씨는 자신이 가지고 있던 돈 1천 원에다 내가 준 1천 500원을 합해 벌금을 낼 수 있게 되었다. 그는 나가면서 말했다.

"전도사님, 고맙습니다. 내가 나가는 즉시 돈을 구해 전도사님도 나올 수 있도록 손쓰겠습니다."

박씨와 작별하고 돌아서는데 한 청년이 우울한 얼굴을 하고 서 있었다. 그가 서울대학교 배지를 달고 있기에 물었다.

"서울대 다니는가? 전공이 뭔가?"

"전자공학입니다."

"무슨 일로 들어왔는가?"

"어제 저녁 친구 집에서 화투 놀이를 하면서 지는 사람이 나가서 담배를 사 오기로 했어요. 내가 꼴찌를 해서 새벽 두 시에 담배를 사러 나왔다가 방범대원에게 들켜 파출소로 연행됐습니다."

"벌금은 얼마나 받았는가?"

"이천 원 받았습니다."

"이천 원이 없어서 못 나가고 있는겐가?"

"예. 담배 사려던 돈과 주머니에 있던 용돈을 다 합해서 팔백 원밖에 없습니다."

"그러면 내가 천 이백 원을 빌려줄 테니 나가서 우리 집 주소로 송금해 주게."

그는 내가 건네주는 1천 200원을 황공한 듯 받아서는 풀려났다. 그때 어디에서 "김진홍 전도사님, 김진홍 전도사님"하고 부르는 소리가 들려왔다. 귀 기울여 들으니 대기실 머리 위 높이에 있는 창문에서 들려오는 소리였다. 나는 깜짝 놀라 물었다.

"제가 김진홍 전도삽니다. 누구신지요?"

내가 대답하니 길로 난 창문 쪽에서 돌멩이에 싼 돈이 던져졌다. 주워 보니 500원짜리 석 장이었다. 먼저 나간 박씨가 재빨리 구해서 보낸 돈인 듯했다. 어디서 그렇게 재빠르게 돈을 구해 보냈는지 그 성의가 고마웠다. 그러나 이미 1천 200원을 서울대학생에게 줘버린 후인지라 다 합쳐도 1천 800원밖에 안 됐다. 벌금을 내고 풀려나기에는 700원이 모자랐다.

조금 후, 죄수 호송차로 경찰서로 옮겨졌다. 동부경찰서로 실려가서는 지하 유치장으로 들어갔다. 한가운데에 연탄난로가 있는 방인데 그 둘레를 따라 여섯 개의 칸이 있고 칸마다 수감자들이 있었다. 그들은 우리 '신입생'들을 구경하고 있었다.

우리 일행은 네 명이었다. 당직 경관이 네 명의 신입생을 일렬로 세

우고 죽 훑어보았다. 신상기록 카드와 얼굴을 대조해 보더니 내게 말했다.

"목사라구? 목사 같지 않은데? 요즘 목사를 사칭하는 사기꾼들이 있다던데, 그런 가짜 목사 아냐? 목사 이름 팔고 누굴 등쳐 먹은 게로구나. 목사가 어디 갈 데가 없어 여길 왔어?"

그의 말에 유치장 선배들이 와 하고 웃었다. 내 신상기록 카드에 목사라고 적혀 있었던 모양이다. 아마 파출소에서 그렇게 썼을 것이다. 수감자 중 한 명이 "박태선쯤 되는갑다" 하니 모두 또 와 하고 웃었다. 그러자 경관은 소리 나는 쪽으로 눈을 흘기며 "시끄러, 임마!" 하고 소릴 질렀다.

경관은 우리 네 명에게 "앉아, 서, 앉아, 서"를 몇 번씩이나 시켰다. 나는 얼떨떨해 다른 사람들이 앉을 때 서고 설 때면 앉고를 되풀이했다. 경관이 슬며시 옆에 오더니 갑자기 촛대 뼈를 찼다. 엉겁결에 맞은 자리가 어찌나 아픈지 차인 데를 부여잡고 주저앉고 말았다. 선배 수감자들이 키들키들 웃고 있었다. 경관이 고양이 쥐 다루는 듯한 눈길로 소릴 질렀다.

"왜 흐릿하게 구는 게야. 여기가 예배당인 줄 알아? 누가 너하고 보건 체조하잿어?"

나는 화가 치밀어, 이 새끼를 한번 걸고 넘어가야겠구나 마음먹고는 차분히 가라앉은 목소리로 말했다.

"이 씹새끼가 눈에 뵈는기 없나. 야, 이 새꺄, 순사 자리에 있응께 눈까리에 뵈는기 없냐. 옷 벗고 싶어?"

내가 정면으로 바라보며 세게 나가자 그가 움찔했다. 내심 이거 잘못 건드린 거 아닐까 생각하는 것 같았다.

그는 못 들은 척하며 소지품을 다 내놓고 양말을 벗으라고 했다. 나는 주머니 속에서 신분증과 포켓 성경, 그리고 현금 1천 800원을 내놓았다. 경관이 이것들을 챙기며 "맡겨두었다가 나갈 때 가져가" 하고 말했다. 주위의 눈길들이 내 현금에 쏠리는 듯했다.

나와 병약해 보이는 30대 남자는 6호실로 들어갔다. 끝자리에 앉으라고 실장이 지시했다. 유치장에서는 실장의 지시에 절대적으로 따라야 하는 모양이었다. 실장이 선참인 우리 둘에게 물었다.

"어이, 강아지 가진 거 있어?"

"강아지가 뭔데요?"

"이거 순 초짜구먼, 담배 있느냐 이 말씀이야!"

"난 담배 피우지 않습니다."

"응, 그래, 쟁이쟁이 예수쟁이지."

그가 예수쟁이에게는 관심이 없다는 듯이 돌아앉자 곧이어 저녁 식사가 들어왔다. 낡은 알루미늄 밥그릇에 순꽁보리밥, 그리고 밥 위에 몇 개의 단무지 조각이 얹혀 있었다. 그릇에 절반 정도로 담긴 밥 위에 젓가락이 꽂혀 있었다. 점심도 설친 날이어서 나는 맛있게 먹었다. 실장이 대단히 친한 듯한 목소리로 내 귀에 소곤거렸다.

"돈 있는 사람은 사식을 시켜 먹을 수 있어요. 두 그릇 시켜서 나와 한 그릇씩 먹을까요?"

"이만하면 먹을 만한데요."

"햇, 알짜 노랭이로구먼."

그는 내 현금을 생각하고 그런 제안을 한 것 같았으나 내가 응하지 않자 퍽이나 실망스러운 표정을 지었다.

식사 중에 나와 함께 들어온 사람이 심한 기침을 했다. 밖에서 누가 들어오더니 오늘 수감된 000의 부인이 약을 들여보내겠다는데 받아도 되느냐고 물었다. 내 촛대 뼈를 깠던 경찰이 말했다.

"안돼, 무슨 약인데 그래?"

"파스와 뭐라더라?"

"약 들여보낼 생각 말고 벌금이나 구해 오라고 그래."

"돈을 구할 처지는 안 되고 약이나마 들여보내겠대요."

나는 파스란 말에 기침하는 사람이 결핵환자임을 알았다. 그의 아내가 매일 먹어야 하는 결핵약을 가지고 여기까지 찾아온 모양이었다. 그렇게 전달하는 사람은 아마 여인이 하도 애걸하니까 불쌍한 생각이 들어서 좀 봐주자는 뜻으로 말하는 것 같았다. 그러나 동료가 규칙을 내세우니 어쩔 수 없이 물러섰다. 연방 기침을 해대는 것으로 보아 병세가 심한 듯했다. 경찰이 그에게 물었다.

"넌 대체 어디가 아프길래 여편네가 약을 받으라는 게야?"

"결핵이에요."

결핵이란 말에 소동이 일어났다. 우리 방 6호실 실장이 먼저 소리 질렀다.

"이-잉, 폐병쟁이하고 같이 있단 말야? 안돼! 감방살이도 서러운데 왜 폐병쟁이하고 같이 있어 이 폐병쟁이 딴 방으로 옮겨 줘요."

우리 방에 있는 다른 사람들도 폐병 환자와 함께 있으면 옮는다고 웅성거렸다.

경찰이 소리를 질렀다.

“시끄러! 야, 임마, 너 그럼 호텔로 가지 왜 여길 들어왔어? 너 같은 놈은 폐병쟁이하고 살아야 다시 사기 치지 않을 거야.”

실장은 아마 사기 사건으로 들어온 것 같았다. 경찰의 호통에 그는 시무룩해지더니 환자를 보고 악을 쓰기 시작했다.

“야, 저쪽 구석에 찌그러져 있어! 송장 같은 게 여기까지 왔어! 머저리 같은 새끼. 저래도 여편네는 끼고 자는 모양이지. 야 임마! 나같이 건장하고 잘생긴 남자도 여편네가 없는데, 넌 임마, 송장 같은 것이 어째서 여편네까지 있는 게야?”

환자는 한구석에 가 앉더니 심하게 기침했다. 옆사람이 고개를 저리 돌리고 기침하라고 윽박질렀다. 환자는 고개를 벽 쪽으로 돌리고 계속 기침을 해댔다.

나는 가슴이 아팠다. 환자도 딱했지만, 함께 고생하는 죄수끼리 인정 없이 대하는 것이 퍽이나 못마땅했다. 나는 모두에게 말했다.

“여러분, 결핵은 본래 약을 먹을 때는 균이 나오지 않기 때문에 전염이 되지 않습니다. 저분의 아내가 약을 가져왔다는 걸 보니 약을 먹고 있는 게 틀림없습니다.”

내 말에 실장이 으르렁거리듯 말했다.

“이 예수쟁이야, 그럼, 니가 색시처럼 안고 자라.”

나는 이자가 지나치다고 생각돼 정색하고 한마디 했다.

"당신 지나치구먼. 이 감방에 평생 살 거요? 밖에 나가 살려면 좀 조심하시오."

그는 입속으로 무어라 중얼거리며 고개를 돌려버렸다. 나는 환자에게 물었다.

"결핵이 심하신 것 같은데 며칠 구류처분을 받으셨는지요?"

"이천 오백 원 벌금을 받았습니다."

"무슨 죄로 받았는지요?"

"판잣집을 무허가로 지었다고 받았습니다."

"판잣집을 손수 지었습니까?"

"아네요. 삼만 원에 사서 들어갔는데 계고장이 나왔습니다. 집은 헐리고, 나는 경관이 가자고 하기에 따라왔더니 여기까지 오게 됐구먼요."

그는 한숨을 쉬며 몸이 이래서 이겨낼지 모르겠다고 걱정했다. 그의 병세로 볼 때 이런 추위에 마룻바닥에서 자다가는 치명적이 될 것 같았다. 지난번에 박씨 부인이 결핵이 호전되어 가다가 경찰서 유치장에서 하룻저녁 지내고 온 후 다시 일어나지 못했던 일이 생각났다.

이 환자를 집으로 보내줘야겠다고 생각한 나는 예수님께 도움을 구했다.

"예수님, 이분은 집으로 가야 할 사람입니다. 내게 천 팔백 원이 있지 않습니까? 칠백 원만 더 있으면 이 사람을 내보낼 수 있습니다. 칠백 원을 구할 수 있도록 도와주십시오."

나는 정성껏 기도했다. 기도를 마친 후 심호흡을 한 번 하고는 당직 경찰을 불렀다. 나는 경찰에게 말했다.

"이 사람은 결핵이 심한 환자인데, 내가 보기에는 이 추위를 이길 수 없을 것 같습니다. 집으로 보내줄 수 없을까요?"

"벌금만 낸다면 언제든지 나갈 수 있지."

"이분 벌금이 이천 오백 원이라는데요, 제가 맡겨둔 돈이 천 팔백 원입니다. 칠백 원 모자라는데 어떻게 안 될까요?"

"한 푼이라도 모자라면 안 되는 게 규정이야. 사정이 딱하긴 하지만 규정을 어기고 봐줄 순 없지."

이런 대화가 오가는 사이 실장이 내 옆구리를 쿡 찌르며 그럴 필요 없으니 만두나 사서 다 같이 나눠 먹자고 했다. 나는 아무 말 없이 듣고만 있었다.

조금 후 풍채가 좋은 사람이 들어왔다. 당직 경찰이 일어서서 부동자세로 경례를 붙였다. 과장쯤 되는 사람 같았다. 어쩌면 그의 재량으로 모자라는 돈을 해결할 수 있을지 모르겠다는 생각이 들었다. 나는 그에게 한번 청해보기로 마음먹고 경관을 불렀다.

"경관님, 이 환자를 집에 보낼 수 있도록 과장님께 부탁해 주십시오. 아무래도 여기 두어선 안 되겠습니다."

경관이 난처한 듯 머뭇거리자 분위기를 눈치챈 상관 과장이 물었다.

"무슨 일이야?"

"오늘 들어온 신참 중에 결핵환자가 있는데, 저분의 말로는 그냥 두면 지탱하기가 어려운 처지라며 자기 돈으로 내보내달라는 겁니다."

"고마운 분이로구먼. 그렇다면 그렇게 해드리지 그래."

"그런데 돈이 칠백 원 정도 모자랍니다."

상관은 가만히 생각하더니 내게 물었다.

"아시는 분인가요?"

"아뇨, 여기 와서 처음 만났습니다."

"그런데 왜 그 사람을 위해 돈을 내놓겠다는 겁니까?"

"나는 건강한 몸이고 이분은 중증 환자니까 이런 환경에 두면 치명적일 것 같아서 그럽니다."

그러자 상관은 결핵환자에게 물었다.

"당신은 벌금을 얼마 받았는데요?"

"이천 오백 원 받았습니다."

"이천 오백 원 벌금에 천 팔백 원이 있다니 이틀 후면 당신이 나갈 수 있겠는데요?"

"…"

환자가 대답을 머뭇거리자, 내가 대신 말했다.

"나는 건강하니까 여기 있어도 별 상관없는 처지고 이분은 여기서 하룻밤이라도 지내면 병세에 큰 타격이 될 것 같아서 그럽니다."

"좋소. 그럼 내가 천 원을 낼 테니 합해서 내보냅시다!"

나는 가슴이 확 트이는 기분이었다. 환자는 나가면서 내게 큰절을 했다.

"감사합니다. 집 주소를 알려 주시면 찾아뵙고 돈을 갚겠습니다!"

"그럴 필요 없습니다. 나도 다른 사람에게서 얻은 돈이니 잊어버리세요. 부디 건강을 찾아 복되게 살기를 기도드리겠습니다."

그는 문간에서 눈물을 훔치며 나갔다. 그가 울며 나가는 모습을 보니 나도 코끝이 찡해왔다.

그가 나간 후로 유치장 분위기가 숙연해졌다. 쌍소리나 잡음이 끊어지고 바늘 떨어지는 소리도 들릴 만큼 조용해졌다.

얼마 후 내 옆에 앉아 있던 젊은이가 물었다.

"예배당 목사님이세요?"

"목사 되기 전의 직책인 전도삽니다. 왜 그러세요?"

"저도 이제 예배당에 나가고 싶어져서 그럽니다."

젊은이는 중학교 때까지 교회에 다녔는데, 교회당에서 목사파니 장로파니 하고 싸움이 나는 걸 보고 발길을 끊었다고 했다.

"그런데 전도사님은 무슨 교회예요?"

"활빈교회입니다."

"그게 아니고 천주교, 장로교, 감리교 그런 것 중에 어느 쪽입니까?"

"아무 쪽도 아니고 예수 쪽입니다."

"예수 쪽이라 좋은 표현이네요. 나도 나가면 예수 쪽인 활빈교회로 가겠습니다."

"고맙습니다. 나가서 서로 연락하여 가까이 지냅시다. 그건 그렇고, 왜 들어오게 되었지요?"

"좀 부끄럽기는 합니다만 사실대로 말씀드리지요. 고향에서 중학교를 마치고 서울로 와서는 뒷골목에서 구르다가 마음잡고 가게를 하나 열었습니다. 꽤 기반이 잡혀가는데, 도박에 손을 댔다가 그만 잡혀 왔습니다."

이런 이야기를 나누는데 당직 경관이 갑자기 버럭 소리를 질렀다.

"어이 목사, 조용히 해!"

나는 찔끔했다. 절대 침묵이 감방 안의 규칙이다. 그런데 그때 옆방 5호실에서 누군가가 경찰관에게 항의했다

"야, 너무하다. 목사가 뭐야. 목사님이지. 여러분, 그렇잖아요? 우리 같은 잡범 대하듯이 목사, 목사 그렇게 불러서야 되겠어요?"

이런 말이 들리자 우리 6호실 실장이 말을 받았다.

"그래, 목사님을 막 까고 너무했다, 너무했어."

그렇게 떠들어대니 유치장 안이 웅성거리기 시작했다. 경관은 분위기가 심상치 않은 걸 느끼고는 일어서서 서성거리며 소리를 질렀다.

"조용히들 해요, 조용히."

한결 부드러워진 목소리로 말하고는 담배를 피워 물더니 각 방을 살피고 다녔다. 우리 방 앞까지 오자 실장이 말했다.

"거 담배 한 모금만 합시다."

"짜식이 뻰찌는 좋아서. 그래, 오늘은 특별히 한번 봐주겠어."

경관이 각 방에 담배 한 개비씩을 돌렸다. 모두들 희색이 돌며 좋아들 했다. 한 사람이 한 모금씩 빨고는 연기까지 삼켰다. 나에게도 한 모금 하겠느냐기에 고개를 저어 사양했다. 각 방에서 담배 피우기가 끝나가자 경관이 말했다.

"자, 이제 취침들 해요."

마룻바닥에 담요 한 장을 깔고 누우니 추위가 뼛속 깊이 스며 들었다. 마룻바닥에 직접 닿는 허리께로, 송곳으로 쑤시는 듯한 추위가 스

며들었다. 나는 이를 악물고 잠들기를 기다렸다. 그런 경황에도 이미 잠들어 코를 고는 사람도 있었다.

막 잠이 들려던 참에 철문 여는 소리가 들리고 뭐라고 주고받는 말소리가 들리더니 나를 불렀다.

"김진홍 목사님, 나오십시오. 집에서 모시러 왔습니다."

당직 경관이 마치 딴사람이라도 된 듯이 공손히 말했다.

"예? 나가다니요? 갑자기 나가다니요?"

졸지에 나가려니 유치장 안에 남아 있는 동기생들에게 퍽 미안스러웠다. 나 혼자 나가는 것이 마치 무슨 죄라도 짓는 듯했다. 동료들을 깨우지 않으려고 고양이 걸음으로 살금살금 나오려는데 뜻대로 되지 않았다. 실장이 일어나 "목사님, 축하합니다" 하고 말했다. 1천 800원으로 만두나 사 먹자던 때의 표정은 사라지고 진지하고 선하게 보이는 얼굴로 변해 있었다.

"먼저 나가서 죄송스럽구먼요. 인연이 닿으면 밖에서 만납시다."

그렇게 인사하고 나오는데 그가 등 뒤에 대고 뜻 모를 말을 한마디 했다.

"목사님은 성공하실 겁니다."

나는 맡겨두었던 소지품을 챙겨 들고는 철문을 나왔다. 당직 경관이 밖에까지 따라 나오며 말했다.

"목사님, 무례했던 걸 용서하십시오. 그래서는 안 되는데, 죄수들을 대하다 보면 성격이 거칠어집니다."

"이해는 가지만 고치셔야지요. 죄수들이라지만 근본은 다 착하고

불쌍한 백성들 아니겠습니까? 따뜻이 돌봐주십시오."

"옳은 말씀입니다. 나도 그렇게 알고 노력은 하나 잘되지 않습니다. 아무튼 목사님, 안녕히 가시구요, 그리고 다시는 이런 곳에 들어오지 마십시오. 목사님이 오실 곳이 못 됩니다."

그와 헤어져 동부경찰서 계단을 내려오는데 그에게 차인 자리가 쓰라렸다.

경찰서 수위실에 새문안교회 대학생인 허성삼 군이 기다리고 있었다. 모처럼 판자촌에 들렀다가 아내에게서 사정을 듣고 왔노라고 했다. 집에 가니 아내가 반색하며 맞았다. 동혁이는 잠들어 있었다. 따뜻한 아랫목에 등을 대고 누우니 이곳이 바로 천국이거니 하는 생각이 들었다.

목소리가 들렸다. 바로 곁에서 들려주는 부드러운 음성이었다.

"진홍아, 네 등에서 죽은 그 여자가 누군지 아느냐?

십자가에 죽은 나 예수다."

나는 가슴이 뜨거워지고 눈물이 쏟아졌다.

일어나 시체 앞에 무릎을 꿇고 그 손등에 입을 맞추며 말했다.

"예수님, 무슨 말씀인지 알겠습니다.

주님이 오늘 내 등에서 숨을 거두었다는 말씀의 뜻을 알겠습니다.

제가 잘못 생각했습니다."

선상님, 교회 선상님

선상님, 교회 선상님

다음 날 오전에는 이부자리에 누운 채 피로를 풀고 오후에 빈민촌을 한 바퀴 돌았다. 동네 앞 넓은 공터에 동네 청년 예닐곱 명이 모여 있었다. 하릴없이 빈둥거리고 있는 모습들이 눈에 거슬렸다. 나는 그들에게 다가가 물었다.

"이 사람들아, 젊은 사람들이 왜 한낮에 이렇게 놀고들 있는 겐가? 일을 해야 건강한 거야."

"지당한 말씀입니다요. 하지만 일자리가 없는 걸 어쩝니까."

"그래? 그렇다면 내가 일자리를 구해주랴?"

"하이고, 귀가 번쩍하네요. 일자리만 구해주신다면 평생 형님으로 모시겠습니다."

"난 동생이 있으니까 동생 노릇은 안 해도 되고 일만 열심히 하면 되는 것이지. 내일 아침 여섯 시경에 교회당 앞으로들 오게. 내가 일터로 데리고 갈 테니."

“정말이지요? 히야, 신난다. 그럼, 우린 일자리를 구한 것이지요?”

“그렇다니까. 내일부터 내가 시키는 대로만 하면 되는거여.”

다음 날 아침 여섯 시 조금 지나자, 젊은이 네 명이 교회당 앞에서 서성거리고 있었다. 나는 그들을 부르며 “일하러 가려고들 왔는가?” 하고 물었다. 그들은 “예”하며 내게로 가까이 왔다. 그런데 그들은 넥타이를 매고 구두를 닦아 신고 머리에는 포마드 기름을 발라 파리가 미끄러질 듯한 모양들을 하고 있었다. 나는 의아스러워 물었다.

“그런데 일 나갈 사람들이 웬 넥타이들은 맸는가? 그리고 머리들은 왜 그렇게 번쩍거리는 겐가?”

“일 나가는데, 첫날부터 인상이 좋아야지요. 그래서 좀 때 빼고 광 내고 했습니다요".”

“일 나갈 사람들이 일복을 입고 와야지, 넥타이가 될 법한 일인가? 얼른 가서 일복으로 갈아입고 신발도 농구화 같은 것으로 갈아신고 머릿기름은 비누로 씻고들 오게. 꼭 기생오래비같이들 채리고 일 나가서야 되겠는가?”

그들은 멋쩍은 얼굴들을 하고는 가더니 일꾼 차림을 하고 다시 왔다. 나는 그들을 뚝섬 경마장 뒤편에 있는 넝마주이 일터로 데려갔다. 그리고 망태와 집게 하나씩을 주며 일렀다.

“이거 구백사십 원어치여. 일해서들 갚게.”

“아니, 이거 넝마주이 아닙니까?”

“그래, 넝마주이지. 넝마주이가 어때서 그렇게 놀란 얼굴들을 하는 겐가?”

"우린 이런 일 못합니다요. 아무렴 넝마주이야 될 수 있습니까? 진작 그렇게 말해주었으면 따라오지도 않는 긴데 괜히 따라나섰네요."

"하, 이 사람들이 지금 보니 뭘 잘못 생각하고들 있군 그래."

"우리가 잘못 생각하고 있다니요? 잘못 생각하고 있는 건 전도사님입니다요. 애초에 일자리 구해준다고 했지 넝마주이 한다고는 하지 않았잖아요?"

"넝마주이는 일자리가 아니라는 건가. 그건 잘못 생각하고 있는 게야. 자네들이 앞으로 사람 구실 하려면 그런 생각부터 고쳐야 하네. 넝마주이가 얼마나 훌륭한 일인지 아는가? 자네들도 한번 생각해 보게나. 우리나라는 땅 좁고 골짝마다 사람들만 득시글거리는 나랄세. 자원이라고는 산에 송충이 먹은 소나무하고 무연탄 조금 나고 골짜기에 자갈 모래뿐일세. 이런 나라에서 종이 한 장, 쇠똥가리 하나라도 땅에 묻히게 하지 말고 주워 모아서 공장으로 보내 재활용하면 자원을 생산하는 건설적인 사업 아니겠는가? 그러니 넝마주이는 바로 애국 운동인 게야.

그리고 자네들, 놀고 지내면 병 생겨. 노는 사람은 마음이 병들고, 마음 병에 뒤따라 몸에도 병이 오는 거야. 그러나 넝마주이라도 열심히 하면 자원 생산하는 애국자가 되는 것이고, 마음도 몸도 건강해지는 것이야. 그러니 자네들 이왕지사 나를 따라왔으니 한번 해보게나. 나하고 딱 열흘만 같이 해보세. 열흘 뒤에도 하기 싫으면 그때는 나도 딴말 않겠네. 그러니 우선은 죽었다 치고 열흘만 쓰레기통을 뒤져보세. 나 같은 사람도 하는데 자네들이 못할 턱이 무언가?"

나는 그들을 타이르고 어르며 망태를 메게 했다. 그들은 내키지 않는 표정으로 한참이나 머뭇거리더니 한 명이 말했다.

"그래, 한번 해보자고. 사나이는 지랄병 하고 도둑질 외에는 뭐든 해보라고 했잖은가? 그래도 넝마주이가 도둑질은 아니니까 전도사님 시키는 대로 한번 해보자고."

그가 그렇게 말하며 망태를 메니 다른 젊은이들도 망태를 메고는 나를 따라나섰다. 나는 그들에게 넝마주이 하는 요령을 가르쳐주며 그들의 생각을 바꾸려고 힘썼다. 말하자면 일종의 의식화 훈련이었다.

그날 오전 내내 골목골목을 누비다가 점심식사를 하려고 중국집에 들렀다. 안 하던 일을 하려면 배고플 테니 마음껏 들라며 푸짐하게 시켰다. 그들 중 한 명이 말했다.

"넝마주이 일, 생각보다는 할 만한데요."

"그래? 다행이야. 생각보다 빨리 익숙해지는구먼. 그럼 다른 사람들은 어떤가? 역시 같은 생각들이지?"

"예, 동네에서 노는 것 보담은 낫습니다. 허구한 날 노는 것도 힘들어요."

"옳은 말이야. 사나이들에게 일이 있다는 건 좋은 게야. 자네들이 그렇게 잘 받아들여주니 기쁘구먼. 배고플 텐데 어서들 들라구."

그렇게 넝마주이 길로 들어선 그들은 하루가 다르게 익숙해지더니 얼마 후에는 프로가 되어갔다. 게다가 그들은 동네 또래 중에 일감이 마땅찮은 친구들을 설득해 끌어들이기 시작했다. 처음에는 한 명, 두 명이 따라나서더니 시간이 지나자 10여 명이 합류하게 되었다.

나는 인원이 늘어나자, 체계와 규율이 필요함을 느꼈다. 그래서 아침나절 일과를 시작할 때면 내가 가운데에 서고 모두가 원으로 둘러서서 나를 따라 구호를 복창하게 했다. 우선 오른손 주먹을 쥔 채로 흔들며 구호를 외치게 했다.

"우리는 바닥에서 살고, 꼭대기를 바라본다!"

이렇게 주먹을 허공에 휘두르며 구호를 외치고는 각자 일터로 흩어져 갔다. 일터래야 서울 시내의 뚝섬에서 워커힐까지와 중곡동 지역에 이르기까지였고, 일이래야 골목골목을 누비며 쓰레기통을 뒤지는 일이었다. 저녁나절 하루 일을 마친 후에는 포장마차에라도 둘러앉아 소주 한 잔에 낙지 볶음을 먹으며 그들과 덕담을 나누었다.

우리가 비록 서울 시내 뒷골목 쓰레기통을 뒤지며 살지라도 쓰레기 인생이 되어서는 안 된다. 하는 일이 비록 쓰레기 줍는 일이라도 이상과 꿈은 높아야 한다. 그런 뜻에서 '바닥에서 살고 꼭대기를 바라본다' 라고 아침마다 외치는 것이라고 했다.

그리고 우리는 쓰레기를 정리하는 일꾼들이지, 쓰레기통에 빠지는 사람들이 아니다. 비록 서울시 바닥에 살지만 목표는 높은 데 두고 '사람이 사람답게 사는 세상' '서로 돕고 사는 세상' '사람 위에 사람 없고 사람 아래 사람 없는 세상'을 만들어 나가는 일에 쓰임 받는 일꾼들이 되자고 소주잔을 함께 나누며 이야기를 주고받았다.

그들은 그런 이야기를 들으니, 신바람이 나고 당당한 넝마주이가 될 수 있겠노라고 말했다. 나는 그들에게 '활빈개발봉사대'란 모임을 만들게 하고 대원들 하루 수입 중 10분의 1을 따로 적립하게 했다. 그리고 그렇게 모인 예산의 쓰임새에 대해 가르쳤다.

"교회에는 십일조란 헌금이 있다. 모든 교인은 각자 수입의 십 분의 일을 하나님의 일에 바친다. 교회의 십일조같이 우리 개발 봉사대도 십일조를 내기로 하자. 이 십일조는 교회에 내거나 내게 내는 것이 아니다. 회계 책임자를두어 매일 매일 수입금의 십 분의 일을 따로 떼서 적립한다.

그러면 그렇게 모은 돈은 어디에 쓰느냐? 동네에서 불쌍한 사람들을 돕는 일에 쓴다. 병원에 가야 하는데 돈이 없어 못 가는 환자들의 치료비, 머리 좋고 똘똘한데 학비가 없어 학교에 가지 못하는 아이들의 장학금, 기술 배워 취직하려는데 기술학교 갈 비용이 없는 사람들에게 보조비 주는 등의 좋은 일에 쓴다. 그리고 이 기금은 자네들이 의논하여 자치적으로 운영하는 것이지, 내가 이래라저래라 하는 것도 아니다. 나는 다만 자네들이 의논하는 일에 자문만 할 따름이다. 알겠냐?'

"예, 알아들었습니다."

그러나 그렇게 모은 돈을 어떤 일에 실제로 사용할 때는 그렇게 쉽지만은 않았다. 좋은 일에도 연습이 필요했다. 한번은 한 부인이 임신중독증으로 사경을 헤매고 있었다. 그녀를 돕는 일에 십일조 예산을 쓰자는 의견이 나왔다. 모두 찬성했으나 유독 한 명이 반대했다. 이유인즉 기금을 많이 모아 큰일에 써야지 들어오는 대로 이런 일, 저런 일에 다 써버리고 나면 보람이 없어진다는 의견이었다. 그러나 그녀를 입원시키는 일에 예산을 쓰기로 결정한 뒤 나는 반대하던 대원에

게 그 일을 맡겼다.

“이번 일은 수고스럽지만 자네가 좀 맡아줘야겠네. 그 부인이 그런 상태로 며칠만 더 가면 목숨까지 위태로워질 거야. 그러니 자네가 하루 일을 못하더라도 부인을 병원으로 데려가 입원시키고 오게.”

“아니, 뭐라구요? 나더러 그런 일을 하라구요? 세상에 평생 내 마누라도 병원에 한 번 데려가 보지 않았는데, 시상에 남의 마누라를 병원에 데려가라구요? 말도 안 됩니다.”

“뭐이 말이 안 되는가? 세상 살면서 자기 일만 하고 살면 철이 안드는기여. 어려움에 빠진 사람을 도와주면 결국은 자기를 돕는 거여.”

“그렇게 좋은 일이면 다른 대원을 보내세요. 하필이면 왜 날 찍습니까?”

“자네, 요사이 말이 많구먼. 딱 잘라 말하게. 갈 텐가, 안 갈 텐 가?”

“예, 가겠습니다.”

그는 한참 머뭇거리다가 대답했다.

“그럼, 진작 그렇게 할 것이지. 내가 자네에게 무리한 일을 억지로 시킨다고 생각 말게. 자네가 병원에 다녀온 후에는 나한테 고맙다고 할 것을 알고 있기 때문이야.”

그는 다음날 망태를 메지 않고 임신중독증에 걸린 부인을 데리고 병원에 갔다. 진찰에서 입원까지 무사히 마치고 나서 저녁에 나를 찾아왔다.

“오늘 병원에 잘 다녀왔습니다.”

“그래. 그렇게 하고 나니 억울한 생각이 들던가?”

“아닙니다. 다음에도 다시 나를 시켜주십쇼.”

“그 부인을 도와주는 것을 마땅찮아하더니 마음이 바뀐 게로군.”

“그렇습니다. 사람을 도와준다는 것이 좋은 일이라는 걸 깨달았습니다. 괜스레 기분이 좋구요. 사람 사는 것이 이런 것이구나 하는 생각이 들었어요. 앞으로 이런 일은 제가 담당하고 싶습니다. 맡겨만 주십시오.”

예상했던 대로 그는 좋아했다. 사람이 사람을 돕고 산다는 것은 좋은 일이다. 그것이 사람답게 사는 지름길이며, 도움을 받는 쪽보다 돕는 쪽이 더 큰 혜택을 누리게 된다. 사람들은 자기보다 어려운 처지에 있는 이웃들을 도우면서 자신의 왜곡됐던 성품을 치유받게 되고 삶의 보람을 깨닫게 된다. 많은 사람들이 그런 사실을 모르기 때문에 자신만을 위해서 살려 하고 있다. 대체로 빈민촌 젊은이들은 성격이 거칠고 산만하다. 그런 성품을 고치는 데에는 남을 도울 수 있는 기회를 갖게 하는 게 가장 좋은 방법이다.

그즈음 활빈개발봉사대는 동네의 결핵환자들을 돕는 일을 시작했다. 결핵환자들은 대부분 영양상태가 나빴고 독한 약을 계속 먹어 위장이 상해 있었다. 가난해서 결핵에 걸렸고, 결핵에 걸리니 더욱 가난해지는 악순환이 거듭될 수밖에 없었다.

봉사대 대원들은 결핵환자들과 그 가정을 돕는 일을 시작했다. 동네 앞 빈터에 연탄을 쌓아두고 노동력이 없는 결핵환자들 가정에서 그냥 가져 가게 했고, 비타민과 영양제 등을 구입해 환자들에게 공급했다. 그리고 동네 한 곳에 큰 가마솥을 걸어두고 영양가 넘치는 곰탕을 끓

여 환자들이 언제든지 와서 먹을 수 있게 했다. 곰탕 재료는 넝마주이 하면서 구할 수 있는 재료들이었다. 소 뼈다귀며 닭발, 생선 내장 등이 주재료였다.

하루는 한 대원이 폐병에는 개고기가 좋다니 개장국을 끓여서 환자들에게 먹이자고 제안했다. 곁에서 누군가가 개장국이 좋은 줄은 아는데 개를 계속 조달하기가 쉽지 않다고 했다. 그러자 그 대원은 그건 걱정할 것 없다. 우리가 날마다 골목골목을 뒤지며 살아가는데 가는 곳마다 주인 없이 떠돌아다니는 개들이 있잖은가? 그런 개들을 잡으면 될 것이라고 말했다.

의견이 일치된 대원들은 다음날부터 개를 잡아들이기 시작했다. 계속되는 보신탕 공급에 환자들은 기뻐했다. 동네 한가운데에 가마솥을 걸어놓고 푸짐하게 탕을 끓여 환자들에게 공급하면 환자들만 먹는 것이 아니라 환자 가족들까지 와서 단백질을 공급받곤 했다.

그런데 문제가 생겼다 대원 한 명이 주인 없는 개라고 끌어온 개가 고위층 가정의 엄청나게 비싼 개란 것이었다. 어떻게 알았던지 우리가 자기 집 개를 끌어다 탕을 끓여 먹은 것을 알게 된 부잣집 주인 마나님의 분노가 대단했다. 경찰서장에게 전화까지 하여 우리를 모조리 잡아넣으라고 했다. 경찰서장으로부터 단단히 다짐을 받은 경찰이 나를 찾아와 어떻게 된 것이냐고 물었다.

나는 자초지종을 설명했다. 경찰은 이해하고 그 부잣집 마님을 찾아가 사과드리라고 귀띔했다. 나는 대원 한 명을 데리고 그 고관집을 찾아갔다. 사모님을 뵙고 정중히 사과를 드렸다. 그러나 그 사모님이란 분은 도무지 경우가 없고 말귀가 통하지 않는 사람이었다. 넝마주이 대원들을 마치 도둑 떼라도 되는 듯 몰아붙였다.

나는 속이 부글거리고 반발심이 생겨 말이 삐딱하게 나갈 수밖에 없었다.

"사모님, 너무 그러지 마시라요. 따지자면 우리도 잘못한 게 없습니다요."

"잘못이 없다니 무슨 말이야요! 우리 식구 같은 개를 끌어다 먹어버리고 나서 잘못이 없다니요! 그런 철면피 같은 말이 어딨어요?"

"우리가 잘못이 없다는 건 다름 아니라 우리가 개를 좋아해서 그런지 그 개가 우리를 쫄쫄 따라온 거지요. 그라고 마당에 물을 끓이고 있으니 목욕탕인 줄 잘못 알았던지 개가 제 발로 걸어 들어간 거지요. 그런데 물이 너무 뜨거워 제때 나오지를 못하고 그만 익어버린 것이지요. 그러니 우리는 고기가 익었으니 먹은 거지요. 그러니 너무 우리만 탓하지 마시라요."

"뭐라고요? 누굴 놀리고 있는 거예요? 당장 고소해서 버르장머리를 고쳐놓겠으니 각오들 하세요."

"아, 예, 예, 아주머니. 고소를 하시려면 하십쇼만은, 개 잡아먹은 것으로 징역 사는 법은 아직 한국 땅에 없습니다."

"그래요? 그럼, 어디 두고 봅시다. 징역 살게 되는가 아닌가 두고 봅시다!"

다음날 나는 넝마주이 작업장에서 어지러워 쓰러질 뻔했다. 손수레

를 잡고 간신히 몸을 지탱했다. 온몸에 식은땀이 주욱 흘렀다. 작업을 중단하고 집으로 돌아왔다.

돌아오는 길에 집안 골목길에서 아들 동혁이를 만났다. 동혁이는 길가에 서서 이웃집 방 안을 물끄러미 들여다보고 있었다. 무엇을 그렇게 보고 있는지 궁금해 아이 뒤로 다가가서 보니 온 가족이 둘러앉아 밥을 먹고 있었다.

그 집은 아직 겨울이 채 지나지 않았는데도 방문을 열어두고 밥을 먹고 있었다. 아마 연탄불을 간 후여서 가스가 스며들기 때문일 것이다. 내가 부르자 혁이는 깜짝 놀라 품에 안기며 말했다.

"아빠, 우리도 밥 먹어."

겨울 내내 수제비만 먹이니 어린것이 밥이 먹고 싶었던 모양이다. 아내와 혁이의 건강에 대해 의논했다. 아내는 한숨을 쉬며 말했다.

"요즘 애가 기침이 잦고 잠자리에서 땀을 많이 흘리는 것이 걱정이에요."

"그래? 그거 심상찮은데?"

"아이는 아버지가 없는 아이고 나는 남편이 없는 여자지요."

"그건 또 무슨 말이오?"

"당신이 빈민, 빈민하며 자신의 이상 실현하는 데에만 미쳐 있어 아내나 자식에게는 관심조차 없으니 하는 말이지요."

"그렇다고 내가 가족에게 관심이 없기야 하겠소?"

"글쎄요, 당신은 가족에게 관심이 있다고 말씀하시지만, 내가 볼 때 당신은 정상이 아닌 사람이에요. 나까지는 좋은데 아이에게까지 이런 생활을 요구한다는 것은 정상적인 사람이라면 할 수 없는 생각 아니겠어요?"

"당신 말도 일리는 있소만 다른 아이들도 다들 잘 견디고 살아 가는데 우리 아들 동혁이라고 못 견뎌내겠소."

"이 동네의 다른 아이들과 우리 동혁이가 같다고 생각하지 마세요."

"동혁이라고 이 동네 아이들과 다를 바가 무엇이겠소?"

"다르지요. 분명히 달라요. 동혁이는 당신 말씀대로 부르주아로 길러져서 이런 밑바닥 생활을 감당하기에는 체질적으로 적합하지 않아요."

나는 처자식을 생각하면 심각해졌다. 아내 말이 옳았다. 그들에게 이곳의 극한적인 생활을 견디라는 것은 애초부터 무리였다. 그렇다고 이제 와서 어떻게 할 것인가? 참으로 진퇴양난이었다.

무엇보다 아내의 신경이 날카로워지는 것과 아이가 약해지고 있는 게 문제였다. 방은 춥고 습기가 차 있는 데다 잘 먹이지 못하니 아이가 자다가 울기도 하고 기침도 했다. 나는 동혁이가 기침을 그치지 못하면 속으로 안절부절 못했다. 아내는 그냥 침묵으로 항의 하였다.

그러던 차에 대구에서 장모가 올라와 우리가 사는 모습을 보고는 질겁을 하며 말했다.

"김 서방, 자네는 예수를 믿어도 별나게 믿는구먼."

"장모님, 드릴 말씀이 없습니다."

"자네가 좋아하는 이런 일일랑 자네 혼자서 하게. 혁이와 에미는 외가로 데려가야겠네."

"힘들어도 가족이 함께 있어야지, 따로 떨어져 살아서야 되겠습니까?"

"아니, 자네 정신이 있는가? 이런 처지에 그래 그런 편한 소리를 하고 있는 겐가? 나는 열불이 나서 못 보겠으니 그만 내려가겠네. 자네 집 식구니 자네가 죽이든지 살리든지 알아서 하시게."

장모는 머리끝까지 화가 나서 돌아가 버렸다. 나는 다음날 동혁이를 이화여대 부속병원으로 데리고 가서 진찰했다. 결핵 검사를 하겠다는 의사의 말에 가슴이 철렁했다.

판자촌의 공적(公敵) 제1호가 결핵인데, 아들이 결핵에 걸렸으면 큰일이다 싶었다. 투베르쿨린 검사를 한 후 48시간이 지나면 결과가 나온다고 했다. 집으로 돌아오는 즉시 교회당으로 들어가 가마니를 깐 바닥에 앉아 기도했다.

그러나 결과는 양성으로 나타났다. 내 기도는 응답을 받지 못한 채 아이가 결핵임이 판명된 것이다. 병원에 가서 3개월 치 결핵약을 타오는 길에 아내가 말했다.

"현재 상태로는 계속 지탱하기가 힘들겠어요. 혁이를 데리고 대구 친정에 가서 지내며 건강을 회복시켜야겠어요. 우리가 대구에 가 있는 동안 잘 생각해 보세요. 가정이냐, 일이냐. 처자식이냐, 빈민촌이냐를 생각해서 택일하세요."

"당신, 나한테 겁주는 것 같아."

"그렇게 웃고 넘어갈 일이 아니에요. 진담이니 진지하게 생각해 주세요."

"당신이 그렇게 말하니 나도 심각해지는구먼."

"그래요, 심각하게 생각해 주세요. 당신은 이 일이 하나님의 일이니 물러설 수 없다고 생각하시겠지만, 내 생각은 달라요. 하나님의 일도 가정을 깨면서까지 하게 되면 하나님께 영광을 돌리지 못하는 거 아니겠어요?"

나는 아내와 아들을 고속버스 편으로 보내고 돌아오는 길에 목욕탕에 갔다. 몸무게를 재보니 49킬로그램이었다. 청계천에 들어올 때 55킬로그램이었으니 6킬로그램이 빠진 셈이다. 167센티미터인 내 키에 견주면 정상 이하의 몸무게였다. 마음이 착잡하고 심란했다. 가정이냐, 빈민촌이냐를 택일하라던 아내의 말이 생각났다. 동네로 들어오는 길로 교회당으로 가서 바닥에 꿇어앉았다.

"예수님, 나의 주인이신 예수님! 일도 가정도, 현실도 이상도 살릴 수 있게 인도해 주시옵소서! 어느 한쪽만 택해야 하는 지경에 이르지 않도록 도와주시옵소서."

기도가 채 끝나기도 전에 문 두드리는 소리와 함께 황급히 나를 부르는 소리가 들렸다.

"교회 선상님, 교회 선상님!"

또 좋지 못한 일이 생긴 거로구나 짐작하며 나가보니 아주머니 셋이 나를 찾고 있었다. 장안들의 채소 온상에서 날품을 파는 분들이었다. 그들은 작업하던 중에 곧장 달려온 듯 일복 차림에 호미까지 들고 있었다.

"무슨 일로 그러십니까?"

"하이고, 선상님, 고맙기도 해라 집에 계시는구먼요. 훈이 엄마가 큰일 났어요. 죽게 됐구만요. 살려주셔야겠시유."

"훈이 엄마가 왜 죽게 되었는지 차근차근히 말해주세요."

"글쎄, 그 몸으로 또 일한다고 나가 쪼그리고 앉았다가는 거품 물며 까무러치기에 집에 데려다두고 이리로 왔시요. 이 일을 어쩐다지요?"

나는 아주머니들을 따라 훈이네 집으로 갔다. 훈이네가 사는 송정동 74번지는 2킬로미터가량 떨어진 동네다. 지난 가을부터 철거반과 철거, 복구, 철거, 복구를 반복하며 실랑이하고 있는 동네였다. 서울시청에서 그 자리에 청계천 하수처리장을 세운다고 동네 전체를 철거하려 하고 있었다. 그러나 별다른 대책도 없이 철거당하게 된 주민들이 그냥 당하고만 있을 리 없었다.

특히 동네 부녀자들의 데모가 거세게 일어났다. 그들이 일으킨 데모는 희한한 데모였다. 강제 철거 중인 철거반원들에게 부녀자 수십 명이 떼를 지어 돌진했다. 그들 모두가 어린아이들을 업었는데, 등에 업은 것이 아니라 배에다 업고 있었다. 아기를 배에 업은 채 전속력으로 달려들어 철거반원들과 부딪치면 아이들이 크게 다칠 판이었다. 그런 자세로 눈에 불을 켠 채 돌진하며 소리들을 질렀다.

"야, 이 새끼들아, 너그 죽고 우리 죽자!"

마치 일본의 가미카제 특공대 같았다.

철거반장이 그런 모습을 보고 질겁하여 소리 질렀다.

"애새끼들 다친다, 피해라!"

철거반원들은 줄행랑을 쳤다. 이런 식으로 겨우내 실랑이를 벌이기를 무려 47회를 반복했다. 주민들도 끈질겼고 철거반도 끈질겼다. 하지만 끝내 강제 철거를 당한 200여 세대 주민들은 뿔뿔이 흩어졌다.

그러나 그중에서도 마지막까지 남은 20여 세대는 그 자리에 움막을 치고 살고 있었다. 이들 남아있는 세대 중에 훈이네가 있었다. 호주는 지난해 지하철 공사장에서 일하다가 사고로 죽었다. 땅 밑에서 일하는 동안에는 안전모를 써야 하는데, 잠시 쉬는 틈에 더워서 안전모를 벗은 모양이었다. 하필이면 그때 천장에서 떨어진 돌이 뒷머리에 맞았다. 뇌진탕으로 죽었으나 안전 규칙을 어겼다는 이유로 보상금도 쥐꼬리만큼 나왔다.

남편을 그렇게 잃은 훈이네는 살아갈 길이 막막했다. 할머니와 초등학교 다니는 두 딸, 네 살배기 아들 훈이까지 다섯 식구는 겨우겨우 끼니만 이으며 살아가고 있었다. 할머니는 시장에서 목판 장사를 하고, 훈이 엄마는 장안들 채소 하우스에서 품을 팔아 살아가고 있었다. 그런데 훈이 엄마는 몸이 약했다. 병약한 몸에 자식들을 굶기지 않으려고 무리를 하는 바람에 더욱 쇠약해졌다.

얼마 전 그 동네를 방문하던 중에 아주머니들이 훈이 엄마가 심상치 않다며 교회에서 좀 돌봐달라고 부탁한 적이 있었다. 나는 그들에게 물었다.

"훈이 엄마가 어때서요?"

"하우스에서 밭매다가도 구역질하고 어지럽다고도 하고요. 아랫배가 부어오르는 것 같기도 하구요. 병이 있어도 심상찮은 병인 것 같은 디요."

"글쎄, 잘 아는 병인 것 같은데요?"

"선상님, 잘 아는 병이라니, 뭔 병인디요? 선상님 생각에 짐작 가는 병인가요?"

"예, 짐작이 가다마다요. 임신한 거이지요. 구역질 나고 어지럽고 한 것들은 입덧하는 증상 아니겠어요?"

"하이고, 선상님도 우스운 소리도 잘하시네요. 글씨, 남편도 없는 여자가 뭔 애를 밴다요?"

"아니, 요즘은 남편 없어도 애기들 잘 배는 세상이지요. 처녀들도 애기들 잘만 배던데요. 내 생각에는 훈이 엄마가 애기를 배고서 말 못 하고 있는 것 같은데요."

"아니라요, 선상님. 훈이 엄마가 뭔 남자 밝힐 처지랑가요. 새끼들 델꼬 묵고살기도 숨찬데 남자라니요."

"글쎄요. 아무리 바쁘고 어려워도 남자 가까이할 시간은 다 따로 있는 거지요."

"그런 게 아니라니까요. 훈이 엄마가 애기 배서 그런 거면 내가 손가락으로 장을 지지겠네요."

"좋습니다. 내가 병원에 데리고 가서 진찰을 한번 받아보지요. 길고 짧은 건 대보면 안다고 진찰해 보면 다 알게 되겠지요."

이런 대화가 있은 지 며칠 후 겨울비가 내리는 날, 나는 훈이 엄마를 데리고 병원 산부인과를 찾았다. 버스에서 나는 훈이 엄마의 부풀어 오른 아랫배를 곁눈으로 보며 말했다.

"훈이 엄마, 병원에 가서 진찰해 보고 임신한 걸로 나오거든 낳아서 키웁시다. 훈이네가 키우기 어려우면 교인들이 맡아서 키우기라도 할 수 있겠지요."

"가서 진찰해 보면 알겠지요."

얼굴도 붉히지 않고 한마디로 대답하며 잠잠히 있는 그녀가 겉보기와 달리 속은 당찬 여자구나 생각했다. 진찰 결과는 임신이 아니었다. 자궁 속에 혹이 자라고 있다는 것이었다. 의사는 내가 그녀의 남편인 줄 알고 꾸짖듯 말했다.

"어떻게 혹이 이렇게 자라도록 두었어요? 그동안 통증도 심했을 텐데 진작 진찰을 받으셨어야지요."

"임신이 아니구먼요. 혹이면 수술하면 되나요?"

"그렇습니다. 그나마 암이 아니어서 다행입니다. 암이면 심각하지만, 다행히 혹이어서 수술만 하면 깨끗이 치료될 수 있습니다. 빨리 수술받도록 하세요."

"예, 고맙습니다. 그런데 수술비가 많이 들겠지요?"

이렇게 진찰을 받고 돌아온 뒤로 나는 훈이 엄마를 입원시켜 수술받게 할 비용을 구하는 일에 골몰했다. 그다음 주일 낮예배 때에는 온 교인들이 통성기도 하며 훈이 엄마가 수술받을 길을 열어달라고 기도했다.

그러나 그렇게 드린 기도에 응답도 받기 전에 일이 터지고 말았다. 훈이 엄마가 그 몸으로 다시 채소밭에 일하러 간 것이 화근이었다. 주위에서 그렇게 무리하지 말라고 말렸건만 당장 끼니를 마련해야 하는 그녀에게 다른 방도가 없었던 것이다.

밭매기는 쪼그리고 앉아서 작업을 해야 한다. 자궁에 혹이 자라고 있는 터에 쪼그리고 앉았다가 섰다가를 거듭하다가 끝내는 거품을 물고 쓰러졌다. 그나마 다행은 함께 있던 동네 아주머니들이 재빨리 나를 찾아온 것이었다. 그 소식을 들은 나는 단걸음에 훈이네 집으로 갔다. 훈이네 집에 이르러 거적문을 들추고 들어가니 그녀가 누워 있는 곁에서 세 아이가 울고 있었다.

온돌조차 없는 방에 천장으로 하늘이 보이는 집이었다. 윗목에 사과상자 두 개가 놓여 있고 그 안에 옷가지들이 담겨 있었다. 아랫목에는 석유곤로와 취사도구들이 널려 있었다. 그녀는 부은 얼굴에 절망적인 표정으로 누워 있었다. 나는 그녀의 머리맡에 앉아 물었다.

"고생합니다. 어떻게 아프세요?"

"뱃속에 큰 돌멩이가 돌아다니는 것 같은데, 어떤 때는 숨이 탁 막히고 눈앞이 아찔해집니다."

"제가 택시를 불러올 테니 병원에 가서 입원할 준비 하고 계세요."

택시를 부르러 가다가 생각해 보니 수술비도 없이 병원에 가봤자 쉽게 입원이 될 것 같지 않았다. 이런 경우에 동사무소에서 발급하는 생보자증명서를 받아 병원으로 가면 무료 치료의 길이 열릴 것 같았다.

나는 종종걸음으로 동사무소에 갔다. 동장을 만나 사정 이야기를 하니 그 지역 주민들은 철거한 후 무단으로 거주하고 있는 세대들이라 그런 증명서를 발급해 줄 수 없노라고 했다. 거듭 사정했으나 막무가내였다.

나는 속절없이 물러나 택시를 불러 타고 훈이네 집으로 갔다. 택시에 훈이 엄마를 태우는데 함께 밭매기하던 아주머니들이 3천 원을 모아 내게 주며 말했다.

"예배당 선상님, 훈이 엄마를 꼭 살려야 해요. 선상님만 믿겄시요. 이건 몇 푼 안 되지만 우리가 모았시요. 병원비에 보태 쓰시라요."

나는 을지로 6가에 있는 중앙의료원(현 국립의료원)으로 갔다. 정부에서 경영하고 있는 병원이니 이런 위급한 환자를 설마 내쫓지는 않겠지, 하는 마음으로 먼저 응급실로 들어갔다. 담당 의사가 진찰을 해보더니 24시간 내로 수술하지 않으면 생명을 건지기 어렵겠다며 빨리 입원 수속을 하라고 했다. 그 길로 원무과에 가서 입원 수속을 하려 했다. 그런데 원무과에서는 입원보증금을 내라고 했다. 나는 얼마 안 되는 돈이지만 다 털어 내놓고 사정했다.

"지금 내게 있는 돈의 전부입니다. 우리가 사는 동네는 가난해서 지금 가보아도 돈 구하기가 어렵습니다. 우선 입원시켜 수술해 주시면 매월 얼마씩 갚아나가겠습니다."

"뭐라구요? 매월 얼마씩 내겠다구요? 병원이 어디 월부 장사하는 곳인 줄아세요? 안돼요. 입원보증금 구해 와서 입원시키세요."

"지금 환자가 위독해서 그럽니다. 내 인격을 걸고 갚을 테니 사정을 좀 봐주십시오."

내가 인격을 말하자 그는 나를 아래위로 살펴보더니 별 인격이 있을 것 같지 않았던지 냉정하게 말했다.

"안 돼요. 비켜주세요. 다음 분 누구세요?"

나는 성심성의를 다하여 사정했으나 들은 척도 하지 않았다. 이내

자기네들끼리 다른 이야기를 나누고 있었다.

환자를 돌아보니 얼굴이 창백해지고 숨결이 고르지 못했다. 조바심이 난 나는 다시 접수구에다 대고 어떻게 안 되겠느냐고 사정해 보았으나 그들은 말 상대도 하지 않겠다는 듯이 고개를 돌려버렸다.

나는 속에서 조바심과 분노가 치솟아 마음을 통제하기 어려워졌다. 저절로 험한 인상이 되며 거친 말이 나왔다.

"야, 이 새끼야. 좋은 자리에 있을 때 좀 봐주라. 너그 놈들은 피도 눈물도 없냐. 사람 죽어가는데 그래, 돈만 따지고 있냐? 돈, 돈, 그라다가 돈다발에 깔려 뒤져라. 이눔의 새끼들, 확 뒤집어버릴까 보다."

그들은 마치 정신 나간 사람 본다는 눈길로 나를 노려보고만 있었다. 나는 훈이 엄마를 등에 업으며 한마디 더 하고는 밖으로 나왔다.

"두고 보자, 이눔의 새끼들."

두고 봤자 별수 없는 터였지만 화가 치밀어 뱉은 말이었다.

나는 훈이 엄마를 다시 택시에 태워 신촌에 있는 세브란스 병원으로 갔다. 선교사들이 한국에 복음 전하겠다고 세운 병원이니 훈이 엄마 같은 가련한 환자를 받아줄 것만 같았다. 그러나 세브란스병원에서도 마찬가지였다. 원무과에 이르러 나는 사정을 했다.

"중앙의료원에를 갔었는데 입원비가 없어 입원시키질 못했습니다. 나는 교회 전도삽니다. 전도사의 신앙과 인격을 걸고 치료비를 갚을 테니 나를 믿고 이 환자를 신속히 입원시켜 주세요. 그리고 응급수술을 받게 해주십시오. 중앙의료원에서 24시간 안에 수술 안 하면 생명이 위험하다고 했습니다. 제발, 제발 좀 받아주십시오."

그러나 세브란스 원무과 담당 직원의 대답은 간단했다.

"요즘 전도사 믿게 됐어요? 급할 땐 다 약속하지만, 병 나은 뒤에는 약속 지키는 사람 못 봤어요."

"그래도 이 환자 사정이 너무 딱하니 좀 배려를 해주세요."

"우리 병원은 자선병원이 아닙니다. 입원보증금 내시고 절차를 밟으세요."

환자를 돌아보았더니 얼굴에서 핏기가 가시는 것 같아 조바심이 났다. 다시 들쳐업고 서울대 부속병원으로 갔다. 거기서도 거절당하고는 마지막으로 동대문 로터리에 있는 이화여대 부속병원으로 갔다. 그곳에서도 역시 입원보증금을 갖고 오라는 것이었다.

급한 것은 환자였지 병원 측이 아니었다. 넓은 서울에 병원도 많았고 의사도 많았지만, 훈이 엄마가 치료받을 수 있는 병원은 아무 데도 없었다.

온종일 택시를 바꿔 타며 병원을 찾아다니느라 주머니엔 동전 한 닢 남지 않았고 점심 끼니도 거른 터라 뱃속은 한기(寒氣)로 가득 차 있었다. 나는 하는 수 없이 그녀를 업은 채 동대문 로터리를 가로질러 서울운동장 앞 정류장으로 갔다. 뚝섬 쪽으로 가는 버스로 가서 차장 아가씨에게 부탁했다.

"아가씨, 미안해요. 환자 데리고 병원 다니다 차비가 떨어졌는데 그냥 좀 태워주시겠어요?"

"아니, 아자씨. 퇴근 시간이라 이렇게 복잡한데 어째 환잘 업고 공짜로 타려 하세요. 러시아워 지난 뒤에나 타셔야지요."

하긴 옳은 말이다. 하루 중에 가장 붐비는 퇴근 시간에 환자를 데리고 공차를 타겠다는 것이 염치없는 노릇이 아닐 수 없다. 나는 도리없이 천천히 걸어가기로 했다. 그러나 서울운동장 앞에서 한양대 뒤편 청계천 판자촌까지의 거리를 생각하니, 마치 백 리 길이나 되는 듯 여겨졌다. 나는 등에 엎드려 있는 훈이 엄마에게 넋두리를 늘어놓으며 걸었다.

"훈이 엄마, 시상이 이래서 어떡하지요. 이 넓은 서울 바닥에 우릴 받아주는 곳이 없구만요. 나라가 세운 병원도, 예배당이 세운 병원도, 대학이 세운 병원도 훈이 엄마를 받아주는 병원은 없구만요. 동네로 들어가 우리 기도하자구요. 그라고 내일 날이 새면 또 딴 병원엘 찾아댕겨봅시다."

늦겨울 해는 짧아 어둠이 깔리기 시작했다. 성동소방서 가까이에 이르렀을 때는 기력이 한계에 달해 있었다. 그런데 등에 업힌 훈이 엄마는 자꾸만 뒤로 젖혀지려고만 했다. 나는 그녀가 잠이 들어 그런가 하여 흔들어 깨우는 몸짓을 하며 말했다.

"훈이 엄마, 몸을 내 등에 딱 붙이시라요. 자꾸만 뒤로 제쳐지면 내가 앞으로 못 가고 뒤로 땡겨가잖아요. 날 바짝 보듬어 안으시라요."

그렇게 말하며 등에 붙도록 추슬려 놓으면 얼마 지나지 않아 다시 젖혀지는 것이었다. 이번에는 뒤가 아니고 옆으로 비스듬히 넘어졌다. 그렇게 되면 내 몸이 또 그쪽으로 기울 수밖에 없었다. 그러기를 몇 차례 되풀이하고 나니 화가 치밀어 그녀에게 말했다.

"훈이 엄마, 사람이 염치가 좀 있으라요. 지금 자가용 탄 기요, 당나

귀 탄 기요. 내 등에 업혔으면 좀 협조를 해야지 이렇게 애를 먹이면 어떡허요."

나는 짜증이 나서 투덜거렸다. 그러나 그렇게 짜증을 내다가도 돌이켜 생각하니 그녀의 신세가 너무나 가련했다. 그녀의 서러운 신세를 생각하면 그녀에게 짜증 낼 형편이 아니었다. 오히려 나 자신에 대해 짜증스러웠다. 온종일 병원 문턱을 드나들었으나 그녀를 입원시키지도 못하고 허탕 치고 동네로 되돌아가고 있는 나 자신의 무력함에 짜증이 났고 또 비참한 심정이 되었다. 나는 훈이 엄마에게 말했다.

"훈이 엄마, 짜증 내서 미안하요. 어떤 일이 있어도 우리끼리는 이해하고 살아야지요. 그런데 훈이 엄마, 자더래도 내 등에 딱 붙어 자라구요."

그러나 훈이 엄마는 협조해 주지 않았다. 애써 등에 붙여놓으면 몇 발짝 가지 않아 다시 뒤로 젖혀지는 것이었다. 끝내 나는 분통을 터뜨리며 뒤로 깍지 끼고 있던 손을 풀어버렸다. 그렇게 되자 그녀는 땅바닥에 쿵 소리를 내며 떨어졌다. 성동소방서의 콘크리트 바닥에서였다. 그녀의 몸이 콘크리트 바닥에 쿵 하고 떨어지는 소리를 들으며 나는 투덜거렸다.

"세상에, 그렇게도 말이 안 통하요? 내가 서방이여, 오래비여, 뭐이여. 도대체 협조를 해줘야지."

그런데 그렇게 투덜거리고 화를 삭이며 바닥에 누운 그녀를 돌아보는 순간 뭔가 이상한 느낌이 들었다. 땅바닥에 누운 그녀가 도무지 꼼짝을 하지 않는 것이었다. 이상히 여겨 가까이 다가가 살펴보았더니

그녀는 이미 죽은 시체였다. 그녀가 이미 죽은 몸임을 확인한 순간 나는 눈앞이 캄캄해지고 온몸에서 힘이 쑥 빠져나갔다.

나는 시체 곁에 주저앉으며 나직한 소리로 말했다.

"안돼! 안돼! 훈이 엄마, 절대 안돼! 이렇게 죽음 안돼! 악착같이 살아남아야제 죽음 어떡해. 애들은 어떡하라고…. 악착같이 살아서 이 한을 풀어야제. 억울해서 어떻게 죽어. 절대로 살아야 돼!"

나는 그녀의 몸을 안아 일으키며 말했다. 그러나 그녀의 몸은 이미 굳어져 가고 있었다. 내 등에서 뒤로, 옆으로 쓰러지던 때에 이미 굳어져 가고 있었던 것이다.

이상스레 지나는 행인조차 없는 밤이었다. 나는 그녀의 손을 잡은 채 한동안 앉아 있었다. 점차 그녀의 손으로부터 내게 한기가 전해왔다. 춥고, 배고프고, 슬프고, 원통했다. 온 서울에 휘발유를 뿌리고 불을 질러버리고 싶었다. 나는 독기가 올라 혼잣말로 중얼거렸다.

"이런 눔의 세상은 망해야 해. 이런 눔의 세상엔 불을 싸질러 버려야해!"

나는 일어서서 하늘에 대고 삿대질하며 말했다.

"예수? 필요 없어! 구세주라고? 무슨 구세주가 그래? 착하고 힘없는 이 여인이 하루 종일 병원을 헤매다가 힘없는 전도사 등허리에서 죽어가도 가만히 보고만 있는 예수가 뭔 구주요? 그렇게 힘없고 의리 없는 구주는 필요 없어! 그런 주인을 어떻게 믿고 인생을 걸겠어. 이제 가서 예배당 간판 떼버릴 끼다. 이제 활빈교회 고만하고 이런 놈의 세상 뒤집는 일을 할끼다!"

나는 독기가 올라 사고가 정지되고 눈에 뵈는 것이 없어졌다. 동네로 들어가는 대로 활빈교회 예배당 간판을 떼어버리고 바닥에서부터 세상을 뒤집는 일에 일생을 걸겠노라고 다짐했다.

그녀를 업고 갈 힘도 없고 길가에 두고 갈 수도 없어 하는 수 없이 그녀의 옷자락을 끌고 갔다. 끌고 가다가, 옆구리에 끼고 가다가를 되풀이하며 한양대학을 지나 뚝섬으로 나가는 성동교에 이르렀다. 다리 중간쯤에 왔을 때는 너무나 지쳐 무릎이 푹 꺾여 주저앉고 말았다. 나는 다리 난간에 그녀를 기대놓은 채 앉아 있었다. 이미 짙은 어둠이 밀려와 헤드라이트를 켠 차들이 우리 앞을 쌩쌩 지나갔다.

얼만가를 그렇게 앉아 있는데, 누군가 내 곁으로 다가서는 듯한 느낌이 들어 고개를 들어 좌우를 살폈으나 아무도 없었다. 그 시간에 다리 한가운데에 누가 있을 턱이 없었다. 다시 고개를 떨어뜨리는 순간 목소리가 들렸다. 바로 곁에서 들려주는 부드러운 음성이었다.

"진홍아, 네 등에서 죽은 그 여자가 누군지 아느냐? 십자가에 죽은 나 예수다."

숨이 멎을 만큼 놀란 나는 주위를 살폈다. 물론 아무도 없었다. 그냥 적막만이 감돌았다. 나는 가슴이 뜨거워지고 눈물이 쏟아졌다. 일어나 시체 앞에 무릎을 꿇고 그 손등에 입을 맞추며 말했다.

"예수님, 무슨 말씀인지 알겠습니다. 주님이 오늘 내 등에서 숨을 거두었다는 말씀의 뜻을 알겠습니다. 제가 잘못 생각했습니다."

나는 일어나 성경을 꺼내들고 가로등 밑으로 갔다. 구약성서 시편 57편을 찾아 7절과 8절을 읽었다.

> 하나님이여, 내 마음이 확정되었고 내 마음이 확정되었사오니 내가 노래하고 내가 찬송하리이다. 내 영광아, 깰지어다. 비파야 수금아 깰지어다 내가 새벽을 깨우리로다.

세 번을 연거푸 읽고는 깊이 생각했다. 이 시는 다윗이 뜻을 이루기 전 가장 불운한 처지에 있었을 때 읊은 시다. 그가 정적인 사울 왕에게 쫓겨 마치 초상집의 개처럼 헤매고 다니던 때였다. 그는 이스라엘 하늘 아래 숨을 곳이 없었다. 쫓기다 못한 그는 국경 지방의 한 후미진 곳에 있는 아둘람 굴에 몸을 숨겼다. 그곳은 마실 물도 먹을 양식도 구하기 어려운 곳이었다.

그러나 다윗이 아둘람 굴에 몸을 숨기고 있다는 소문이 입에서 입으로 마을에서 마을로 퍼져나가자, 사람들이 모여들기 시작했다. 꿈은 있으되 펼칠 마당이 없었던 젊은이들이었다. 뜻은 있으되 이루어 나갈 길을 찾지 못했던 사람들이었다.

구약성서 사무엘서에서는 당시의 정황을 다음과 같이 쓰고 있다.

> 다윗이 그곳을 떠나 아둘람 굴로 도망하매 그 형제와 아비의 온 집이 듣고는 그리로 내려가서 그에게 이르렀고 환난 당한 모든 자와 빚진 자와 마음이 원통한 자가 다 그에게로 모였고 그는 그 장관이 되었는데 그와 함께한 자가 사백 명 가량이었더라.
> (사무엘상 22장 1-2절)

아둘람 굴에 모여든 400명의 무리는 기껏해야 산적이 될 처지의 사람들이었다. 그러나 그들은 위대한 다윗 왕국을 건설한 사명자들이 되었다. 무엇이 그들로 하여금 그렇게 되게 했을까? 바로 그들이 품었던 비전 때문이었다. 비전 때문에 다윗과 그 무리는 자신들의 불운을 극복할 수 있었다. 그들은 최악의 조건에 있으면서도 최선의 뜻을 품었다. 암흑에 처해 있는 이스라엘 역사에 새벽을 깨우겠다는 비전이었다. 어두운 시대를 살아가는 백성들에게 새벽의 역사를 깨우겠다는 비전을 품었기에 그들은 자신들의 처지를 극복해 나갈 수 있었다.

그런 비전을 품기 전에는 그들은 한갓 불평분자들이었고 시대의 흐름에서 낙오된 자들일 따름이었다. 그들은 기껏해야 산적이 될 수밖에 없는 무리였다. 그러나 그들에게 비전이 생기고 자신들이 이루어가야 할 사명을 깨닫자, 그들은 바뀌었다. 그들은 새로운 역사를 만드는 사람들로 변했다. 민족의 어두운 역사에 새벽을 깨우겠다는 사명자로 바뀐 것이다.

나는 다윗의 아둘람 굴을 생각하고, 그곳에 모여들었던 400명의 동지들을 생각하고, 그들이 이스라엘 역사에 새벽을 깨웠던 사실을 생각하며 기도했다.

"주인 되신 예수님. 내가 해야 할 일, 가야 할 길을 알았습니다. 내가 맡은 사명을 알았습니다. 이렇게 어둠이 깊어진 세대에 새벽을 깨우는 일을 하겠습니다. 오늘 내 등에서 숨을 거두신 예수님의 뜻을 헤아려 이 땅에 새벽을 깨우는 일에 인생을 걸겠습니다."

나는 시체를 안고 동네로 들어갔다. 밤사이에 동네 할머니들께 이불

홑청 하나를 뜯어 수의를 지어달라 하여 입히고는 다음날 벽제 화장터로 갔다. 화장터로 가기 전에 동사무소를 찾아가 매장 허가서를 받아왔다.

지난번에 '살리는' 증명서를 받으러 갔을 땐 절대 안 된다고 거절하더니 '죽은' 증명서를 해달랄 때에는 두말없이 끊어주었다. 산 사람에게는 무정해도 죽은 사람에게는 너그러운 것이 세상인심이었다. 화장터에서 잿봉지를 만들어 한강교로 갔다. 한강 물에 재를 뿌리며 중얼거렸다.

"훈이 엄마, 이 길로 예수님 나라로 가세요. 거기는 판잣집도 없고 철거반도 없는 곳이에요. 그곳에 먼저 가서 안식을 누리고 계시라요. 예수님 만나걸랑 예수님 옷자락 붙들고 실컷 우시라요. 땅에서는 마음껏 울어보지도 못하고 죽었으니, 하늘나라에서는 예수님 붙들고 실컷 우시라요. 남은 애들일랑 걱정 마세요. 활빈교회가 잘 길러서 일꾼으로 만들 테니 염려 마시라요. 나중에 예수님 나라에서 반갑게 만납시다. 그때까지 예수님 품에서 편안히 쉬고 계시라요."

마지막으로 재를 쌌던 보자기까지 한강 물에 떨어뜨리고 기도를 하며 발길을 돌렸다.

"예수님, 이 땅에 이런 슬픈 일이 다시 일어나지 않도록 하는 일에 쓰임 받게 해주시옵소서. 이 캄캄한 땅에서 새벽을 깨우는 일에 헌신하도록 이끌어주시옵소서. 한국교회가 백성들의 심령마다 새벽이 이르도록 하는 일에 쓰임 받게 하시옵소서."

동네로 돌아오는 길에 따끈따끈한 호빵을 사다가 세 아이에게 먹였다. 엄마가 죽었어도 훈이는 호빵을 받아 들고 행복한 얼굴로 먹었다. 할머니는 손주들 곁에서 울음을 삼킨 채 눈물만 훔쳤다. 그 동네 20여 세대 중 누구도 입을 여는 사람이 없었다. 모두 벙어리가 되어 있었다. 내가 들은 말은 딱 한 마디였다.어느 할머니의 말이었다. 할머니는 나를 외면한 채 하늘을 쳐다보며 말했다.

"이눔의 시상, 망해야 돼야. 폭싹 잿더미가 돼야 된당게."

나는 지친 몸을 끌다시피 하며 방으로 들어가 쓰러졌다. 이대로 깨지 말고 영원히 잠들었으면 하는 마음이 간절했다. 신약성서 요한계시록 21장을 암송하다가 깊은 잠에 빠져들었다.

… 내가 새 하늘과 새 땅을 보니 처음 하늘과 처음 땅이 없어졌고 바다도 다시 있지 않더라. 또 내가 보매 거룩한 성 새 예루살렘이 하나님께로부터 하늘에서 내려오니 그 예비한 것이 신부가 남편을 위하여 단장한 것 같더라. 내가 들으니 보좌에서 큰 음성이 나서 가로되, 보라 하나님의 장막이 사람들과 함께 있으매 하나님이 저희와 함께 거하시리니 저희는 하나님의 백성이 되고 하나님은 친히 저희와 함께 계셔서 모든 눈물을 그 눈에서 씻기시매 다시 사망이 없고 애통하는 것이나 곡하는 것이나 아픈 것이 다시 있지 아니하리니, 처음 것들이 다 지나갔음이러라. 보좌에 앉으신 이가 가라사대, 보라 내가 만물을 새롭게 하노라.

다음날 이른 새벽 나는 신발끈을 졸라매고 넝마주이를 나섰다. 새벽의 맑은 공기를 깊이 들이마시며 뜀박질했다. 호흡에 맞추어 구호처럼 외치며 일터로 달음질했다.

"내 마음이 확정되었습니다!"
"내가 새벽을 깨우겠습니다!"
"내 사명이 정해졌습니다. 내가 새벽을 깨우는 사람이 되겠습니다."

"나를 만날 필요는 없습니다.

주민이 주인이니, 주민 대표들을 만나세요.

청장님이나 나나 주민들을 섬기는 심부름꾼 아니겠습니까.

하실 이야기가 있으면 주민들과 하십시오.

그리고 구청에 앉아서 보자고 하지 말고

여기 현장으로 와서 실정을 보고 주민들과 대책을 의논하십시오."

지렁이도 밟으면 꿈틀한다

지렁이도 밟으면 꿈틀한다

저녁에 임 씨 부인이 찾아왔다. 보름 전에 밀가루 한 포를 가져다준 집이다.

"전도사님, 죄송합니다. 한 번만 더 은혜를 입었으면 해서 염치불고하고 찾아왔습니다."

그날따라 나는 도움을 주되 지혜롭게 대처해야겠다는 다짐이 강하게 들었다. 그때까지 계속해 오던 대로 마냥 도와만 줄 것이 아니라 스스로 일어설 수 있도록 동기부여를 강하게 해주어야겠다는 생각이 들어 그녀에게 말했다.

"알겠습니다. 저에게 한 가지 생각이 있으니 돌아가셔서 바깥어른을 제게로 좀 보내주십시오."

"아이 아버지를 보내달라구요?"

"예, 임 선생을 만나 의논할 일이 있습니다."

부인은 알겠노라며 돌아갔다. 두어 시간이나 기다렸으나 임 씨는 오지 않았다. 그 집에서 일단 도와달랬는데 이대로 끝나면 좋지 않을 것 같아 내가 찾아갔다.

임 씨는 방에 있었다. 그는 나를 보자 멋쩍은 표정을 지으며 허리를 굽실굽실했다. 지나치게 굽실거리는 모습이 퍽 못마땅하고 비위가 상한 나는 머리가 천장에 닿는 방에 들어가 앉아 기도하며 생각했다.

내가 밀가루 한 포로 이분들에게 해를 끼쳤다. 이분들은 밀가루 한 포 얻어먹은 것이 빌미가 돼 쥐약 먹은 것처럼 자신들의 인격에 손상을 받았구나. 이분이 내 앞에서 이렇게 비굴해진 것은 내게 얻어먹었기 때문이다. 그로 인해 이분이 나와 대등한 인격적 관계를 갖지 못하고 굽실대는 것이로구나. 도움을 받는다는 것은 이들의 마지막 재산인 자존심에 상처를 입히는 것이로구나. 이 점에 대한 바른 대처가 빈민 선교의 핵심일 것이다. 이 가정에서부터 본보기로 다시 시작해야겠다.

이런 생각 끝에 나는 임 씨 부부에게 진지하고도 정직하게 대해야겠다고 마음 먹었다. 문제를 임시방편으로 쉽게 처리해 버리거나 감상주의에 빠져선 안 되고, 그 뿌리를 찾아 근본적으로 해결해야겠다고 다짐한 나는 임 씨에게 말했다.

"임 선생, 조금 전에 부인께서 저를 찾아오셔서 양식이 떨어졌다고 말하고 한 번만 더 도와달라고 했습니다. 솔직히 말씀드리면 저는 기분이 퍽 나빴습니다. 왜냐하면 지난 번에 가져다드린 밀가루도 제가 넝마를 주워 번 돈으로 사다 드린 것이고, 또 밥이 먹고 싶다고 우는 제 아들도 모르는 체하고 도와드렸기 때문입니다.

오늘 이렇게 터놓고 말씀드리는 건 임 선생 가정으로부터 크게 배운 게 있어 열린 마음으로 말씀드리는 겁니다. 제가 이 동네에 와서 살게 된 지 반년이 지났습니다. 그간에 살피건대 이 동네 사람들은 게으릅니다. 게으르니 내일이 없습니다. 이 집 저 집 할 것 없이 하루 먹을 양식만 있어도 일하지 않고 놉니다. 이래서는 아무런 해결책도 나오지 않습니다. 가난을 벗어날 길이 열리지 않는단 말입니다.

가난한 사람들이 외부 도움을 받는 것은 어디까지나 임시방편일 뿐이지 근본적인 해결은 못 됩니다. 해결책은 자기 속에서만 나올 수 있습니다. 자신의 마음 깊은 곳에서 내 가난, 내 팔자, 내 운명을 고쳐보겠다고 나서야만 가난을 이겨낼 수 있습니다."

나는 안타까운 마음으로 열심히 말했다. 임 씨는 가만히 듣고 있었다. 내 말이 끝나고 한참이나 침묵이 있은 후 임 씨가 입을 열었다.

"전도사님 말씀이 옳습니다. 우리는 게으릅니다. 사지가 멀쩡한 장정들이 사시사철 방안에 들어앉아 새끼들이 벌어오는 푼돈을 뜯어먹으며 살아가고 있습니다. 몰라서가 아닙니다. 우리도 야마리(염치)가 뻔 하니까 다 알고 있지요. 그러나 '뭘 좀 해야겠다' '이대로는 안 되겠다'라고 생각하면서도 막상 어쩔 수 없어 세월만 보내고 있는 게지요. 말하자면 앉은뱅이 용쓰기라 할까요. 마음속에 궁리만 있지 실천으로 나서지를 못하고 있는 겁니다. 전도사님이 그렇게 말씀해 주시니까 내심으로 부끄러운 생각이 드는구만요. 나도 이렇지 않은 때가 있었는데…"

나는 그가 반발하지 않고 내 말을 받아들여 주는 것이 우선 기뻤다.

그리고 가능성이 있음을 느껴 그에게 진솔하게 협조를 구했다.

"제가 임 선생께 부탁드리고 싶습니다. 임 선생께서 용기를 내셔서 일터로 나가보시지 않겠습니까? 수입이 있든 없든, 많고 적든 간에 일단 나서서 일을 하시면 그 자체로 이 동네에서 본보기가 될 겁니다."

"그야 내일 당장이라도 나설 마음은 있습니다만, 어디 마땅한 일감이 있을까요? 전도사님께서 좋은 생각이 있으시면 일러주십시오. 내가 할 수 있는 일이라면 몸을 아끼지 않고 나서보겠습니다."

"좋습니다. 임 선생 자신이 할 수 있다고 생각되는 일이 뭡니까? 예를 들어 무슨 기술이든 장사든 노동이든 할 수 있다고 생각되는 일이 있으시면 거기서부터 시작하는 게 순서가 아니겠습니까?"

"뚜렷한 기술은 없고 시골에서 올라와 처음에 고물 장사꾼을 따라다녔는데, 그 일이라면 지금도 할 수 있을 거 같습니다."

"그러시다면 그 일을 하는 데 필요한 건 무엇인지요?"

"고물 장사가 좋은 건 별다른 준비가 필요 없는 거라 하겠지요. 신발이나 질긴 놈으로 신고 주머니에 기천 원 넣고 다니다가 헌 물건들을 싼값으로 사서 다시 얼마간 이익을 붙여 팔면 되는 게지요. 예를 들면 각 가정에서 필요 없는 낡은 시계, 다리미, 전기 제품을 사서 필요한 가정에 팔거나 고물상에 넘기면 됩니다."

나는 그 일이 임 씨에게 적당한 일감이라 여겨졌다. 그가 그 일을 시작하면 나도 경험삼아 그를 따라다니며 고물 장사의 요령을 배우고 싶은 생각이 들었다. 그래서 우리는 동업자가 되기로 했다. 내 편에서 필요한 자본금을 마련하고 임 씨 편에서는 노하우를 대는 동업자인

것이다.

그날 이후 나는 빈민촌 선교활동을 전면적으로 변경하는 일에 집중했다. 주민들이 조직된 힘으로 문제들을 스스로 풀어나가게 하는 방향으로 이끌기를 힘썼다. 나는 동네에서 발언깨나 하는 사람들을 찾아다니며 설득하기 시작했다.

"힘을 모아 서로 돕고 삽시다!"

"혼자서는 실패했지만 뭉치면 성공할 수 있습니다!"

만나는 사람마다 설득했다. 대폿집에도 찾아가고 화투판에도 끼어들며 아침부터 저녁까지 사람들이 모인 곳이면 어느 자리든 찾아가서 이야기했다. 처음에는 대개 소극적이고 부정적이었다. 우리 주제에 나서봐야 별 볼 일 있겠느냐면서 자리를 피해버리는 것이었다. 그러나 그중에도 호응하는 분들이 있었다. 그렇게 열심을 내니 처음에는 소문이 나쁘게 돌았다.

"활빈교회 전도사는 술 받아주면서 예수 믿으라 한다?"

"평양서 온 사람처럼 수상하다?"

이런 소문들이 돌았으나 나는 개의치 않았다. 모든 일에는 시간이 약이었다. 시간이 지나면서 그런 소문은 줄어들고 호응하는 여론이 늘어갔다.

나는 기왕에 조직되어 있는 청계천 판자촌 주민회를 강화해 나갔다. 그 가운데에서도 주민회 산하 5개 분과위원회를 효과적으로 운영토록 힘썼다. 그간의 경험에서 파악된 판자촌 안의 문제점들을 분류하여 강화한 주민교육부, 건강관리부, 협동조합부, 소득증대사업부, 개발봉사대는 각 부에 7~9명의 분과위원을 선임한 후 그들 중에서 분과위원장과 간사를 뽑게 했다.

각 분과위원장은 지역에서 성실한 분들로 선임하고 각 분과의 간사는 교회 청년 중에서 섬기는 정신이 있는 청년들을 배치했다. 기본조직이 정비되자 분과별로 사업을 추진해 나갔다.

주민교육부에서는 어린이학교, 지역사회학교(청소년을 위한 야학), 청년강좌, 엄마교실, 사랑방모임, 새마을강연 등의 프로그램을 만들었다. 건강관리부는 영유아 건강관리, 임산부 건강관리, 결핵퇴치사업, 가족계획, 보건교육, 일반진료, 치과진료를 월요일에서 토요일 사이에 실시하기로 했다.

소득증대사업부에서는 직업보도와 직업훈련, 그리고 동네에 가내공업을 유치하는 사업을 추진했다. 후에 실업자조합과 자활회가 창설되면서 이 부서는 가장 중요하고 활발한 분과가 되었다.

협동조합부에서는 신용조합과 소비조합을 설립하고 다음 단계로 생산조합까지 만들어 나가자고 꿈에 부풀었다. 빈민촌에서 중요한 것은 신용조합사업이다. 빈민촌 주민들의 심리적 병폐 중 하나는 생활에 규모나 계획성이 없고 내일을 위한 투자가 없다는 점이다. 있을 때는 낭비하고 없을 때는 굶주린다.

언젠가 교인 중 한 가정이 갑자기 무슨 돈이 생겼는지 쇠고기를 20여 근이나 사다가 불고기를 했다. 그렇게 많은 고기를 구우니 온 동네에 고기 냄새가 진동했다. 그러자 이웃 사람들이 고기 굽는 냄새에 후각이 자극돼 모두 한마디씩 했다.

“제기랄, 언 눔 고기 안 먹어본 눔이 있나. 왜 이래 냄새를 피워 쌌노. 뱃속에 회충이 요동을 쳐 싸 이거 원 견딜 수가 있나….

그렇게 냄새를 피우며 고기를 구운 그 집 주부는 구운 고기를 접시에 담아 온 이웃에 한 접시씩 돌렸다. 모두 목에 기름칠을 하게 되니 동네잔치처럼 되었다. 내게도 물론 푸짐한 고기 접시가 왔다. 그 집 아들이 얼굴에 홍조를 띠며 고기 접시를 가져와서 말했다.

“전도사님, 울 엄마가 전도사님 갖다 드리래요. 잡숫고 적으면 더 드시래요.”

나는 “웬일이냐, 너의 집 무슨 잔치가 있는 날이냐” 하며 받아서 잘 먹었다. 그런데 그런 일이 있은 지 불과 사흘 후에 그 주부가 우리 집을 찾아왔다.

“전도사님, 죄송스럽습니다만 쌀 한 사발만 좀 꿔주세요.”

나는 고개를 갸우뚱했다. 저 가정이 사흘 전에 온 동네에 고기 잔치를 했었는데 오늘 어쩐 일로 쌀을 꾸러 왔을까 하는 의문이 생겨 그녀에게 물었다.

“아니, 아주머님, 쌀자루를 누가 들고 가버렸나요? 사흘 전에 온 동네에 불고기 잔치하시더니, 오늘은 웬일로 쌀을 꾸러 오셨어요?”

“그때는 모처럼 돈이 생겼기에 죽기 아니면 살기로 먹어버린 거지요.”

이런 식이다. 빈민들은 생활에 규모가 없어 어쩌다가 돈이 생기면 내일을 위해 저축하거나 장래를 위해 대비하지 않고 그냥 써버린다. 이런 습성이 빈민들이 지닌 심리적 구조다. 그러니 빈민 선교가 제대로 되려면 단순히 예수 믿고 예배당 다니게 되는 것만으로는 부족하다. 그런 신앙생활과 더불어 생활에 규모를 찾게 하고 저축심을 기르며 서로 돕는 공동체정신을 높여나가는 훈련이 더해져야만 빈민 선교가 제대로 되는 것이다.

신용조합사업은 그런 점에서 효과적인 방법이다. 특히 빈민촌에서 성행하고 있는 '달러 빚'이란 것이 있다. 월 30퍼센트를 넘는 고리채다. 이런 달러 빚을 추방하는 데에는 신용조합운동이 제격이다. 민주주의도 인권도 자유도 경제가 뒷받침돼야 한다. 기본 경제가 뒷받침되지 않는 절대빈곤 상태에서는 민주주의도 인권도 헛된 구호에 머무를 뿐이다.

끝으로 마을 청년들로 조직된 개발봉사대는 도로관리, 청소, 소독, 장례, 방범, 방화 등의 일을 맡는 특별조직이다. 이렇게 주민 조직이 완비되고 조직의 각 부서가 기능을 발휘하게 되면서 동네 분위기가 달라지기 시작했다.

싸움으로 날이 새고 지던 동네에서 싸움이 줄고 술타령과 화투 놀이로 소일하던 사람들이 주민회에 직업 소개를 의뢰해 왔다. 동네 주민들이 진저리를 냈던 불량배들은 개발봉사대 대원이 되어 방범을 맡아 사고가 잦은 길목을 밤늦게까지 지키기도 했다. 그들은 전과 3, 4범이 보통이고 전과 13범까지 있었다. 그러나 그들도 마주 앉아 이야기 나눠보면 선량한 젊은이들이었다. 얼마든지 변화돼 값어치 있는 일에 쓰임 받을 가능성이 있는 젊은이들이었다.

그들 중에 밤늦게 지나가는 처녀들을 덮쳐 돈도 뺏고 몸도 뺏는 일

에 베테랑인 녀석이 있었다. 많은 처녀가 그에게 당한 것을 알고 그에게 물었다.

"자네는 왜 그렇게 죄 없는 처녀애들을 욕보이는가? 위험한 일일 텐데? 꼭 여자 생각이 나서 그러는 것이라면 종삼이나 양동 같은 데 가서 몸 풀고 오면 되지 않겠는가!"

"하이고, 성님, 여자 생각나서 여자를 덮치는 거 아닙니다."

"그럼, 왜 그러는가? 그런 일로 일당 나오는 것도 아닐 텐데."

"심심해서 그럽니다요. 사는 기 하도 갑갑증이 나서 한두 번 그러다가 그만 인이 배긴 거지요. 팔다리에 피가 뛰는 젊은 놈이 할 일은 없고 눈에 보이는 건 많으니까, 좀이 쑤셔서 그러지요."

"할 일 없어서 그런다면 나하고 넝마주이나 나가세나."

"가만 계십쇼. 그동안엔 뚝방을 지나다니는 불쌍한 공순이들을 건드렸는데, 요사이 생각하니 그기 맘에 걸린다 이겁니다. 그런 불쌍한 애들 건드릴 끼 아니라 잘 먹고 잘 살고 잘 빠진 '범털 가시나' (잘사는 여자)들 한탕만 하고서 손 씻을랍니다."

그러나 얼마 후 그가 감방으로 끌려갔다는 소식이 들렸다. 아마 범털 가시나들에게 한탕 하려다 실수가 있었던 모양이다. 좀 더 일찍 잡아주었으면 좋은 일꾼이 될 수 있었을 사람인데 버린 것이 애석했다.

한국 교회는 너무 고상하고 깨끗해서 이런 거친 영혼들이 적응하기에는 어려운 분위기다. 이들이 새롭게 살아보고 싶은 마음으로 교회를 찾아갈 때가 있다. 그러나 깨끗한 교회는 깨끗지 못한 것 같은 그들의 분위기에 지레 겁을 먹고 마음 문을 닫아버린다. 이들은 그런 반응을 느끼고는 자격지심에 더욱 거친 행동을 보인다. 그래서 결국 교회에는 항상 모범생 기질이 있는 사람들만 적응하고 문제아들은 발을 붙이지 못 하게 된다.

어느 날 빈민촌에 서울대학교 의과대학생인 김상현 군이 찾아왔다. 가난한 이웃들에 대한 봉사 정신으로 가득 찬 젊은이였다. 그는 예수께서 빈민선교회를 위해 특별히 뽑아놓은 듯한 일꾼이었다. 나는 그와 함께 빈민촌 주민들을 한집 한집 방문해 가며 환자들을 치료하고 대화를 나누고 위로하는 일에 열중했다. 그는 아직 의대 재학생인데도 그가 처방하는 약들은 신통하게도 잘 들었다. 그래서 그는 동네에서 명의로 인정받게 되었다.

하루는 가정방문에서 앉은뱅이 부인을 만났다. 남편은 전직 경찰관이었고 네 살배기와 두 살배기 아이를 둔 어머니였다. 지난해 아기 낳을 때 출혈이 심하더니 그 후 일어서지 못하고 앉은뱅이가 되었노라고 했다 두 손으로 짚고 엉덩이로 다니며 아기를 키우고 가사를 돌보는 것이 딱해서 김상현 군과 나는 치료해 보기로 결심했다.

우선 중앙의료원으로 데리고 가서 진찰부터 했다. 병원에서는 엑스레이를 여러 장 찍고 검사를 하더니 치료 불능이라 했다. 우리는 의사에게 그래도 치료할 수 있는 어떤 방도가 없겠느냐고 물었다.

"글쎄요. 이병철 딸쯤 된다면 돈으로라도 한번 시도는 해볼 수 있겠지만, 현 상태로는 회복이 불가능한 상태입니다."

나는 의사의 말을 듣고 그녀를 택시에 태워 돌아오면서 포기하지 않

고 그녀를 치료하는 데 도전해 보기로 다짐했다.

"상현 군, 치료 불능이라지만 우리 한번 도전해 보세. 의사가 하나님은 아니잖는가?"

"그래도 의학은 과학인데, 과학적으로 안 되는 건 안 되는 거지요."

"그렇다고 그냥 물러설 수만은 없잖은가. 내가 기도할 테니 자네는 적합한 약을 지어보게나."

"글쎄요. 그런 약이 지어질 것 같지 않은데요."

"내가 기도를 드릴 테니까 자네는 약만 지으면 되는 거야. 어차피 병원에서는 못 고치는 병이라 했으니, 우리가 부딪쳐볼 수밖에 다른 도리가 없잖은가. 소화제든 아까징끼든 약이라고 처방만 해보게나."

그래서 김상현 군은 소화제와 비타민을 섞어 큼직한 약봉지를 만들어서는 하루 세 번씩 드시라며 앉은뱅이 부인에게 주었다.

나는 말했다.

"애기엄마, 이 병은 약으로 고친다고 생각해선 안 됩니다. 의사 선생이 주시는 이 약을 들면서 기도드립시다. 병은 의사나 약이 고쳐주는 것이 아니라 하나님께서 고쳐주십니다. 약 드실 때마다 기도드리세요."

상현 군과 나는 부인의 손을 잡고 기도드렸다. 그 후 나는 새벽기도 때마다 부인을 위해 간절히 기도드렸고 자주 가서 위로와 격려를 해주었다.

그러던 얼마 후 드디어 부인이 일어서는 날이 왔다. 처음엔 무릎을 손으로 잡고 빠듯이 일어서더니 다음엔 한 걸음 한 걸음 떼다가 나중에는 제대로 걷게 되었다.

이 일로 상현 군과 활빈교회는 대단한 권위가 붙게 되었다. 앉은뱅이를 고치는 신통력이 있는 것으로 소문이 났다. 그렇게 소문이 나니 좋을 것으로만 여겼는데, 얼마 후 대단히 난처한 처지에 이르러 곤혹스러웠다. 앉은뱅이들이 소문을 듣고 치료받으러들 찾아오는 것이었다. 심지어 불광동에서 택시를 타고 오기까지 했다. 나는 질겁을 해서 설득해 돌려보내느라 곤욕을 치렀다.

상현 군의 활약으로 의사, 약사, 의대생, 약대생, 치대생, 간호대생들이 모여 진료팀을 이루었다. 송정의료봉사회라 이름 붙인 진료팀은 토요일마다 일반진료와 치과진료를 실시했다. 그런데 어쩐 일인지 진료반의 치료로 병들이 잘 나았다. 종합병원에서 못 고치던 병들도 학생들이 처방한 약으로 낫곤 했다.

월요일에는 기독교 의료선교협회의 도움으로 영유아 건강관리와 임산부 건강관리 사업을 실시했다. 화요일에는 영유아들에게 각종 예방주사를 놓았고, 수요일에는 산부인과 의사가 와서 임산부들에 대한 건강지도를 했다. 목요일에는 보건소 주도로 결핵환자 치료를 했다

건강관리사업이 궤도에 오르자, 다음으로 동네 사업 중 가장 중요한 주민 교육에 집중했다. 빈민촌에서 빈곤 문제는 물질적인 문제이기에 앞서 정신적인 문제였다. 물론 경제 · 사회적인 원인도 중요했으나, 더욱 중요한 것이 정신적인 원인이었다. 빈곤 문제가 정신적인 마음가짐의 문제였기에 주민들의 마음가짐을 고치는 의식 개조 차원에서 그 해결책을 찾아야 했다. 빈민촌 주민들이 빈민촌으로 들어온 지 10

년이 지났어도 빈곤을 벗어나지 못하고 오히려 사정이 날로 나빠지는 것은 경제 · 사회적인 원인과 함께 그렇게 될 수밖에 없는 정신적 · 심리적 원인이 있기 때문이었다. 그러므로 빈곤의 해결은 경제 · 사회적인 조건의 개선 이전에 정신적인 깨우침, 다시 말해 의식을 바꾸는 교육을 통하여 이뤄지는 것이기에 동네 사업에서 주민 교육이 차지하는 비중이 커질 수밖에 없었다.

여기서 주민 교육이라 함은 넓은 의미의 의식화 작업을 뜻한다. 주민 스스로가 주체적인 결단을 통해 빈곤을 극복하고 바람직한 삶을 살아갈 수 있도록 이끌어주는 것이 바로 의식화의 과제다. 이러한 의식화를 위한 주민 교육은 건강한 마음과 민주사회 건설의 기초단계로, 시민정신의 고취가 요청된다. 이를 위해 주민들의 자치 능력을 높이고 그 실천으로 나아가도록 훈련해야 한다.

이런 점을 감안하여 우리는 주민 교육 프로그램을 세우고 단계에 따라 교육을 실시해 나갔다.

1972년 4월 6일 주민 교육사업의 일환으로 지역사회학교인 배달학당(倍達學堂)을 열고 동네 청소년 56명을 모집해 중학교 과정을 야학으로 시작했다. 4월 15일에는 20대의 청년 지도자 20명을 뽑아 일주일에 여섯 시간씩 6개월 과정의 청년 지도자훈련 과정을 시작했다. 그리고 매주 3회 주부교실을 열어 동네 주부들에게 육아, 요리, 위생, 교양, 그리고 부업을 위한 기술교육을 시켰다. 어린이들을 위해서는 주 3회 어린이학교를 열어 동화, 노래 공부, 놀이지도, 자치활동 등의 교육을 했다. 이러한 프로그램들이 하나씩 진행되어 나가면서 동네는 활기를 더해갔다.

그런데 시련이 닥쳤다. 교회당 건물이 구청 철거반에 의해 산산조각이 난 것이다. 예상도 못 했던 기습이었다. 1972년 4월 24일이었다. 그날 아침 아홉 시 반쯤 나는 동네의 각 가정을 방문하고 있었다. 한 아이가 숨이 턱에 닿도록 달려와서는 내게 말했다.

"전도사님, 교회 집 뜯고 있어예!"

영문을 몰라 되물으니, 철거반들이 억수로 와서 교회당 건물을 뜯고 있다는 것이었다. 깜짝 놀라 달려가 보니 철거 작업은 이미 진행되고 있었다. 진료반 의료기구들이 건물 밖으로 팽개쳐져 와장창, 와장창! 깨지고 있었다. 25명이나 되는 철거반원들은 스리쿼터 두 대를 청계천 둑 위에 세워둔 채 선속히 철거 작업을 하고 있었다.

사람들이 모여들기 시작했다. 동네 청년들이 흥분했고 부녀자들은 욕을 퍼부었다. 넝마주이 동료인 최 군이 내 곁으로 와서 말했다.

"전도사님, 이거 너무하잖습니까? 한판 붙읍시다!"

"글쎄, 좀 생각해 봐야겠는데…."

그러나 최 군은 내 대답을 듣기도 전에 이미 젊은 패들을 불러 모으기 시작했다. 철거반을 상대로 일전을 벌이자는 것이었다.

나는 망설였다. 성동구청에서도 교회당 철거에 대해 주민들과 교인들의 반발이 클 것을 예상했는지 평소보다 세 배 가까운 인원을 동원해 이른 시간에 기습을 한 사태였다. 아홉 시가 공무원들의 출근 시간인데 아홉 시 반에 철거가 이미 시작된 것은 이 전후 사정을 설명해 주는 일이었다.

철거작업이 절반 가량이나 진행되고 있을 즈음에 이르러 주민들의 분위기가 심상찮게 바뀌어가고 있었다. 각목이니 쇠 파이프 등을 들고 나오는 주민들이 눈에 띄기 시작했다. 그들 중에 한 사람이 고함을 질렀다.

"야, 이 씹새끼들아! 너희들 오늘 잘 만났다. 오늘이 늬들 초상 치는 날인 줄 알아라."

그러나 철거반에서도 사태가 험악해질 것을 짐작해서 이미 대비를 해둔 상태였다. 시내 뒷골목에서 주먹깨나 쓰는 자들을 일당을 주고 모집해 꾸린 철거반이었다. 그들도 싸움이라면 이력이 난 자들이었다. 이미 철거반들을 향해 돌멩이 몇 개가 날아가고 있었다. 그들도 열을 받았는지 사정없이 건물을 부숴대고 있었다.

나는 골똘히 생각했다. 어떻게 할 것이냐? 주민들의 흥분된 상태를 그냥 둘 것이냐, 아니면 만류할 것이냐? 철거반에 조직적으로 대항할 것이냐, 아니면 그냥 당할 것이냐? 어느 편이 더 유리할까? 머릿속으로 저울질하다가 드디어 결정을 내렸다. 주민들의 행동을 제지하고 그냥 철거 당하는 쪽으로 선택했다. 일단 철거를 당한 뒤 다시 세우는 과정에서 좋은 열매를 거둘 수 있을 것이란 판단이 들었기 때문이다. 철거된 뒤의 복구작업에서 그간 주민들에게 펼쳤던 봉사활동과 조직사업의 성과를 측정할 수 있을 것이고, 또 주민 의식화 훈련에도 절호의 기회가 되리라는 생각이었다.

나는 몇몇 지도급 주민들을 불러 부탁했다.

"나에게 계획이 있으니 주민들의 반항을 제지해 주세요."

“아니, 전도사님, 뭔 생각이신지 모르겠습니다만 그냥 내버려둡시다요. 이런 분위기가 되기도 어려운데요.”

“아니에요. 지금 여기서 폭력으로 반발하면 일이 틀어져 버립니다. 그냥 당하는 편이 유리합니다. 부탁합니다. 내 생각대로 움직여주세요.”

얼굴에는 불만스러운 표정이 뚜렷했으나 그들은 내 의견에 따라주었다. 주민들 사이를 헤집고 다니며 “전도사님이 가만있으라 하시니 자중하세요, 자중들 하세요” 하고 소리쳤다. 손에 쥐었던 돌을 놓으며 한 발짝씩 물러서는 주민들이 보였다. 그러나 욕설은 더 거칠어졌다.

드디어 교회 지붕이 기우뚱 내려앉았다. 땀 흘려 세운 집이 내려앉는 것을 보려니 몸에 경련이 이는 듯했다. 그러나 나는 그런 기분을 밖으로 드러내지 않고 속으로 삼키며 몇 걸음 뒤로 물러섰다. 이웃집 처마 밑에 선 채 전체 상황을 살폈다.

개발봉사대 대장인 김종길 집사가 쓰러진 건물 지붕 위로 올라가 삽을 높이 들어 흔들며 소리쳤다.

“활빈교회의 교회당 건물은 쓰러졌으나 교회가 쓰러진 것은 아닙니다. 승리는 우리에게 있습니다!”

나는 멀리 서서 그에게 내려오라고 손짓을 보냈다. 한 청년이 내게로 와서 말했다.

“전도사님, 낀수가 생겼십더. 철거반 한 놈이 의료기구실에서 뭔가를 주머니에 집어넣는 걸 보고 최 씨가 항의하다가 철거반에게 집단구타를 당했어예. 도저히 참을 수 없는 일입니더. 이 새끼들이 차에

탈 때 조져삐리야겠심더."

"그러면 안 돼요. 절대 안 돼요. 그냥 보내세요."

"전도사님께 책임이 돌아가지 않도록 할 테니 안심하시소."

그는 뛰어다니며 청년들에게 스리쿼터가 있는 둑 위로 모이라고 소리 지르고 다녔다. 철거반원들이 언덕을 오르고 있었다. 욕설이 다시 퍼부어지기 시작하고 청년들은 둑 위로 움직이기 시작했다. 다급해진 나는 청년들을 향해 단호하게 말했다.

"자네들 가만히들 있어! 다 된 밥에 코 빠뜨리기야. 제발 가만있어 줘!"

그들은 내 서슬에 머뭇거리며 행동을 중지했다. 철거반을 실은 차가 떠나가는 것을 보고 나는 자리를 떠나 한 교인 가정으로 갔다. 빈방에 들어가 담요를 뒤집어쓰고 잠을 청했다. 깊은 잠을 자고 난 후 교회당 쪽으로 오니 박살이 난 교회당 옆에 주민 수십 명이 모여 회의하고 있었다. 한 사람이 일어서서 말했다.

"활빈교회는 우리 동네의 은인이요 보금자립니다. 이번에 교회당이 이렇게 된 건 바로 우리 자신의 일입니다. 우리 집이 철거된 거나 마찬가집니다. 그러니 온 동민이 힘을 합해 다시 세웁시다."

주민들은 논의를 거듭하더니 그 자리에서 '활빈교회 재건 대책위원회'를 조직하고는 재건 업무를 담당할 모금위원, 건축위원, 섭외위원, 동원위원들을 선임했다. 동네 사람들에게 알리는 공고문을 쓰고 서울시장 앞으로 보낼 진정서도 만들었다. 모든 과정이 나와 상관없이 주민 자치로 진행되고 있었다. 곧이어 진정서에 서명받는 작업이 시작되고 건축비 모금이 시작되었다.

건축위원들은 새로 지을 예배당 설계를 논의하고 자재 조달 방법과 공사 기간을 결정했다. 대책위원회가 그렇게 앞장서고 동네 주민 모두가 호흡을 같이하게 되었다. 나는 흐뭇하고 고마워 교회당을 철거해 준 서울시장이 고맙다는 생각까지 들었다. 560명의 서명이 첨부된 진정서가 서울시장과 성동구청장 앞으로 발송되었다.

대책위원회의 임원들은 집집마다 방문해 서명을 받으면서 그 서류를 '국비장학생 지원서'라고 표현했다. 교회당 재건을 위한 이 진정이 당국으로부터 받아들여지지 않으면 감옥 가는 것도 불사하겠다는 각오로 그런 말을 했다. 진정서에는 5월 2일까지 만족할 만한 회답이 없을 때는 온 동민이 단체로 시청을 방문하겠다는 단서가 붙어 있었다. 데모하겠다는 말을 완곡히 표현한 것이었다.

그날 저녁 활빈교회 교인들이 모였다. 장시간 열띤 토론이 붙었다. 대체로 세 그룹이었다. 강경파는 내일이라도 성동구청으로 가서 구청 건물을 파괴하겠다는 의견이었다. 저들이 이유 없이 우리 교회를 부쉈으니, 우리도 가서 그렇게 하자는 것이었다. 중도파는 시한을 정해 통보하고 그 시한 내에 건축해 주지 않으면 실력 행사를 하자는 안이었다. 온건파는 이번에 주민들이 교회당 재건에 적극적으로 나오게 된 것이 큰 수확이니 주민들의 활동을 뒷받침만 하자는 의견이었다. 교인들은 긴 시간 토론을 한 후 내 의견을 물었다.

나는 주민들이 서울시장 앞으로 진정서를 보냈으니 활빈교회 신도들이 좀 더 강경한 내용의 진정서를 한 통 더 보내고, 주민들이 지금

시작하고 있는 교회당 재건 운동을 교인들이 뒷받침하는 것이 좋겠다, 교인들도 교인으로서가 아니라 주민의 일원으로 교회당 재건에 참여하는 게 좋겠다고 말했다. 이번에 교인들의 손으로 교회당을 짓게 된 것은 참으로 뜻깊은 일인즉, 교인들은 주민들의 손이 미치지 못하는 곳을 찾아 보이지 않게 일하자고 했다.

활빈교회 교회당 건물이 철거된 소식이 알려지자 여러 곳에서 지원이 왔다. 시청과 구청으로 끊임없이 항의 전화가 가고, 기자들이 구청을 드나들었다.

며칠 사이에 새 교회당을 건축할 만한 비용이 모였다. 지역 주민 1천 600세대가 한 세대 1백 원 이상의 건축비 헌금과 하루 이상의 노력 봉사를 정하고 합심하여 재건 사업을 진행해 나갔다.

주민회에서 서울시장 앞으로 통보한 5월 2일이 다가오고 있었다. 그 날까지 교회당 재건축에 대한 건축 허가 통보가 오지 않을 경우에 대비한 행동 계획이 세워졌다. 대책위원회의 동원위원들은 만일의 경우 데모에 참여할 지원자들의 명단을 작성했다. 이런 움직임에 발맞추어 활빈교회 교인들이 보내는 진정서가 서울시장 앞으로 발송되었다.

〈진정서〉

서울시장 귀하

국가 발전과 새마을사업을 위해 분투하시는 시장님께 문안드립니다. 저희 활빈교회 신도 일동이 시장님께 이런 진정서를 올릴 수밖에 없게 된 사실을 유감스럽게 생각하는 바입니다.

다름이 아니옵고 지난 4월 24일 오전 열 시경 성동구청 철거반이 저희 활빈교회당을 납득할 만한 이유 없이 깡그리 부숴버린 데 대해, 이 사건이 단순한 행정사무의 착오인지 아니면 고의적인 선교활동 박해인지 알고 싶습니다.

이에 이미 저희 활빈교회 신도 일동은 상부 기관인 한국기독교교회협의회 및 각 언론기관에 지원 요청을 한 바 있거니와, 이번 사건의 집행기관이라 생각되는 성동구청 청장님께 정식 항의를 제출하오며 아울러 이에 대응할 만한 보상을 청구하는 바입니다.

본 활빈교회당은 7년 전에 세워진 건물로서 무허가 건물 24-24622호의 인정번호가 붙어 있습니다. 그럼에도 지난 1971년 9월 2일에는 아무런 예고도 없이 성동구청 철거반에 의해 부당하게 철거당했고, 1972년 1월 철거 계고장이 발부되었을 때 주민들은 활빈교회당이 기존건물이요 24-24622호라는 인정번호까지 있는 건물일 뿐 아니라 활빈교회가 빈민촌인 이 지역사회에서 지대한 영향을 미치고 있은즉 계고장 발부 사실을 시정해달라는 진정서를 제출한 바도 있습니다. 그러나 그 진정서에 대한 일언반구 회답도 없었고 지난 2월에는 이 건물로 인해 저희들의 지도자이신 김진홍 전도사님이 고발을 당하여 동부경찰서 유치장에서 고생하시기까지 했습니다.

그럼에도 지난 24일 철거반이 아무도 없는 빈 교회당에 입회인도 없이 교회 간판을 뜯고 교회를 박살 내자고 소리 지르며 부수었습니다. 더욱이 철거반원 중 한 명이 귀중한 의료기구들이 보관

되어 있는 비품실에서 호주머니에 무엇인가를 집어넣는 것을 보고 신도 최일진(52세) 씨가 항의했다가 철거반원 5, 6명에게 집단 구타당한 사실에 대해 저희 신도 일동은 물론 전 주민이 분노하고 있습니다.

현하 대통령 각하의 지대한 관심 아래 전국적으로 추진되고 있는 새마을사업에 발맞추어 저희 활빈교회는 빈민촌인 지역사회에서 청소년 선도와 주민 교육 및 주민들의 건강 증진 등을 내용으로 하는 지역개발사업에 전력을 기울여왔습니다(활빈교회 지역개발사업실적 : 별지 참조).

한데 정부 당국에서 협조는커녕 수차례 건물을 부수고 저희 교역자님을 투옥까지 한 데 대해 신도 일동은 더 이상 앉아서 당하고만 있을 수 없다는 결론을 내렸습니다. 이에 저희 교회의 상부기관인 '대한 예수교장로회 총회'에서도 이는 분명한 기독교에의 도전 행위요 새마을사업에 역행하는 일이니, 강경한 대책을 세우겠다고 언급했거니와, 저희 신도 일동도 일치단결하여 이 문제를 해결하고자 합니다.

조속한 시일 내에 그간의 교회 핍박 행위에 대한 납득할 만한 해명과 파괴된 건물에 대한 복구 대책이 없으시다면 저희 신도 500여 명은 시장님을 방문하겠습니다.

1972년 4월 27일

활빈교회 신도 일동

5월 1일 오후 성동구청으로부터 연락이 왔다. 구청장이 김진홍 전도사를 만나자는 내용이었다. 나는 말했다.

"나를 만날 필요는 없습니다. 주민이 주인이니, 주민 대표들을 만나세요. 청장님이나 나나 주민들을 섬기는 심부름꾼 아니겠습니까. 하실 이야기가 있으면 주민들과 하십시오. 그리고 구청에 앉아서 보자고 하지 말고 여기 현장으로 와서 실정을 보고 주민들과 대책을 의논하십시오."

다음날 구청에서 지프 한 대가 와서 주민들과 이야기를 나누고 있었다. 곁으로 가서 들으니 주민 대표 중 한 사람이 말했다.

"힘없는 무지랭이들이라고 우리를 아무렇게나 대하려 하시면 안 됩니다. 우리가 청장님을 그 자리에서 끌어내릴 수도 있고 또 시장으로 영전시켜 드릴 수도 있습니다. 우리가 성동구청 청장님은 훌륭한 분이라고 청와대에 감사장도 올리고 소문내고 하면 청장님이 영전돼 서울시장까지 될 수도 있을 것이요, 또 우리가 무능한 공무원이라 규탄하면 그 자리에서 떨어질 수도 있는 것 아니겠어요?"

나는 그런 논리정연한 말에 놀랐다. 평소에는 순하기만 한 사람들이지만 분위기가 한번 조성되니 사람들이 달라져 보였다. 나는 주민들의 그런 변화가 민주국가 실현에의 가능성임을 확신했다.

오후에 대책위원회 위원들이 나를 찾아와 구청에서 수차례나 들어와달라는 연락이 오고 있다고 했다.

"그쪽 태도를 보건대 성의가 있는 것 같으니 들어가 보시는 것이 좋겠네요. 그런데 내가 갈 필요 있겠습니까? 여러분이 가서 관계되는 분

들을 만나 일 처리를 하면 될 겁니다."

"전도사님, 그럴 수야 있겠습니까? 구청에서 김 전도사님과 같이 와야 이야기가 된다고 거듭 같이 들어오라고 재촉하고 있습니다."

"글쎄요, 그건 그쪽 이야기고, 대책위원회가 주민자치활동인데, 자치활동답게 여러분이 나서서 해결하는 것이 모양새가 좋을 것 같은데요."

"구청 이야기로는 주민자치활동이라 하지만 전도사님이 주민들 뒤에서 다 조종하고 있으니, 주민들과 이야기해야 헛일이다, 전도사가 틀어버리면 일은 그만이라고들 하고 있습니다."

"그런 말이 나는 못마땅합니다. 관청 사람들이 주민들은 늘 조종이나 받고 사는 걸로 생각해서는 안 되지요."

"전도사님 생각은 알겠습니다만, 지금쯤은 같이 들어가서 일을 풀어나가는 것이 좋을 거 같은데요."

"여러분 생각이 정 그렇다면 같이 구청으로 가서 한번 부딪쳐 봅시다!"

나는 주민 대표들과 같이 성동구청으로 갔다. 송정동 동장이 우리를 안내했다. 구청에서는 구청장이 출타 중이니 민원 담당인 부청장을 만나달라고 했다. 부청장실에서 차를 들며 주민들과 부청장 사이에 얘기가 오가는 동안 나는 잠잠히 기다렸다.

주민들은 철거의 부당성을 주장하고 서울시가 교회 땅이자 주민회관인 건물의 재건축을 인정해야 하며 그 보상으로 건축자재를 공급할 것을 요청했다. 부청장은 행정 절차상의 고충을 얘기하며 교회당 철거는 고의가 아니라 건축법과 무허가건물 단속법이라는 실정법에 근거한 것이라 했다.

그러나 주민 대표들은 실정법을 말해주려고 우리를 불렀느냐, 지금 그런 걸 내세워서 문제 해결이 되겠느냐, 문제는 간단하다, 서울시가 무너진 건물의 재건축을 허락하고 건축자재를 공급해라. 자재만 공급되면 건축 작업은 주민들의 힘으로 하겠다고 말했으나 부청장은 이에 불가함을 이야기했다.

대화가 잘 풀려나가지 않자, 주민들은 언성을 높이며 일어섰다.

"그렇게 안 된다는 소리만 하려면 그만두세요. 우리도 생각이 있습니다. 지렁이도 밟으면 꿈틀한다는 말 못 들었어요?"

부청장쯤 되니 역시 노련했다. 그렇게 일어서는 주민들을 달래 앉히며 타협안을 내놓았다.

"여러분 생각이 정 그러시다면, 싸움은 말리고 흥정은 붙이랬다고 우리 해결 실마리를 풀어봅시다. 여러분이 그렇게 좋은 마음으로 다시 짓겠다는 교회당 건물을 다시 짓되, 정식 건물은 세우지 말고 천막을 치시지요. 천막은 구청에서 사드리겠습니다."

"천막을 칠 수 있다면 집도 지을 수 있을 것 아닙니까? 천막은 안 주셔도 됩니다. 우리 힘으로도 그 정도는 할 수 있습니다. 우리가 모금하여 루핑으로라도 지붕을 덮겠습니다."

"그러시지들 말고 우리의 고충도 이해해 주셔야 합니다. 쥐도 도망갈 구멍을 보고 쫓으라 하지 않습니까? 서로가 명분을 세워주면서 일을 풀어나가야 합니다."

부청장은 가만히 듣고만 있는 나를 향해 말했다.

"아무래도 전도사님이 나서서 풀어주어야 할 거 같은데, 그런 선에서 마무리를 지어주시지요."

"글쎄요, 제가 나설 일이 아닌 것 같은데요. 주민 대표 자격으로들 왔으니 자신들이 해결할 문젭니다"

그때 동석하고 있던 동장이 좋은 안을 제시했다.

"그렇다면 주민들이 집을 짓되 지붕은 구청에서 주는 천막으로 덮으면 될 것 같은데요."

그 말에 부청장은 아무 대답도 하지 않았다. 대답을 안 하는 노코멘트가 바로 묵인하겠다는 의사로 느껴졌다. 주민 대표들의 시선이 내게로 쏠렸다. 나는 가볍게 고개를 끄덕이며 말했다.

"그것이 서로의 체면을 세워주는 좋은 생각 같군요. 주민들로서는 집을 지은 거고 시청으로서는 천막 치는 정도로 허락한 거이고 쌍방간에 좋을 것 같습니다."

이어 대책위원회 위원장의 마지막 한마디로 사태는 마무리되었다.

"구청의 사정이 그러하시다면 우리도 그 선에서 양보하기로 하겠습니다."

부청장은 사흘 안으로 천막을 보내주겠노라고 했다. 주민 대표들은 집을 짓고 그 위에 천막을 덮겠노라고 다시 말했다. 부청장은 여전히 그 말은 못 들은 척하고 나를 향해 말했다.

"전도사님, 앞으로는 무슨 일이든 사전에 의논해서 풀어나갑시다."

"저도 그랬으면 좋겠습니다."

구청에서 동네로 돌아오는 길로 즉시 주민 회의가 열리고 구청에 갔던 대표들의 경과보고가 있었다. 모였던 주민들로부터 수고했다는 박수를 받고 나서는 건축에 대한 논의가 시작되었다.

다음날부터 본격적으로 건축이 시작되었다. 노력 봉사자들이 조를 짜서 날마다 열심히 일해 공사가 빠르게 진척되었다. 주민 중에는 건축에 필요한 모든 기술자가 있었다. 목수, 미장이, 벽돌공, 페인트공 모두가 하루씩 봉사했다. 일할 수 없는 가정에 서는 현금을 냈다.

드디어 공사가 끝나고 5월 22일에 입당식이 열렸다.

입당 축하 예배에는 김상현 군이 서울대학교 의과대학의 '깽깽이 부대'(현악단)를 동원해 축제 분위기를 돋우었다. 덕분에 교회 잔치가 온 동네잔치가 돼버렸다. 나는 주민들의 성의에 감격했다. 이런 주민들을 위해서라면 뼈를 깎는 아픔과 수고도 견디겠다고 다짐했다. 그렇게 교회당 건물이 재건되자 그간 중단됐던 모든 프로그램이 다시 시작되었다.

나는 교회당 철거와 재건 과정을 통해 보여주었던 주민들의 참여와 도움에 답하는 마음으로 더 열심히 일했다. 지역 내 젊은이들 110명을 모아 자활회를 조직했다. 대원들은 주로 불량배들과 전과자들이었다. 그들에게 동기부여를 하여 넝마주이, 폐품 재생, 식품 가공 등의 사업으로 자활의 길을 열어나가려는 것이었다. 다음은 자활회의 설립 취지문이다.

〈송정동 판자촌 주민 자활회〉

• 자활하려는 뜻

청계천 하류 송정동 74번지 판자촌에 살고 있는 우리 1천 600여 세대는 대부분이 이농민들로 극심한 가난과 질병, 무지와 좌절 속에 허덕여왔다. 잔혹한 현실 속에서 아무런 기반이 없었던 우리들은 주민 중 70퍼센트 이상이 실직자란 상황에 좌절해 도박과 음주에 묻혀 살아왔다. 억압된 감정을 발산시킬 길이 없어 폭력을 휘두르다가 전과자란 오명이 붙게 된 사람들도 있다.

이에 우리는 이 이상 인간 실격의 상태에 머무를 수 없음을 깨닫고 우리의 살길은 우리 스스로가 찾는 길밖에 없음을 알게 되었다. 우리는 일어서서 굳게 뭉쳐 자활에의 길을 찾고자 한다. 이 길은 순탄한 길이 아닐 것이다. 땀과 피와 고통의 길일 것이다. 그러나 허리를 굽히고 사느니 서서 죽기를 택하는 결단으로 우리는 일어서서 뭉쳐 우리의 운명을 우리 스스로가 결정하고자 한다.

지난날 우리는 혼자서 졌지만 이제 뭉쳐서 이기려 한다. 이러한 결단을 하는 우리 앞에 새로운 삶이 열린 것을 확신한다. 신은 스스로 돕는 자를 돕는다는 성경의 말을 우리는 믿는다.

1972년 6월 9일

송정동 판자촌 주민 일동

지난날 주먹을 휘두르다가 감옥에 드나들었던 자활회 대원들은 새로운 결심으로 넝마주이, 고물 수집, 폐품 재생, 식품 가공 등의 여러 분과에서 일을 했다. 자기의 적성과 취미에 따라 배치된 부서에서 열심히들 일했다.

자활회에 이어 '실업자 조합'을 결성했다. 세대주들의 높은 실업률과 이들 실업자의 자포자기한 생활이 빈민촌의 단적인 현실이었다. 그들은 화투 놀이, 폭음, 싸움 등으로 자기 파멸을 재촉하는 생활을 하고 있었다.

나는 이 실업자들을 모아 협동 활동을 통하여 새로운 생활을 유도해 보기로 계획을 세웠다. 3, 40대의 세대주로서 실업 생활을 하는 사람들을 일 대 일로 만나 설득하여 조직을 만들고 그 조직된 힘으로 취업 활동을 전개하여 조금씩 성과를 거두어 나갔다.

조합을 통하여 일자리를 얻은 가장들은 수입의 5퍼센트를 조합에 납부하고, 이렇게 모인 예산은 가족들의 건강관리와 실직시 생활보조금으로 쓰기로 했다.

4

눈 내리는 밤, 숲가에 서서

눈 내리는 밤, 숲가에 서서

청계천 빈민촌에 들어온 지 어언 일년이 지나갔다. 나는 그간에 이루어낸 일들을 살피며 만족스럽게 생각했다. 처음 들어오던 때의 초라한 외톨이 신세에서 벗어나 이제는 활빈교회와 주민회가 양 날개가 되어 선교활동을 뒷받침해 주고 있었다. 이대로만 나간다면 큰일을 이루어낼 것만 같았다.

그러나 밖으로 나타나는 발전과 달리 안으로는 심각한 문제들이 자라고 있을 줄은 생각조차 못 했다. 문제는 교회 쪽에서 먼저 일어났다. 활빈교회 교인들은 빈민촌에서 처음 신앙생활을 시작했기 때문에 교회 일에 경험이 없었다. 교회에서 관리나 행정을 맡길 만한 경험 있는 일꾼들이 없었다. 그중에서도 가장 곤란을 느낀 것이 재정 관리를 맡을 마땅한 교인이 없다는 점이었다.

교회가 처음 시작되던 때는 헌금이래야 고작 4, 5백 원에 지나지 않았으나, 교인 수가 점차 늘어나고 교인들의 신앙심이 터가 잡혀 나가면서 헌금 액수도 늘어났다.

나는 교인 중에 그런대로 성실해 보이고 셈이 밝은 사람에게 재정 관리를 맡겼다. 처음 맡았던 사람은 고물 수집상을 하는 이 씨였다. 그런데 그는 처음 3, 4개월은 곧잘 하는 듯하더니 나중에는 재정 보고를 회피하고 교회에 필요한 물자를 구입하려고 돈을 타러 보내면 돈이 없다고 했다.

어느 날 재정 장부와 헌금을 맞춰보고 나는 그가 헌금이 들어오는 대로 써버린 것을 알았다. 나는 어처구니가 없어 그를 나무랐다. 어쩌려고 하나님 돈을 개인이 그렇게 썼느냐고 추궁하자 그의 대답이 걸작이었다.

"전도사도 예배당 돈 쓰는 데 나는 쓰면 안 되란 법 있나요?"

나는 그의 '당당한' 말에 할 말을 잊고 그냥 장부만 회수하고 말았다. 다음 주일부터 그는 교회에 나오지 않았다. 돈도 잃고 사람도 잃은 셈이었다.

이런 일을 겪은 후인지라 이번에는 민주적으로 한답시고 교인 전체가 투표하여 헌금 담당자를 선출했다. 당선된 일꾼은 건축업에 종사하는 최 씨였다. 실상은 공사판의 십장 정도였지만 동네에서는 건축업자로 대접받고 있었다. 그러나 최 씨도 교회 재정을 맡은 후 헌금을 쓰고 다닌다는 소문이 돌기 시작했다.

얼마 후 최 씨를 불러 물었다.

"최 씨, 이상한 소문이 돌고 있는데요. 재정 관리가 정상적으로 되고 있는지 궁금합니다. 금주 내로 장부를 정리하셔서 주일예배 때 교

우들에게 보고해 주시지요. 그리고 그 전에 정리가 되는대로 저에게 먼저 보여주십시오."

토요일에 최 씨를 다시 만나 장부 정리가 다 됐으면 먼저 둘이 검토하자고 했다. 그는 머뭇머뭇하더니 끝수 계산이 덜 돼 저녁에 우리 집으로 가져와서 보고하겠노라고 말했다. 그러나 그는 저녁에 오지 않았다. 다음날 예배 시간에 설교하고 있는데 그가 갑자기 일어나더니 좌중을 둘러보며 말했다.

"여러분, 제가 몇 말씀 드리고 싶어 예배 시간인데도 일어났습니다. 여러분! 저 김진홍 전도사는 사기꾼올시다. 여러분! 속지 마시라요. 설교하는 말과 실제 행실이 전연 다른 위선자올시다. 설교 때는 사랑, 사랑하면서 우리 빈민들을 팔아 재산을 뒤로 빼돌리고 있습니다. 여러분! 제가 근거 없이 이런 말을 하는 게 아닙니다. 궁금하신 분은 나에게 오시면 언제든지 그 증거를 대드리겠수다."

이어서 그는 설교하다 말고 멍하니 서 있는 내게 삿대질을 하며 말했다.

"김진홍 전도사! 거짓말 그만하고 내려와. 내려오라구."

교인들이 소란해지기 시작했다.

"어. 저치가 돌았나? 뭐 저 따위가 있어. 끌어내!"

한쪽에서 그렇게 소리 지르니 다른 한쪽에서 고함이 터졌다.

"왜 그래? 한번 들어보자구. 증거가 있대잖아!"

갑자기 예배당 안이 시장 바닥처럼 시끌짝하게 됐다.

"조용하세요. 조용들하시라구요."

내가 소리쳤지만, 먹혀들 리 없었다. 다시 분위기를 수습하기 위해 찬송가를 부르자 하고서는 "내 주를 가까이 하려 함은 십자가…" 하고 선창했다. 그러자 교인들이 하나둘씩 따라 부르기 시작하자 곧 합창으로 변했다.

나는 찬송가를 부르는 동안에 어떻게 대처해야 할까 궁리했다. 흔히 하는 말에 '하던 지랄도 멍석 깔아주면 안 한다'라는 옛말이 생각났다. 그래서 최 씨를 제지할 게 아니라 말하라고 부추기기로 마음먹었다. 찬송이 끝나자 나는 틈을 두지 않고 말했다.

"최 씨, 하고 싶은 말이 있으면 하세요. 시간은 넉넉히 드릴 테니 앞으로 나와서 조리 있게 말하세요."

내 말이 끝나기도 전에 한 젊은이가 일어나 말했다.

"전도사님, 미친개에게는 몽둥이가 젤입니다요. 저런 치는 눈알이 확 쏟아지도록 매타작을 헙시다!"

"옳소! 죽을 때가 돼서 환장기가 있는가 봐요."

나는 분위기가 들뜨지 않게 차분한 음성으로 말했다.

"여러분, 그런 게 아닙니다. 우리는 모두 한 가족이니까 무슨 문제든 터놓고 지내야 합니다. 최 씨가 하고 싶다는 말을 지금 다같이 듣고, 또 증거가 있다니까 어떤 증거인지 함께 알아보는 것이 좋겠습니다."

그렇게 나가니 정작 최 씨는 처신하기가 퍽 난처해진 모양이었다. 자기 딴에는 그런 식으로 나가면 내가 그의 말을 가로막거나 비난하리라 예상했던 모양인데, 오히려 말하라고 권하니 난감해하는 것 같

았다. 그는 일어서더니 더듬더듬 말했다.

"지금 내가 이 자리에서 다 공개하면 당신은 이 동네에서 쫓겨날 거요. 내가 오늘은 참소. 여러분, 궁금하신 분은 나에게 개인적으로 오시오."

그가 휑하니 나가버리자 나는 중단했던 설교를 계속했다

예배 후 회의가 열렸다. 최 씨의 발언에 대한 논의가 시작되자 생각 외로 두 패로 갈라졌다. 최 씨 쪽으로도 상당수의 동조자가 있었다. 최 씨를 규탄하는 쪽에서 주장했다.

"최 씨, 그 녀석, 미친놈이에요. 지가 교회 돈을 쓰고 급해지니까 되려 무는 겁니다. 그냥 둬선 안 됩니다."

그러나 다른 쪽에서 말했다.

"그렇게 뒤집어씌울 것만은 아닙니다. 아무 근거 없이 그런 말을 했겠어요? 진상을 밝혀야 합니다. 교회당 건축 때도 외부 성금이 굉장히 많이 들어왔었다는데 우리는 한 닢 만져본 거 없잖아요?"

말하자면 주류와 비주류가 형성돼 서로가 불끈불끈 발언하니 정상적인 토론이 되지 않았다. 길게 끌다가는 패싸움이 일어나기 십상일 것 같았다. 교회 분쟁이란 것이 이런 식으로 일어나는구나 싶었다. 나는 저녁 예배 때 최 씨를 출석시켜 공개 토론하자고 공표하고는 최 씨를 지지하는 사람들에게 최 씨를 꼭 데리고 오라고 일렀다.

그러나 저녁 예배에 최 씨는 오지 않았고, 그를 데리러 간 사람 편에 금전출납부만 보내왔다. 그가 그런 사기꾼 밑에서 예수 믿을 생각 없다면서 장부만 주었다고 했다. 나는 교인들에게 물었다.

"여러분, 일단 교회 재정 장부는 왔으니 장부 정리도 하고 사건 진상도 조사할 겸 위원을 몇 사람 뽑아 일을 맡기는 게 어떻겠습니까?"

모두 그렇게 하는 것이 좋겠다는 의견이었다. 다섯 명을 뽑아 일을 맡기고는 회의가 끝났다. 얼마 후 조사위원회의 조사 결과가 발표됐다. 최 씨가 교회 공금을 유용한 액수가 발표되고 사건은 일단락되었다. 그가 유용한 금액은 결손으로 처리되고 후임 재정은 가장 성실한 일꾼인 김영준 군이 맡았다.

그런데 나쁜 일은 한꺼번에 오는가? 이번에는 주민회 쪽에서 재정 사고가 터졌다 소득증대사업부에서 식품 가공, 폐품 재생, 부녀 부업 등의 사업계획을 세우고 소득증대사업부에서 일을 추진키로 했었다.

식품 가공이란 명태를 찢어 안줏감을 만들어 맥줏집 같은 곳으로 다니며 파는 일이고, 폐품 재생 사업은 우리 넝마주이들이 수집해 온 물건들 중에서 활용할 만한 것들을 골라 상품을 만들어 파는 일이었다. 예를 들어 깡통을 모아 기계로 펴서 연탄아궁이에 쓰는 연통을 만드는 일이나 헌 옷가지를 모아 깨끗이 빨아 걸레를 만들어 파는 일 등이었다. 부녀 부업은 청계천 평화시장 안에 있는 봉제공장들을 찾아가 단추 달기, 버클 달기 등의 일감을 구해다 동네 부녀자들에게 주는 일이었다

이런 일을 추진하려면 자금이 필요한지라 나는 전남 광주에서 초등학교 교사로 있는 누나에게서 50만 원을 빌려왔다. 누이는 봉급생활을 하며 푼푼이 모은 돈이니 그냥 줄 수는 없고 원금은 꼭 갚으라고 당부했다.

나는 이 돈을 각 단위 사업 책임자들에게 배분했다. 그들이 제출한 사업계획서에 따르면 6개월 내로 원금 회수가 가능하도록 짜여 있었다. 나는 길게 잡아 10개월 후면 누님에게 원금은 갚을 수 있을 것이라 생각했다.

그러나 이는 현실을 모르는 너무나 안일한 생각이었다. 자금을 배정한 지 불과 며칠 뒤부터 말썽이 일어나기 시작했다. 몇 명이 들어먹는다는 소문이었다. 나는 그런 소식을 전하는 사람들에게 면박을 주며 나무랐다.

"그렇게 못 믿고 살아가니 늘 못사는 겁니다. 하나님을 믿듯이 사람도 좀 믿으세요."

"전도사님, 두고 보세요. 다 전도사님 마음 같은 줄 아시면 큰코 다칩니다."

20여 일 후 담당자들을 소집하여 사업 진척 상황과 자금 사용 관계를 물었다. 그런데 한결같이 묵묵부답이었다. 나는 모임을 해산한 후 한 사람씩 만나 조용히 물었다. 모두 급한 빚을 갚았거나 생활비로 쓰는 등 이래저래 없애버린 것을 알게 되었다.

믿었던 도끼에 발등 찍힌 나는 그들이 보기도 지겨워졌다. 그러나 이미 써버린 돈을 두고 왈가왈부해봐야 소용없는 일이었다. 나는 그들을 한자리에 모아놓고 말했다.

"긴말하고 싶지 않습니다. 우리는 신앙으로 뭉쳐 가난을 정복하는 신화를 창조하려고 모인 활빈동지들입니다. 우리의 신앙과 인격과 미래는 이번의 기십만 원 돈으로 계산될 게 아닙니다. 누님에게 진 빚은 내가 갚기로 하고, 주민들에게는 내가 여러분들로부터 돈을 회수하여 빌린 분에게 갚았다고 발표하는 것으로 이번 일을 마무리합시다. 그리고 협동 사업은 당분간 중단하고 각자 능력껏 일해 살길을 찾기로 합시다. 아직 공동사업으로 일하기에는 이른 것 같습니다."

그들은 입이 열 개 있어도 할 말이 없는 사람들이었다.

이 사건은 나에게 큰 충격이었다. 주민들이나 교인들을 신뢰할 수 없으니 어떤 일도 진행해 나갈 자신이 없었다.

어느 날, 만사를 접어두고 넝마주이 작업에 몰두하려고 교회당을 떠나려는데 군용 지프 한 대가 오더니 내 앞에 멈춰 섰다. 지프 뒤에는 트레일러가 달려 있었고 고기 통조림이 가득 실려 있었다.

미군 한 명이 내리더니 어느 선교사의 이야기를 듣고 빈민촌 아이들의 영양공급을 위해 통조림을 가져왔노라고 말했다. 이미 지프 주위에는 동네 아이들 수십 명이 둘러서서 군침을 흘리고 있었다. 그런데 나는 외국 군인들로부터 고기 통조림을 얻어 동네 아이들에게 먹이는 일이 도무지 내키지 않았다.

6 · 25전쟁이 남긴 폐해 중 하나가 '구호 물자 공해'였다 전쟁을 치르는 동안 숱한 구호품이 미국에서 들어와 산골 구석구석까지 얻어먹게 되었다. 나는 여기서 우리 민족이 공짜를 좋아하고 남을 의지하여 살려는 나쁜 습성이 생겨난 게 아닐까 생각한다.

특히 기독교 단체는 구호품 공해가 가장 심한 곳일 게다. 미국 선교사들에게 보조받는 것이 습관이 되어 외국 원조를 많이 받는 것을 마

치 큰 재주라도 부리는 듯이 여기고 있는 곳이 당시 우리나라 기독교계였다. 올바른 국민정신을 기르기 위해서나 민족의 백년대계를 위해서나 반드시 시정해야 할 현상이었다.

그런데 이 순진한 미국 군인들은 그런 차원까지는 생각지 못하고 단순하고도 순수한 마음으로 깡통을 저렇게 싣고 왔으니 참으로 처리하기가 곤란한 일이었다 그러나 그 고기 깡통을 얻어먹고 자랄 아이들에게 끼칠 폐해를 생각하면 그냥 받을 수는 없었다. 좁게는 개개인의 자립정신을 심어주는 일에나 넓게는 민족주체성을 길러나가는 일에 그 고기 깡통들이 도움 될 리는 없었다. 게다가 동네 아이들에 비해 고기 깡통 수가 너무 적어 어차피 먹으나 마나 한 양이었다.

마침내 나는 결론을 내리고 심호흡을 한번 한 후 미군에게 말했다.

"No, thank you. I think we must stand for ourselves, so you may go back with your cans. I am very very sorry and great thank you (고맙지만 거절한다. 내 생각으로 우리는 우리 힘으로 일어서야 하기 때문에 네가 가져온 깡통은 받지 않는 게 좋을 것 같다. 그러니 그 깡통을 도로 가져가달라. 대단히 미안하고 또 고맙다)."

미군은 갑자기 긴장된 표정을 지으며 'What?"(뭐라고) 하고 내 표정을 살폈다. 나는 부드러운 표정을 지으며 같은 말을 반복했다. 그는 간신히 내 의도를 파악했는지 고개를 갸우뚱하며 되돌아갔다.

그가 그렇게 돌아가 버리자 동네 아이들은 애석하고 아쉬운 마음을 떨치지 못하고 지프가 시야에서 사라진 뒤에도 한참이나 그쪽을 보고 있었다. 나는 아이들의 그런 표정을 보는 것이 민망스러워 서둘러 넝마주이 일터로 떠나버렸다.

그날은 종철이란 스물셋 된 대원과 조를 이루었다. 둘이 각자 망태를 멘 채 손수레 한 대를 뒷골목 어딘가에 세워두고 일을 시작했다. 그 일의 순서는 이랬다. 우선 망태에 열심히 종이나 깡통 등을 가득 채우고 손수레에 차근차근 쌓는다. 넘치게 쌓이면 손수레를 중심 센터로 끌고 와 쓰레기를 종류별로 분류한다. 그리고 무게를 확인하고 그날 일을 끝내는 것이다. 그날도 종철이와 둘이 열심히 손수레를 채워나가는데, 종철이가 갑자기 아랫배를 움켜잡은 채 주저앉으며 비지땀을 흘렸다.

"너 왜 그러니?"

내가 놀라 물었더니 그는 신음을 토하며 말했다.

"아랫배가 당기는 듯이 아파요."

"견딜 만하게 아프니, 아니면 심하게 아프니?"

"뱃속에 큰 불덩이가 들어 있는 것처럼 화끈거리고 아파요."

심상찮음을 느끼고는 택시를 불러 태우고 가장 가까운 한양대 부속 병원으로 달려갔다. 응급실로 갔더니 엑스레이실로 가라고 했다. 그리 갔더니 다시 수납에 돈을 내고 오라 했다. 뱃속을 찍는 사진이라 의외로 비쌌다. 내가 가진 돈은 가슴 사진 찍는 정도밖에 안 되었다. 나는 창구에 대고 사정을 했다.

"환자가 급해서 그러니 우선 사진부터 찍게 해주면 집에 가서 돈을 가져오겠습니다."

수납 창구에서 그럴 수 없다는 대답이었다. 나는 급한 마음에 엑스

레이실로 다시 가서 사정했다.

“돈이 모자라 수납에 도장을 받지 못했으니 우선 사진부터 찍고 진찰을 계속해 주면, 집에 가서 돈을 구해오겠습니다.”

그러나 엑스레이 담당자는 그런 규칙이 없노라고 딱 잘라 외면했다. 하는 수 없이 나는 종철이를 수납 창구 앞 긴 의자에 누이며 말했다.

“가서 돈 구해 올 테니 여기서 꼼짝 말고 기다리고 있어.”

“성님, 빨리 오쇼. 늦으면 나 죽소.”

“쓸데없는 소리. 사람이 그렇게 쉽게 죽냐? 죽으려고 약 써봐라 죽나.”

나는 통증으로 얼굴을 찌푸리며 숨을 몰아쉬고 있는 종철이를 돌아보며 동네로 달려갔다. 그러나 낮시간에 동네에서 돈을 구하기란 쉽지 않았다. 돈 있을 만한 사람들은 다 일터로 나갔고 동네에는 아이들과 건달 같은 사람들만 남아 있을 따름이었다. 몇 집을 거쳐 얼마쯤 돈을 간신히 마련해 병원으로 달려왔다. 그러느라 세 시간 가까이 지났다. 급한 마음에 숨이 턱에 닿도록 병원으로 달려갔다. 한양대 부속병원은 언덕 위 높은 곳에 있었다. 나는 숨이 턱에까지 차서 병원 계단을 올랐다.

그러나 내가 종철이에게로 왔을 때 그는 마악 숨을 거두는 참이었다. 어깨를 들먹이며 숨을 몰아쉬고 있는 형세가 숨이 넘어가고 있는 게 분명했다. 나는 당황하여 무릎에다 그를 누이며 사정하듯 말했다.

“야, 종철아, 정신 차려. 종철아, 내가 왔다. 정신 차리라니까!”

그는 나를 아는지 모르는지 분간할 수 없는 멍한 표정으로 보고만 있었다. 그런 표정이 염려스러워 뺨을 찰싹찰싹 치며 말했다.

"종철아, 나야, 나. 나라니까. 이제 돈 구해 왔으니 돈 내고 사진 찍으러 가야지. 정신 차려!"

그 순간 그가 벌떡 일어나 앉았다. 그리고 두 눈동자가 한곳을 응시하더니 외마디 소리로 토하듯 말했다.

"돈, 돈, 약값! 약값!"

그렇게 말하고는 고개를 옆으로 푹 꺾으며 모로 쓰러졌다. 숨을 거둔 것이다.

그가 그렇게 죽는 모습을 보자 나는 화롯불을 뒤집어쓴 듯 열이 올랐다. 얼마 안 되는 돈에 한 젊은이를 이렇게 죽게 두는 병원을 그냥 두어선 안 된다는 생각이 들었다. 넝마주이 대원들을 불러 모아 병원을 요절내고 말아야겠다는 마음뿐이었다.

나는 종철이를 그 자리에 둔 채 병원을 빠져나갔다. 달리며 생각했다. 대원들을 모으자. 종철이가 한양대 부속병원에서 이렇게 죽었다. 그깐 병원 그냥 둘 수 없다. 아무개는 몇을 데리고 원장실로 가서 원장 다리를 분질러버리고, 누구누구는 병원 현관부터 유리창 작살내고, 누구는 돈 받는 창구와 엑스레이실을 쑥밭으로 만들어버려라. 뒷일은 내가 다 책임질 테니 너희들 화끈하게 한번 해치워라.

평소 욕구불만에 가득 차 있는 넝마 대원들에게 병원을 박살 내라고 하면 모두 쌍수를 들고 환영할 터였다.

"좋습니다, 형님. 신라의 달밤이네요. 형님은 가만 계시기만 하시라요. 한번 실력 발휘를 하겠습니다."

그렇게 말하며 반색할 대원들을 상상했다. 그러나 뚝섬 길을 달리던 나는 넝마주이 센터가 저만치 보이는 곳에서 걸음을 멈추고 가쁜 숨을 몰아쉬며 다시 생각을 가다듬었다.

이렇게 하는 것을 예수님께서 기뻐하실까? 예수님께서 내가 대원들을 데리고 가서 병원 유리창을 까부수고 원장 다리 분질러버리는 걸 좋아하실까?

생각이 거기에 미치자, 자신이 없어졌다. 예수님은 그렇게 행동하는 것을 꾸짖지 칭찬은 하지 않으리란 생각이 들었다.

나는 갑자기 갈등에 빠졌다. 어떻게 할까? 독한 마음 먹은 김에 대원들과 함께 시원하게 한판 해치울까? 아니면 여기서 멈출까? 나는 한참 머뭇거리다가 결론을 내리고 발걸음을 돌렸다. 동네로 들어가 교회당으로 갔다. 교회 안 강대상 밑에 꿇어앉아 기도했다.

"예수님! 저를 썩은 세상에 대하여 파괴하는 자가 되게 마옵시고 건설하는 자가 되게 하옵소서! 주님! 저로 하여금 병든 세상을 욕하는 자가 되게 마옵시고 고치는 일에 헌신하는 자가 되게 하옵소서!"

나는 깊은 숨을 쉰 다음 종철이의 시신을 수습하려고 다시 병원으로 갔다.

종철 군의 장례를 마친 날 저녁, 무당의 딸이 위독하니 좀 봐달라는 전갈이 왔다. 무당 아줌마 딸이라면 얼마 전 열다섯 나이에 아비도 모르는 딸을 낳은 소녀다. '소녀 엄마'가 무엇이 잘못되었다는 것인지 궁금한 마음으로 가보았더니 이미 시기를 놓친 것 같았다. 눈두덩에 거무스레한 죽음의 그늘이 깃들어 있었다.

빈민촌은 각종 병의 유엔본부인가? 별스러운 병도 다 있었다. 소녀 엄마의 병은 피부병인 것 같은데 증세가 유별났다. 살갗이 닿는 자리마다 야구공같이 동그렇게 패어 들어가고 있었다. 팬 자리는 고름도 끼지 않고 염증도 생기지 않은 채 말간 진물만 흘렀다.

나는 그녀의 어머니에게 화난 목소리로 물었다.

"어떻게 이렇게나 심하게 내버려뒀습니까?"

"산후에 저런 증세가 나타났는데 별일 없으려니 하고 그냥 두었더니 갑자기 심해지는구먼요."

"왜 지금까지 그냥 두었다가 이제사 알린 겁니까?"

"아비 모를 자식 낳은 게 무슨 자랑이라고 동네방네 병 자랑하겠어요."

"아비 있는 자식을 낳았든 없는 자식을 낳았든, 사람은 살리고 봐야지요."

나는 화가 나서 그 어머니를 한 대 쥐어박고 싶었다. 소녀를 엎드리게 하다가 끔찍한 광경에 나도 모르게 뒤로 확 물러앉았다. 소녀의 등 밑에서 구더기 떼가 바글거리는데, 방바닥에 닿은 척추부분의 살이 썩어 뼈가 드러나 있었다.

무서워서 몸이 떨렸다. 소녀는 이미 고통의 한계를 넘어 버렸는지 무표정이었다. 두 눈동자가 확 풀린 그 무표정한 모습에 더욱 연민이 솟았다. 나는 소녀와 입이 아닌 가슴으로 대화를 나누고 싶었다.

소녀야, 왜 열다섯 살 나이에 남자를 알아 이 고통을 당하는가? 남자 몸이 그리울 나이도 아닌데 어쩐 일로 아기까지 낳게 돼 이런 고통

의 극을 지나가고 있는가?

나는 그녀를 살려달라고 기도드리고 싶지 않았다. 그보다는 편안히 죽게나 해달라고 기도드리고 싶었다.

"하나님, 이 소녀를 빨리 죽게 해주세요. 이 이상 고통 당하지 말고 잠자는 듯 조용히 죽게 도와주세요. 예수님 이름으로 기도드렸습니다. 아멘."

그녀의 손을 잡은 채 소리내어 기도를 드린 후 보니 그녀의 눈가에 물기가 있었다. 그 물기를 물끄러미 보고 있노라니 잠시 후엔 방울이 되어 또르륵 굴러내렸다. 눈물이었다. 벌을 받아야 할 사람은 그녀의 어머니인데, 엉뚱하게 죄 없는 딸이 벌을 받고 있는 것이란 생각이 들었다.

소녀의 어머니인 무당은 원래 간호사였다. 남들처럼 결혼하여 아이들 낳고 잘살고 있었다. 그런데 그만 남편이 교통사고로 팔과 다리를 쓰지 못한 채 누워만 있는 폐인이 되고 말았다. 전직 간호사였던 부인은 남편의 상태를 알아차리고는 남편을 방 안에 둔 채 아이들만 데리고 집을 나갔다. 그 후 서울 시내 이곳저곳을 거쳐 청계천 빈민촌에까지 이른 것이었다.

버려진 남편은 친척들의 도움을 받아 목숨을 부지하며 오매불망 자기를 버리고 간 아내와 자식들을 찾았다. 친척들의 도움으로 가족이 청계천 빈민촌에 있음을 알게 되었다. 먼저 친척들이 와서 그들이 살고 있는 집만 확인하고 돌아갔다. 그리고 다음날 남편을 택시에 싣고 와서 집 근처까지 데려다주고는 "저 집이 너의 처자식이 살고 있는 집이다"라고 가르쳐준 뒤 돌아가 버렸다.

남편은 배로 기어서 그리운 처자식이 살고 있다는 방까지 왔다. 팔을 쓰지 못하니까 이마로 방문을 쿵쿵 두드렸다. 그리고 아이들 이름을 부르며 아빠가 왔다고 울먹였다.

방 안에 있던 부인이 문을 열어보고는 질겁을 했다. 얼른 문을 닫아 안으로 걸고는 아이들에게도 열어주면 안 된다고 일렀다. 그리고 소리쳤다.

"이 병신아, 왜 여기까지 왔어. 자식들 맡아 키우는 것만도 고맙지, 너까지 맡으란 말이냐? 거기서 꾸물대지 말고 돌아가! 얼른 돌아가란 말이야!"

아이들은 울며 아빠를 모셔 들이자고 애원했으나 그녀는 막무가내였다. 그럴 수밖에 없는 것이, 방안에는 그녀보다 열 살이나 적은 새서방이 있었기 때문이다. 새서방이 옆에 앉아 있는 판에 병신 중에 상병신인 옛 서방이 찾아왔으니 표독스레 거절할 수밖에 없었다. 말하자면 성능 좋은 신품을 지금 쓰고 있는데 고장 난 폐품이 나타났으니 빨리 꺼지라고 소리 지를 수밖에….

이웃 여인들 말에 따르면 밤이면 연놈이 씨름판을 벌여 어찌나 가쁜 숨을 몰아대는지 밤마다 잠을 설친다는 것이었다. 판자 한 장을 사이에 두고 있는 처지들이어서 부부생활도 서로 알 수 있을 정도였다. 이웃 아줌마들은 아이들을 염려하여 말했다.

"세상에. 그 좁은 방에서, 자식들 앞에서 그기 뭐이 그래 좋은 기라고. 애들이 불쌍허지."

그런 판에 병신 남편이 몸뚱이로 기어 왔으니 환영받을 리가 없었다. 병신 남편은 이틀간이나 문턱에서 울며 기다렸다. 아이들이 들며 나며 아버지 입에 음식을 물려주었다.

이틀 후 남편을 여기까지 데려다주었던 친척들이 어떻게 되었는지 궁금해 찾아왔다. 친척들은 방 안에 들어가지도 못하고 문간에 엎드려 있는 그를 보고는 기가 차서 입을 다물지 못했다. 다시 데려가면서 그녀에게 악담을 퍼부었다.

"이 짐승만도 못한 기집년아, 니년은 사람 탈을 쓴 마귀 새끼다. 니년이 이 벌을 어떻게 받는지 두고 볼끼다."

그 일이 있은 지 달포쯤 지나 부인이 중병에 걸려 죽게 됐다는 소문이 동네에 퍼졌다. 동네 사람들 말로는 남편의 한에 살을 맞아 든 병이라고들 했다. 교인들도 예배가 끝나면 그 여자 이야기를 하곤 했다.

"여자가 한을 품으면 오뉴월에 서리가 내린다지만, 남자가 한을 품으면 오뉴월에 동상 걸린다고 했는데, 그렇게도 몹쓸 짓을 하고 무사할 리 있겠냐?"

얼마 후 부인은 병에서 회복되는가 싶더니 엉뚱하게 무당으로 변신했다. 병중에 고열에 들떠 무엇이 보인다느니, 신의 계시가 내렸다느니, 극락에서 자신을 초청했다느니 소리 지르더니, 그 후에는 '족집게 귀신'이 자기를 인도한다면서 무당업을 개업했다. 무슨 일이든 족집게같이 알아맞힌다며 자신을 족집게 무당이라고 선전하면서 굿을 하러 다녔다. 그런데 병에서 회복된 무당은 무슨 병을 어떻게 앓았는지 성하던 다리를 절름절름 절게 되었다. 요즘 말로 표현하면 디스코 걸음이었다.

그러던 차에 딸마저 몹쓸 병을 얻게 된 것이다. 들리는 말로는 아이 아버지는 바로 그 어머니가 밤마다 안고 뒹굴어 이웃에 수면장애를 일으키게 한 정부라는 소문이었다. 그 환장한 녀석이 무당이 푸닥거리하러 나간 사이에 어린 딸을 집적거려 임신시켰다는 것이었다.

소녀가 몹쓸 병에 걸린 것도 그 녀석 탓이라고들 수군댔다. 출산한 지 며칠 지나지도 않았는데 그 환장한 녀석이 다시 올라타서 출산 때 생긴 상처에 균이 들어가 걸린 병이라는 것이었다. 확인할 길도 없는 떠도는 이야기들이었다. 나는 그 사내가 어떤 상판을 하고 있을까 궁금했다.

그 집에 두 번째로 갔을 때 환자 방에 그가 앉아 있었다. 마치 하마같이 미련스레 생긴 녀석이 숨소리는 높아서 그냥 앉아 있을 때도 씩씩거리는 소리가 들리는 듯했다.

나는 그 녀석이 미운 생각이 들어 욕을 해주고 싶은 것을 간신히 참았다. 그런 터에 그가 담배를 피워 물기에 그걸 핑계로 욕하고 싶은 마음을 다소나마 풀 수 있었다.

"여보, 환자 앞에서 무슨 짓이오. 담뱃불 끄시오. 사람이 우째 그리 상식이 없소?"

날카로운 목소리로 말하며 인상을 썼더니 그는 머쓱한 듯 담뱃불을 껐다. 나는 계속 그를 째려보았다. 그는 눈길을 둘 데가 마땅찮은 듯 두리번거리더니 천장을 한참이나 쳐다보고 있다가 나가버렸다.

나는 그 어머니에게 환자를 병원에 입원시키고 싶으니 준비하라고

일렀다. 무당은 고분고분했다. 병원에 가봐야 희망도 없을 텐데 수고만 하는 게 아니겠느냐고 공손히 말했다.

"좀 더 깨끗한 곳에서 죽게 해주고 싶어서 그럽니다."

거친 말투로 대답해 주자 무당 엄마는 고개를 돌린 채 끄덕끄덕했다. 나는 소녀를 택시에 싣고 남부시립병원으로 갔다. 택시 안에 서 소녀의 손을 잡은 채 기도했다.

"주님, 입원시킬 방을 꼭 하나 마련해주십시오. 이 불쌍한 영혼이 어둡고 더러운 방에서 숨을 거두게 하고 싶지 않습니다. 좁은 방이라도 좋으니 깨끗한 침대에 흰 시트와 포근한 베개가 있는 입원실 하나만 허락해 주십시오."

남부시립병원에서는 입원시킬 방도 없으려니와, 입원실이 있다 해도 그럴 필요가 없다고 했다. 입원시킬 때가 지났다는 것이다. 나는 안면이 있는 의사를 붙잡고 통사정을 했다.

"제발 침대 하나만 내주십시오. 너무 불쌍한 아가씨여서 죽을 때나마 편히 보내고 싶어서 그럽니다."

의사도 동정심이 생겼던지 방도를 찾아보겠다고 했다. 복도에서 세 시간을 기다린 후 입원이 허락됐다. 어머니를 옆에 있으라 이르고는 동네로 돌아왔다.

그날은 초저녁부터 소나기가 내렸다. 잠자리에 들어서도 나는 루핑 지붕을 거세게 두드리는 빗소리를 들으며 잠을 이루지 못했다. 그 소녀에게 아무것도 해줄 수 없는 나 자신에 대해 무력감을 느끼며 엎치락뒤치락했다.

다음 날 새벽 기도회를 인도하고 나서 최 군과 함께 넝마주이를 나갔다. 이른 아침 얼른 두어 망태를 줍고 병원에 들러볼 생각이었다. 뚝섬 경마장 뒤켠에 있는 넝마주이 센터로 가려면 청계천 뚝방으로 내려가 시내에서 워커힐 쪽으로 뻗은 도로를 가로질러 가야 했다.

그날 새벽 그 도로를 막 건너는데 가로등 밑에 보퉁이 하나가 떨어져 있었다. 나는 밤사이에 누군가가 흘린 것이려니 하고 최 군에게 일렀다.

"최 군, 저 가로등 밑에 뭔 보퉁이가 보이는데, 자네 무슨 보퉁인가 한번 살펴보게나. 혹시 귀중품이면 주인 찾아줘야 할 거 아닌가."

최 군은 가로등 불빛 아래에서 보퉁이를 펼쳐보더니 갑자기 소리를 질렀다.

"히야, 이거 돈이다! 돈! 기똥차구먼요. 야! 신난다! 팔자 폈다."

그러면서 그는 넝마주이 망태를 벗어던져 버리고 집게 마저 휘휘 휘두르다가 멀리 팽개쳐버리고는 돈 보퉁이를 들고 뛰기 시작했다. 나는 어안이 벙벙하여 그의 등을 향해 소리 질렀다.

"아니, 이 사람아, 어디 가는 게야?"

그러나 그의 귀에 들리지 않는 모양이었다. 그 보퉁이를 보기는 내가 먼저 보았는데, 그가 혼자 가지고 뛰는 것이었다. 나는 그가 시야에서 사라질 때까지 한참 바라보고 있다가 혼자 일터로 갔다. 손수레 하나만큼 넝마 줍기를 끝내고 병원으로 갔다.

가는 길에 소녀를 위해 장미 한 송이와 사탕 한 봉지, 그리고 오렌지 주스를 샀다. 병실로 들어가니 그녀가 누웠던 자리에는 이미 다른

환자가 누워 있었다. 간호원에게 물었더니 새벽녘에 죽어서 시체실로 갔노라고 했다. 시체실로 가서 흰 천이 덮여 있는 그녀의 머리맡에 장미꽃과 알사탕을 놓아주고는 장례준비를 서둘렀다.

다음날도 비는 그치지 않고 여전히 내렸다. 빗속에 벽제 화장터로 가서 화장을 했다. 한 줌 잿봉지를 들고 돌아오는 길은 지치고 허전하여 온 세상이 뿌옇게 보였다. 옆구리에 큰 구멍이 뚫려 맞바람이 바로 통하는 것만 같았다.

소녀의 삶과 죽음은 생각하면 생각할수록 애달았다. 왜 와서 진창을 헤매다가 한을 품은 채 저승으로 갔을까? 바람 소리는 한을 품은 소녀의 울음소리처럼 들렸고 발에 밟히는 풀잎 하나에도 그 혼의 아픔이 깃들여 있는 듯했다.

잿봉지를 든 나는 늘 가던 제2한강교로 갔다. 다리 밑으로 흐르는 물에 소녀의 재를 뿌리며 중얼거렸다.

"소녀야, 넓은 태평양으로 가그라이~. 그곳에 우리 동네 사람 여러 명이 가있다. 가서 한동네에서 살아라. 이곳에서는 열다섯 해를 살았지만 거기서는 오래오래 살려무나. 예수님 오실 때까지 거기서 살아라. 예수님 오시거든 우리 모두 하늘나라에서 모여 살자꾸나."

잿가루가 다 쏟아지고 재를 담았던 봉지마저 강물에 띄워 보낸 후 나는 시내 쪽으로 나왔다. 비가 와서인지 견딜 수 없이 허전했다. 나도 그냥 하늘나라로 가고 싶은 마음이 간절했다. 평소에 애송하던 미국 시인 로버트 프로스트의 시 「눈 내리는 밤 숲 가에 서서」를 천천히 걸으며 읊었다.

이 숲 주인이 누구인지 나는 알지만 그의 집은 마을에 있어
여기 서서 그의 숲에 눈이 쌓이는 것을
지켜보는 나를 그는 알지 못하리라

내 작은 말은 이상히 생각하리라
일 년 중 가장 어두운 밤, 가까이에 농가도 없는
숲과 얼어붙은 호수 사이에
왜 내가 멈춰 서 있는지를

말은 뭔가 잘못된 것이 아니냐는 듯 방울을 한번 흔든다.
방울 소리 외에 들리는 소리라곤
가벼이 스치는 바람 소리와
사그락 쌓이는 눈소리뿐

숲은 아름답고 어둡고 깊지만
나에겐 지켜야 할 약속이 있고
잠들기 전에 가야 할 먼 길이 있다
잠들기 전에 가야 할 먼 길이 있다

여기에 나오는 숲이란 죽음의 세계를 상징한다. 죽음의 세계인 숲은 아름답고 어둡고 깊은 세계다. 그 세계로 들어가서 아름답게 어둡게 깊게 푹 쉬기를 원한다. 그러나 죽음의 세계가 아름답고 깊은 세계

라 하여 아무 때나 마음대로 갈 수 있는 세계가 아니다. 그 세계로 가기 전에 지켜야 할 약속이 있고 가야 할 길이 있는 것이다.

그 약속이란 누구와 맺은 약속이냐? 바로 신과 내가 맺은 약속이기도 하고 역사와 맺은 약속이기도 하다. 여하튼 우리들 각자에게는 이 땅에서의 삶을 끝맺고 죽음의 세계로 가기 전에 지켜야 할 약속이 있고, 반드시 가야 할 길이 있는 것이다.

나는 빗속에 한강교를 걸으며 내가 지켜야 할 약속을 생각했고 죽기 전에 가야 할 길을 생각했다. 그리고 기도했다.

"주여! 나로 하여금 주님과 맺은 약속을 지킬 힘을 주옵소서. 내 앞에 놓인 길을 갈 용기를 주옵소서. 주여! 속히 오셔서 이 땅의 슬픈 역사를 끝내게 하소서. 다시 오시마 이르신 예수님의 이름으로 기도드렸습니다. 아멘."

다음날 넝마주이를 나갔더니 전날 돈 보퉁이를 주웠던 최 군이 보이지 않았다. 다른 일꾼들에게 최 군이 왜 보이지 않느냐고 물었더니 오히려 되물었다.

"아니, 아직 그 친구 소식 못 들었나요?"

"그 녀석에게 뭔 일이 일어났는가? 좋은 일인가, 나쁜 일인가?"

"글쎄요. 좋은 일이라 얘기해야 할까요? 그 친구가 횡재를 해서 돈벼락을 맞았대요."

"그런데?"

"돈을 보고 환장해버려서 맛이 좀 갔다나 봐요."

"아니, 맛이 가다니, 어떻게 된거여?"

"종일 술만 먹고 사방에 돈을 뿌리고 하더니, 취한 김에 급기야 어느 술집에다 돈 보퉁이를 놔두고 나온 모양이에요. 그 때문에 행패를 부리고 경찰서에 갔다가 이내 훈방으로 나왔는데, 경찰서에서 나오자마자 '내 돈, 내 돈, 아이고 아까워라' 하고 입맛을 쩝쩝 다시며 다닌다는군요."

"쯧쯧, 그 돈으로 술 먹고 노는 데만 써버린 모양이구먼."

그는 그길로 마음을 잡지 못하고 나쁜 길로 나가더니 끝내는 감옥을 드나드는 단골로 전락했다.

나는 돈에는 이상한 마력이 있다는 생각이 들었다. 최 군의 경우가 바로 그러했다. 어떻게 그 전봇대 아래에 돈이 있게 되었는지는 모르지만, 그 돈을 주웠기 때문에 한 젊은이가 나락으로 떨어진 것이다.

준비되지 않은 사람에게 돈이 주어지면 그의 삶을 파괴하는 재난이 된다. 우리들에게 유익할 수 있는 돈은 자신이 땀 흘려 번 돈일 경우다. 최 군은 그렇지 못한 돈을 얻었기에 자신을 파괴하고 만 것이다.

5

눈물이 기쁨으로 바뀔 때까지

눈물이 기쁨으로 바뀔 때까지

청계천 빈민촌에서도 세월은 흘렀다. 1973년 여름이었다. 그간 배달학당은 서울대 국문학과 학생인 서종문 군이 맡아 이끌었고, 서울대 정치학과 제정구 군이 동네에 들어와 함께 살며 청년 지도와 생활 안정 사업을 도왔다. 그는 몸소 넝마주이가 되어 모범을 보였기에 동네 주민들로부터 칭찬과 존경을 받았다.

이화여대 사회학과생들은 동네에서 배꽃유치원을 운영했다. 그들이 유치원 운영을 워낙 잘하니까 가까이 있는 빈민촌들에서 원망과 진정이 쇄도했다. 왜 그쪽에만 유치원을 운영하고 이쪽은 못 본 체하느냐, 여기도 실시해 달라는 진정이었다. 그래서 이웃 동네에는 숙명여대 유아교육과 학생들이 와서 유치원을 운영했다. 이화여대생들이 운영하는 유치원을 배꽃유치원이라 했듯이 숙명여대생들이 운영하는 유치원은 장미유치원이라 이름 지었다. 신명자 양이 중심이 되어 모범적인 유치원으로 운영했다. 후일 그녀는 제정구 군의 아내가 되었다.

빈민촌 선교활동은 이렇게 진행되었으나 내 몸은 점점 망가졌다. 한 가지 일을 계속할 수가 없었고 정신력과 집중력이 현저히 떨어졌다. 잠자리에서 식은땀이 흐르고 설교를 20분만 해도 지쳐 몸을 벽에 기대고 있어야 했다. 먹어도 배가 고프고 잠을 자도 졸음이 밀려들었다.

병원에 가서 진찰을 받으니 만성피로증이라 했다. 다른 약은 없고 한 일 년 푹 쉬라고 했다. 이대로 계속 가면 폐인이 될 수도 있노라고 했다.

그때 내 소원은 간단했다. 어디 가서 고기를 실컷 먹고 잠을 푹 자는 것이었다. 그러나 그 소원을 이루기에는 빈민촌 현실이 너무나 각박했다. 나는 마땅한 출구를 찾지 못한 채 다람쥐 쳇바퀴 돌듯 일과를 계속했다.

무던히도 더운 어느 날, 넝마주이 망태를 멘 채 쓰레기통을 뒤지던 나는 심한 어지럼증을 느꼈다. 담벼락에 기댄 채 겨우 몸을 지탱하려는데 하늘이 노랗게 보이고 한기가 뼛속으로 스며들었다. 나는 손수레도 망태도 그 자리에 둔 채 동네로 들어와 자리에 누웠다.

그 길로 열흘이 넘도록 고열에 시달렸다. 한여름 더위에 담요를 머리끝까지 뒤집어쓴 채 사시나무 떨듯 떨었다. 몸이 약해지니 마음도 약해졌다. 이 일을 계속할 수 있을까? 계속하지 않는다면 그만둘 수는 있을까? 빈민촌에 처음 들어올 때 주위 사람에게 했던 말이 기억났다.

"내가 지금 예수 그리스도의 명(命)을 따라 빈민촌에 들어가는데, 들어갈 땐 이렇게 살아 들어가지만 나올 때는 죽어 나온다."

그만큼 열심히 하겠다는 각오를 다짐하느라 한 말이었는데, 빈민촌

을 나가야 할 처지에 이르니 이제는 그 말이 올무가 됐다. 이대로 빈민촌을 떠나게 되어 친구들이 "김진홍, 너 죽어 나온다더니 왜 죽지 않고 생생하게 나왔느냐"고 물으면 무어라 대답할까? 병들어 어쩔 수 없이 나왔다고 하면 될까?

친구들에게는 그렇다 치고 나에게 빈민 선교 사명을 맡기셨던 예수님께는 무어라 말해야 할까? "예수님, 죄송합니다. 감당하려 했지만, 체력이 뒤따르지 못해 하는 수 없이 나왔습니다" 하고 말씀드리면 인정하실까? 예수님은 아주 못마땅해하실 것만 같았다. "나는 네 나이에 너를 위해 죽었는데, 너는 아직 멀쩡하면서 뭘 그러느냐?"라고 말씀하실 것만 같았다. 그래서 죽이 되든 밥이 되든 그냥 버텨야겠다고 마음먹었다.

그러나 그렇게 다짐하는 것도 잠시뿐, 얼마 후에는 온갖 생각이 나를 괴롭혔다. 친정으로 가버린 아내, 아내의 창백하던 얼굴, 결핵에 걸린 아들, 체중이 50킬로그램 아래로 떨어진 나, 주위의 환자들, 실업자들, 술주정꾼들, 철거반…. 온갖 모습이 떠올라 나를 괴롭혔다. 이대로 가다간 얼마 안 돼 쓰러질 것만 같았다. 하나님의 일을 한답시고 무리하다가 쓰러지고 나면 오히려 하나님의 영광을 가리게 되는 거는 아닐까? 차라리 이쯤에서 그만두는 것이 지혜로울 것도 같았다.

10여 일을 고열에 시달리며 제대로 먹지도 못하고 지내다가 열이 내리니 무엇이든 먹고 싶었다. 그러나 먹을 것이 없었다. 다시 넝마주이를 나가 몇백 원이라도 벌어오기 전에는 배고픔을 면할 길이 없었다. 하는 수 없이 넝마주이를 나가려고 신발 끈을 묶었으나 맨몸으로 걷

기에도 비틀거렸다. 손수레를 끄는 것은 엄두도 낼 처지가 못 됐다

나는 다시 방으로 들어와 누웠다. 빈민 선교를 계속하려다가는 몸도 가정도 남아나지 못하겠다. 이 정도에서 마무리하는 수밖에 없겠다. 내 몸이 없으면 하나님 일도 없어지는 것이요, 빈민 선교도 사라지는 것이다. 여기서 마무리 짓고 신학교로 돌아가 공부를 끝내고 힘을 기른 후 다시 빈민 돕는 일을 도모하자.

그렇다면 이 일을 어떻게 마무리할 것인가? 이대로 두고 그냥 사라지느냐? 그럴 수는 없다. 적당한 후임자를 찾아 지금까지 하던 일을 맡겨야 할 것이다. 그런데 그런 후임자가 있을까? 나 같은 바보가 또 있을까? 이도 저도 안되면 어떻게 하나? 주민자치로 할 수 있도록 조직을 만들어주고 떠나면 될까? 아직은 이르다….

나는 누운 채 뚜렷한 방법을 찾느라 고심했다. 그러나 묘수가 나올 리 없었다.

이런 궁리, 저런 궁리 하다가 깜박 잠이 들었다. 꿈을 꾸었다. 내가 강대상에서 설교하고 있는데 출입문에서 불이 났다. 불길이 온 교회에 가득 번져 나갔다. 나는 도망치려 했으나 모든 문이 밖에서 잠겨 있어 나갈 수가 없었다. 애타게 이 문 저 문 손잡이를 틀며 열려고 애쓰던 중에 잠이 깼다. 묘한 때에 묘한 꿈을 꾸었다는 생각이 들었다.

평소에 꿈이나 환상 등을 대수롭지 않게 여겨온 나였지만, 이런 때에 그런 꿈을 꾼지라 심각해질 수밖에 없었다. 교회당에 불이 났는데 내가 도망갈 수 없었다는 것은 무엇을 의미하는 것일까? 내가 활빈교회를 떠날 수 없다는 뜻일까? 개꿈을 두고 내가 너무 과민반응 하는

것일까?

그러나 생각할수록 무슨 의미가 담긴 꿈인 것만 같았다. 꿈풀이를 하다가 허기가 들어 밖으로 나왔다. 교인 집을 찾아가 라면이라도 끓여 달래려고 몇 집 돌았으나 그날따라 다들 집에 없었다. 다시 방으로 들어오며 마침내 결단을 내렸다. 이렇게 갈등만 하고 있다가는 결국 신경쇠약에 걸려 사람 버리겠다는 생각이 들어 빈민촌을 과감히 떠나기로 용단을 내렸다.

나는 교회당 현관으로 나가 '활빈교회' 간판을 내렸다. 내 손으로 달았던 간판을 3년 만에 내 손으로 내리려니 손이 떨릴 지경으로 마음이 흔들렸다. 그러나 나중에 더 큰 일을 하기 위해서는 어쩔 수 없는 일이라 다짐하며 간판을 내렸다.

작전상 후퇴란 말도 있지 않던가. 하나님 일에도 작전과 전략이 있는 것이다. 스스로 위로하며 내린 간판을 교회당 안으로 들여가 한켠에 뒤집어놓고는 짐을 꾸리기 시작했다.

병으로 허약해진 데다 허기진 몸인지라 짐을 꾸리는 데에도 시간이 걸렸다. 짐 꾸리기에 한나절이나 소비하고는 용달차를 불러 짐을 싣고 떠나기 위해 교회당 문을 열고 나갔다.

그런데 그날따라 동네 어린이 3, 40명이 교회 마당에 모여 놀고 있었다. 그들이 나에게로 모여들며 매달렸다.

"전도사님 어디 가세요? 우리 동화 해주세요."

주일마다 어린이 시간에 동화 듣기에 이력이 난 그들인지라 그날도 만나자마자 동화 들려달라고 매달렸다. 나는 아이들의 손을 떼어내며

"애들아, 내 신경 쓰지 말고 놀아라"고 말했다. 그러면서 오늘따라 아이들이 웬일로 여기서 놀고들 있나 싶었다.

양심상 차마 아이들이 보는 앞에서 짐 싸 들고 떠날 수는 없으니 두어 시간 기다렸다가 아이들이 흩어진 후에 떠나야겠다고 생각하고는 방으로 들어왔다. 두 시간 남짓 지난 후 다시 밖으로 나갔더니 그간에 아이들은 흩어진 게 아니라 더 불어나 있었다. 다시 방으로 들어와 한 시간 가량이 지난 후에 나갔더니 이번에도 마찬가지였다.

그렇게 하기를 세 번이나 반복한 후에 나는 생각했다.

어쩐 일로 오늘따라 아이들이 교회 마당을 떠나지 않는가? 내 양심으로는 아이들이 보는 데서 짐을 싸가지고 떠날 수는 없다. 도리없이 밤에 떠나야겠다.

그렇게 생각한 시간이 오후 세 시경이었다. 여름 해가 길어 어둠이 내리기까지는 아직 여러 시간이 남았는지라 나는 동네를 한 바퀴 돌아보기로 했다. 이 골목 저 골목 다니며 지난 3년간 있었던 사연들과 사건들을 되새겼다.

그러는 동안 마음속에 죄의식이 솟았다. '이 사람들은 갈 곳이 없어 청계천 썩어가는 물가에 살고 있는데, 나는 갈 곳이 있다고 짐을 꾸려두었구나!' 하는 생각이 들었다.

'내가 잘못하는 것은 아닐까? 병이 들든 바보가 되든, 이 동네에서 견뎌야 하는 게 아닐까?'

이런 갈등이 끊임없이 일자, 나는 이렇게 갈등만 하고 있다간 소심해지고 신경쇠약에 걸리겠다 싶어 이왕지사 마음먹고 짐 싸둔 판에

독한 마음 먹고 떠나기로 결심했다. 저녁까지 기다릴 것 없이 당장 떠나기로 작정하고는 교회당으로 갔다.

모퉁이를 돌아 교회당이 보이는 곳에 이르렀을 때였다. 모퉁이에 있는 집 방문이 닫혀 있고 아이들의 신발이 방문 앞에 흩어져 있었다. 열세 살에서 세 살까지 다섯 남매가 있는 집이었다. 그 집 아버지는 얼마 전 술김에 사람을 때려 감옥에 가 있었고, 엄마가 다섯 남매를 돌보며 어렵사리 살아가고 있는 가정이었다.

더운 여름 한낮에 방문을 닫아두고 있는 것이 왠지 마음에 걸렸다. 나는 걸음을 멈추고 집 앞으로 다가가 문을 두드렸다.

"여보세요, 문 좀 열어봐도 될까요? 교회에서 왔습니다" 하며 문을 열자, 방 안에는 다섯 남매가 나란히 누워 있었다. 나는 놀라 방 안으로 들어가며 물었다.

"아니, 너희들 어디가 아프냐? 이 대낮에 왜 방에 누워 있는 거니?"

나는 그들에게로 다가가 손으로 이마를 짚어보았다. 열은 없는데도 아이들은 기진맥진하여 마치 중병에 걸린 사람처럼 누워 있었다.

"너희들 왜 그러니? 감기 걸렸니?"

다시 물었더니 열세 살짜리 큰아들이 일어나 앉으며 말했다.

"배고파예. 엄마가 사흘 전에 장사 나가시더니 들어오질 않아 굶었어예."

남편이 감옥에 간 후 부인은 자녀들을 부양할 길을 찾아 손수레에 연탄불을 피우고는 우동이며 고구마튀김 같은 음식들을 길가에서 팔았다. 포장마차 행상이었다. 청계천 6가 뒷골목에 터를 잡고 비가 오나 눈이 오나 골목을 지키고 있는 터였다. 그 엄마가 사흘 전 장사를 나가서는 연락도 없이 들어오지 않았다는 것이었다.

하루 벌어 하루 먹는 판에 엄마가 사흘씩이나 들어오지 않았으니 다섯 남매가 고스란히 굶은 채 누워 있는 것이었다. 형이 그렇게 말하고 고개를 떨어뜨리고 있는 사이에 동생들 넷도 부스스 일어나 눈물을 훔쳤다.

그런 모습을 보면 나는 몸이 오그라드는 듯하고 가슴에 통증을 느낀다. 다섯 남매가 배고픔과 기다림에 지쳐 울고 있는 모습을 보며 나는 현기증을 느꼈다. 등을 벽에 기댄 채 그들을 물끄러미 보고 있었다. 저 어린 것들이 사흘을 굶고서 엄마를 부르며 울고있구나를 생각하며 그들을 마냥 바라보고 있었다.

그때 세 살배기 막내가 손등으로 눈물을 훔치며 계속 엄마를 부르고 있는 모습이 눈에 들어왔다. 세 살짜리 얼굴에서 눈물이 뚝뚝 떨어지는 것을 하염없이 바라보고 있던 나는 갑자기 큰 충격을 받았다. 평생토록 잊을 수 없는 충격이었다. 내가 물끄러미 보고 있는 어린아이의 눈물 떨어지는 얼굴에 예수님 모습이 나타난 것이다. 불과 2, 3초였지만 분명히 예수님 얼굴이 그 아이의 얼굴에 포개져 나타나 나를 깊은 눈으로 보시다가 사라지는 것이었다. 예수님의 눈과 내 눈이 마주치는 그 짧은 순간에 나는 가슴이 뜨거워지고 눈물이 쏟아졌다. 그리고 불현듯 느꼈다.

예수님은 내가 이 동네를 떠나는 것을 원하지 않으시는구나! 나를 사랑하시되 죽기까지 사랑하셨던 예수님은 내가 이 동네를 떠나 힘

있는 목사가 돼 큰일 하는 것을 원하시는 것이 아니라, 이 아이들 곁에서 이 아이들의 눈물 씻어주는 일을 하기를 원하시는구나!

나는 요한계시록 7장 17절의 눈물 씻겨주시는 하나님을 생각했다.

> …어린 양이 저희의 목자가 되사 생명수 샘으로 인도하시고 하나님께서 저희 눈에서 모든 눈물을 씻어주실 것임이러라.

나는 그 자리에 꿇어앉아 혼잣말로 중얼거렸다.

"예, 주인님, 알겠습니다. 가서 교회 간판 다시 걸고 짐 풀어놓고 이 동네에 그냥 남아 있겠습니다!"

나는 아이들에게 잠깐만 기다리라 이르고는 교회당으로 갔다. 먼저 '활빈교회' 간판부터 다시 걸었다. 그리고 묶어두었던 짐들을 풀고는 가게로 갔다. 가게에서 물국수 50원어치를 외상으로 사서 아이들에게 가서 함께 끓여 먹었다. 그러고는 말했다.

"자, 이제 먹었으니 너희 엄마 찾으러 가자. 엄마를 만나 함께 집으로 돌아올 수 있기를 예수님께 기도드리고 가자."

나는 다섯 남매와 손을 잡고 엄마가 무사하여 다시 만나게 해 주셔서 함께 집으로 들어올 수 있게 해달라고 기도한 후 집을 나섰다. 엄마가 장사하는 곳에 가본 적 있다는 큰아들과 그 동생을 데리고 갔다.

동네 어귀를 벗어나는데 우체부 아저씨가 나를 보고는 다가와 교회로 가는 등기 편지가 있으니, 도장이 있으면 달라고 했다. 지장으로 대신하고 받아 열어보았더니 고맙게도 5천 원짜리 송금환이 '좋은 일에 써달라'는 편지와 함께 들어 있었다. 발신인 주소도 이름도 없는 편지였다.

나는 이 돈 5천 원으로 잘하면 아이들의 엄마를 찾아올 수 있을 것만 같아 힘이 솟았다. 아이들 엄마를 찾는 길이 막연하기만 한 것은 아니었다. 그간의 빈민촌 생활 경험으로 감이 잡히는 곳이 있었다. 사흘씩 아무 연락 없이 돌아오지 않았다면 경찰서 유치장에 있을 가능성이 컸다.

그 당시는 경찰들이 길가에서 무허가로 장사하는 노점상을 심하게 단속하던 때였다. 경찰은 주기적으로 노점상들을 검거하여 벌금을 물리고, 벌금 낼 돈이 없는 경우는 그 벌금만큼 날짜대로 유치장에서 살게 했다. 나는 아이들 엄마도 그런 사연으로 유치장에 있는 게 아닐까 싶었다.

을지로 5가와 청계천 사이, 아이들 엄마가 포장마차를 놓았다는 곳으로 갔더니 사람도 포장마차도 없었다. 나는 부근 담뱃가게로 가서 물었다.

"아저씨, 이곳에서 포장마차 하던 아줌마 어떻게 됐는지 모르세요? 사흘 동안 집에 안 들어와서 아이들이 기다리다 찾아왔습니다."

"그 사람들 요즘 단속이 심해서 장사 못 나올 거예요."

"그런데 사흘째나 집에 안 들어와서 그럽니다."

"사흘째 안 들어왔어라? 그럼, 사흘 전에 후리가리가 있었을 때 걸려들었나? 그렇다면 경찰서로 가서 알아봐야 할 거 같으네요."

'후리가리'란 경찰의 일제 단속을 일컫는 속어다. 길가 노점상을 단

속할 때 경찰이 출입구를 봉쇄하고는 모두 잡아들여 즉결재판으로 넘긴다. 이런 단속을 '후리가리'라 하고, 이때 걸려 유치장 사는 것을 '후리가리 징역'이라 부른다.

나는 아이들과 함께 관할 파출소로 갔다. 파출소에서는 이야기를 듣고 나서 사흘 전에 손수레 몇 대를 단속해 즉결로 넘겼으니, 경찰서로 가보라고 했다.

경찰서로 가자 마침내 지하 유치장에 수감돼 있는 아이들 엄마를 만날 수 있었다. 즉결재판에서 1만 2천 원의 벌금형을 받았는데 6천 원이 모자라 몸으로 때우게 되었노라 했다. 돈이 없어 벌금을 못 내는 경우 유치장을 살면 하루 500원씩 갚아나가던 때였다. 6천 원이니까 12일을 살아야 하는 셈이었다.

그녀는 들어오던 순간부터 당직 경관들에게 하소연했다. 글자 그대로 눈물로 호소했다.

"내가 열이틀 살고 나가면 우리 다섯 애들 굶어죽소이. 우리 동네에 활빈교회란 교회가 있응게 그리로 연락만 해주면 교회에서 우리 애들 돌봐줄거이요. 교회로 연락만 좀 해주시라요."

"그 교회 전화번호 있으면 연락해 주지."

"근데요, 우리 동네엔 전화가 없구만요."

"전화가 없다면서 어떻게 연락을 해. 내가 심부름하란 거야?"

그녀는 담당 경관이 바뀔 때마다 호소했다. 철창에 붙어서 있다시피 하며 호소했다. 그러나 어느 경찰관도 전화조차 없는 청계천 우리 동네까지 연락해 주지를 않았다.

그렇게 사흘이 지나는 동안 굶주릴 아이들을 생각하며 애간장을 태우고 있었던 터에 우리가 찾아간 것이었다. 부인은 나를 보자마자 참았던 설움을 터뜨렸다.

"아이고, 불쌍한 내 새끼들. 그간에 굶었제. 어미 아비 잘못 만나 굶었제. 그렇게 굶고 사느니 그만 죽어버릴 끼제."

부인은 두 손으로 잡은 쇠창살에 이마를 찧으며 울었다. 나도 흘러내리는 눈물을 멈출 수가 없었다. 나는 그녀를 위로했다.

"아주머니, 빨리 나오게 해드릴 테니 그만 우시고 힘내세요. 아이들은 잘 있습니다."

"고맙기도 하셔라. 선생님, 이 은혜를 어떻게 갚지요."

난 동대문경찰서 콘크리트 바닥에 무릎을 꿇고 감사기도를 드렸다.

"예수님, 감사합니다. 내가 힘들다고 일터를 떠나려 했을 때 배곯아 우는 아이들로 내가 있어야 할 곳을 알게 해주셔서 감사합니다. 내가 살아남으려고 짐을 묶어두었을 때 자식을 굶기는 어머니의 한숨을 통해 내가 죽어야 할 곳을 알게 해주셔서 감사합니다. 예수님, 저는 돈도 없고 능력도 없고 힘도 없습니다. 그러나 제가 할 수 있는 것 한 가지 깨달았습니다. 배곯아 우는 아이들과 아이들 눈물이 기쁨으로 바뀔 때까지 함께 사는 일 하겠습니다. 자식을 먹이지 못하고 가르치지 못하는 부모의 탄식이 찬양으로 바뀔 때까지 함께 사는 일을 하겠습니다."

나는 그 길로 나가 5천 원짜리 송금환을 현금으로 바꾸었다. 다시 경찰서로 와서 못 치른 벌금 6천 원 중 사흘간 유치장에서 산 몫으로

1천 500원을 제한 4천 500원을 치르고 풀려나게 했다.

그날 밤은 연일 쌓인 피로가 겹쳐 저녁 식사도 거른 채 입은 옷 그대로 잠에 곯아떨어졌다. 그런데 한밤중에 밖이 시끌쩍하여 잠에서 깨어났다. 잠자리에 누운 채로 바깥 사정을 살피려고 귀를 기울였더니 누군가가 지붕을 거닐며 소란을 피우고 있었다. 무슨 일인가 하여 나가 보았더니 기가 차 할 말을 잃을 지경이었다. 글자 그대로 '십년공부 나무아미타불' 하는 식이었다. 교회 청년회 회장인 정 군이 술에 만취되어 교회당 지붕을 거닐고 있었다. 한 손에 진로 소주병이 들려 있었고, 다른 한 손은 하늘에다 대고 흔들며 소리를 지르고 있었다.

"하늘님, 내려오시라요! 한 잔 합시다래."

나는 기가 차서 말이 나오지를 않았다. 내가 그를 처음 만났을 때 그의 별명은 '술귀신' 이었다. 술만 먹으면 사람이 귀신으로 바뀌었다. 귀신 중에도 난폭한 귀신이 되어 누구든 잡고 평양박치기를 하여 이빨을 부러뜨리는 것이었다. 그래서 그가 술만 먹었다 하면 온 동네가 그를 피했다. 그는 넝마주이로 번 돈을 그렇게 부러뜨린 이빨 치료에 거의 소비하는 처지였다.

나는 그렇게 살아가는 그가 딱하게 여겨져 각별히 신경 쓰며 지도했다. 넝마 줍기를 함께 하며 틈틈이 사람답게 사는 도리를 일러주었더니 어느 날 술담배를 과감히 끊고 착실한 일꾼으로 바뀌었다. 그래서 세례도 받고, 총각이지만 교회 집사로 세움을 받았다. 앞으로 잘 길러 활빈교회의 기둥감으로 가르치겠노라고 작정하고 있는 터였다. 그런데 그가 난데없이 술에 만취되어 한밤중에 교회당 지붕을 거닐며 "하늘님, 내려와 한잔합시다래" 하고 있으니 기가 찰 노릇이었다. 나는 지붕 위를 쳐다보며 말했다.

"야, 이 사람아, 갑자기 먼일이여? 얼른 내려오게."

그러는 나를 내려다본 그는 한술 더 뜨며 말했다.

"히야! 돌팔이 목사도 나오셨구만요. 이리 올라오시라요. 올라와서 돌팔이 하나님, 돌팔이 목사, 돌팔이 집사 삼위일체로 한 잔 합시다래."

'미스터 술귀신'은 지붕에서 실력을 발휘하려는지 막힘없이 말했다.

쓸데없는 소리 말고 어서 내려오라고 소릴 질렀더니 그는 휘청거리는 걸음으로 내려오기 시작했다. 나는 그가 혹시나 발을 헛디뎌 떨어질까 염려되어 말했다.

"조심해. 서두르지 말게. 헛디뎌 떨어져 목이라도 다치면 큰일이야. 조심조심."

말이 지붕이지 판잣집 지붕이어서 선 채로 손을 뻗으면 닿을 만한 높이였다. 나는 지붕 끝으로 다가서는 그가 염려스러워 목을 젖히고 두 팔을 올려 그를 붙잡아주려고 힘썼다. 그런데 빈속에 술과 안주를 잔뜩 먹은 그가 아래로 내려오려다가 욱~하고 토해버리는 것이었다. 고개를 쳐들고 그를 보고 있던 나는 그가 토한 토사물을 완전히 뒤집어썼다. 역겨운 냄새가 진동하는 내용물을 얼굴뿐 아니라 온몸에 뒤집어썼다. 나는 황당하여 말했다.

"제기랄, 세례도 가지가지구먼."

그런 중에도 그의 손을 놓아버리면 혹시 떨어져 다치기라도 할까 봐 그의 발이 땅바닥에 닿기까지 참고 있을 수밖에 없었다.

그 길로 나는 펌프장으로 가서 물을 잡아 올려 온몸에 뒤집어쓰기를 반복했다. 글자 그대로 달밤에 체조하는 꼴이었다. 사람 뱃속에 어떻게 그렇게 역겨운 냄새 나는 것들이 들어 있었는지 물을 동이째로 뒤집어쓰기를 몇 차례나 거듭해도 도무지 냄새가 가시지를 않았다. 새벽녘까지 잠을 이루지 못하고 화가 나 있는 나에게 이미 한숨 푹 자고 술이 깬 그가 찾아와 고개를 숙이며 말했다.

"전도사님, 엊저녁엔 죄송합니다. 혹시 술김에 실수한 건 없는지요?"

"뭐이라고, 실수한 거이 없느냐고? 자네 참 배짱 편한 소리 하고 있구먼."

"먼 실수가 있었다면 술김에 한 거잉게 봐주시라요. 앞으로 그런 일 없도록 각별히 힘쓰겠심더."

"그래, 그래, 각별히 힘써야제. 그리고 앞으로는 지붕에 언제 올라갈지 미리 말을 허게. 그래야 사다리라도 미리 준비해놀 거 아닝가."

사람의 근본이 완전히 바뀌는 일은 참 어려웠다. 그렇게 기대를 걸었던 그가 갑자기 제자리로 돌아가버렸으니 실망스럽기 이를 데 없었다.

그날 낮엔 넝마주이 일을 나가지 않고 교인들 가정을 돌아보는 일로 하루를 보내고는 저녁이 되어 잠자리에 들려는데 원 씨 부인이 찾아왔다. 옷차림과 머리칼이 흐트러지고 얼굴엔 푸른 멍 자국이 완연한 자세로 찾아와서는 앉기가 바쁘게 나를 원망하는 말을 쏟아놓았다.

"전도사님 땜시러 우리 집구석은 망해삐릿심더."

"예? 나 땜에 집이 망하게 되었다구요?"

"그래요. 그 말이 맞심더. 순전히 전도사님 땜에 우리 집은 망한 기라요."

그녀의 남편인 원 씨는 결핵이 중증에다 간질병 증세까지 심한 분이었다. 내가 청계천에 처음 왔을때 원 씨는 각혈을 하고 피를 토한 그 자리에서 간질이 발작되어 뒹굴었다. 간질 증세가 멈춘 후 가슴이 답답하니 밖으로 나가 골목길에서 으아~ 하고 소리를 질렀다. 온 얼굴에 피칠을 한 모습으로 소릴 지르니 그 모습을 본 동네 부녀자들과 아이들이 질겁을 하고 도망을 갔다. 마침 그 자리를 지나던 나는 그런 모습을 보고 치료를 시작했다. 거의 매일 그 집에 출근하다시피 찾아가 스트렙토마이선 주사를 놓고 파스와 영양제, 해독제에 소화제까지 먹게 하며 돌봤다. 그리고 간 질병 치료를 위해 간질환자 전문 선교단체인 장미회를 찾아가 치료제를 구해 열심히 먹게 했다.

그렇게 한 보람이 있어 지난해 들어서는 결핵도 눈에 띄게 좋아지고 간질증세 역시 한 달에 한두 번 하는 정도로 좋아졌다. 이렇게 건강이 좋아지자 그의 본래 직업인 엿장사를 시작했다. 아침마다 엿판을 끌고 교회당 앞을 지나가며 아들 동혁이에게 엿을 주고 가곤 했다. 그런데 엿장사를 시작하고 얼마 후 교회당 앞을 지나다니지 않기에 궁금히 여겼다. 특히나 동혁이는 아침마다 먹던 엿 생각이 나서 "이상한데, 엿장수 아저씨 이사 가셨나?" 하며 기다린 적도 있었다.

그런 원 씨에게 무슨 변고가 생긴 모양이었다.

"부인, 차분히 말해보세요. 무턱대고 나 때문에 망하게 되었다니, 뭔 말인지 통 짐작이 안 가네요."

"하이고, 차분히 말하라고요? 전도사께서는 차분히를 좋아하는 갑지요? 그러나 난 그럴 처지가 아니구만요. 글쎄, 그 웬수 같은 사내를 놔뒀으면 폐병 땜에 벌써 뒤져 뿌렸을 낀데, 괜시리 예배당서 빙 고쳐 놓아서 빙 낫고는 팔다리에 힘이 올라 날 밤낮 때려싸니 내가 우찌 살끼요. 죽어버렸으면 애들 델꼬 잘살낀데 괜시리 병을 고치나서 날 북치듯이 패싸니 우째 내가 견딜끼요."

그녀는 넋두리 반 울음 반으로 사설을 늘어놓았다. 참으로 난감했다. 병을 고쳐도 문제, 안 고쳐도 문제, 인생살이에 왜 이다지 문제가 많은지.

나는 부인을 내 방에서 쉬라 이르고는 원 씨에게로 갔다. 집이래야 청계천 둑을 의지하고 인디언 천막처럼 지은 움막이었다. 그의 움막집에 당도하니 큰딸과 애들이 밖에 나와 있고 원 씨는 움막 안에서 고래고래 고함을 지르고 있었다. 거적문을 들치며 들어서는 나를 보고 원 씨가 말했다.

"아, 예수 선생! 어서 오시라요. 나하고 한 잔 찌끄립시다."

그런 그의 모습을 보고 나는 낙심이 이만저만이 아니었다. 지난 일년 가까이 그 집에 드나들며 약 사다 먹이고 주사 놓고 원기 돋운다고 아이들을 시켜 개구리까지 잡아다 삶아 먹였던 일을 생각하니 낙심될 수밖에 없었다. 그렇게 하여 건강이 회복되어 힘이 생기니 술독에 빠져 마누라를 때려 내쫓고 자식들을 방 밖으로 몰아내어 밖에서 떨게 하고 있으니 기가 찰 노릇이었다. 내게 소주잔을 권하는 그를 보며 육신의 병은 치료했으되 마음의 병은 더욱 심해지게 만들었구나 생각하니 내가 잘못되었어도 한참 잘못된 것 같다는 생각이 들었다. 나는 술잔과 술병을 통째로 빼앗아 쓰레기통에 버리며 말했다.

"원 씨, 이러심 안돼요. 이러시면 병이 재발돼 죽어요."

집으로 돌아오는 길에 마음속 깊이 허탈감이 느껴지며 옆구리로 바람이 들어오는 듯 허전하기 이를 데 없어 혼자 중얼거렸다.

원 씨도 잘못 돼가고 있고, 나도 잘못 돼가고 있고, 동네도 잘못 돼가고 있고, 활빈교회도 잘못 돼가고 있고, 나라도 잘못 돼가고 있고 세계도 잘못 돼가고 있는 거다.

나는 그 잘못 돼가고 있는 실체를 파악해야겠다고 생각했다. 잘못 돼가고 있는 중심을 찾아내어 근본부터 고쳐야겠다고 여겼다. 대체 그 잘못된 부분의 출발점이 어디일까를 생각하며 집으로 돌아왔다.

그런지 얼마 후 원 씨 아내는 동네에서 자취를 감추었고 그의 딸도 사라졌다. 그의 건강이 악화되어 기동도 할 수 없게 되자 열한 살 난 아들이 초등학교를 중단하고 공장에 다니게 됐다. 아들이 받는 일당 230원으로 끼니를 이어가는 처지에 이르렀다. 나는 몇 차례나 원 씨를 찾아가 새출발하기를 권했으나 이미 그는 광인이었다. 눈에 핏발이 선 채 도망간 아내 욕만 해대고 있었다. 그러는 그를 보며 나는 생각했다.

여기에 한 인간의 삶이 통째로 무너져 내리고 있구나. 스스로가 찾

아 들어간 지옥에 빠져 죽어가고 있구나. 누가 인간 생명이 천하보다 귀하다고 했는가? 여기에 개똥보다 값싼 생명이 있지 않은가?

나는 그를 보며 자신의 한계를 느꼈다. 그를 위해 할 수 있는 일은 아무것도 없었다. 마냥 지켜보는 일 외에는 아무것도 할 수 없었다.

나는 며칠간을 방에 들어앉아 생각했다. 출발점부터 다시 생각하며 나 자신과 씨름했다. 창세기에 나오는 야곱이 얍복강 나루터에서 하나님과 씨름했다는 구절을 생각하며 나는 나 자신과 씨름했다.

도대체 내가 이 빈민촌에서 하려는 일이 무엇이며, 할 수 있는 일은 무엇인가? 빈민 구제, 빈민 구원, 누구를 얼마만큼 어떻게 구원시킨단 말인가?

내가 할 수 있는 일의 한계는 너무나 분명했다. 보고만 있으려니 안타깝기 그지없고, 해결하려 드니 힘이 없다. 해결할 능력도 없고 외면할 배짱도 없다. 글자 그대로 진퇴양난이었다.

굶고 있기에 양식을 주었더니 비굴해진다. 자립케 하겠다고 돈을 빌려주니 자취 없이 사라진다. 개인이 실패하였다고 조직을 만드니 조직 자체가 타락한다. 병 고쳐 힘을 얻으니 그 힘을 마누라 때리는 데 쓰고, 인격을 존중한답시고 재정을 맡겼더니 돈도 사람도 잃었다. 허구한 날 장례식 치르느라 세월이 가고, 중환자 업고 병원 문턱을 넘나드느라 기력을 몽땅 소모했다. 병자는 많고 치료는 어렵다. 폐병, 성병, 피부병, 눈병, 영양실조, 실업자, 어린이 노동, 굶주림, 쌈질, 술주정, 겨울 추위, 여름 더위, 연탄가스, 습기 찬 방, 악취, 오물, 철거반, 절도, 강간, 게으름, 무기력… .

예수 그리스도는 이런 문제들을 해결할 능력이 있는가? 능력이 있다면 왜 보고만 있는가? 왜 침묵하는가? 예수가 침묵만 한다면 나는 어떻게 해야 하는가?

따져 들면 모든 것이 모호하고 의문투성이들이었다. 근세 철학의 아버지라 불리는 데카르트는 일체를 의심함으로써 가장 확실한 것을 인식하려 했다. 그는 일체의 권위와 전통, 가치와 개념들에 대해 의심했다. 그런데 마지막에 이르러 의심할 수 없는 것 한 가지가 남았다.

'자신이 의심하고 있다는 것 그 자체였다.'

그래서 그의 철학의 출발점이자 주제가 되는 '나는 생각한다. 고로 나는 존재한다'(cogito ergo sum)는 말이 탄생했다. 그러나 스위스의 신학자 카를 바르트는 데카르트의 이 명제에 대해 이의를 제기했다.

> '나는 생각한다 고로 나는 존재한다'는 말은 말이 안 되는 소리다. 나라는 존재가 워낙에 좀스럽고 보잘것없는 터에 무얼 생각한다고 해봤자 뻔한 노릇이다. 무슨 신통한 생각이 나올 수 있겠는가? 그러니 '나는 생각한다. 고로 나는 존재한다'가 아니라 '나는 생각되어진다. 고로 나는 존재한다'(cogitur ergo sum)이다. 보잘것없는 내가 위대하신 절대자 하나님으로부터 생각되어진다. 그래서 내가 존재하게 된다.

말하자면 인간 김진홍의 능력은 너무나 제한되어 있다. 그야말로 제로에 가깝다. 그러니 김진홍이 빈민을 생각한다고 해서 빈민에게 무

은 도움이 되겠는가? 다만 능력이 많으신 하나님에 의하여 빈민들이 생각되어짐으로써 빈민 선교가 존재한다고나 할까?

이런저런 생각에 잠겨 있던 나는 최종적으로 부정할 수 없는 한 가지 사실을 확인했다. 그것은 그 하나님이 나의 주인이란 사실이었다. 그리고 이 땅에 오신 하나님이신 예수가 나를 구원하신 사실이었다. 예수가 나를 허무와 방황과 무의미에서 구원하셨다는 사실 만큼은 절대로 부인할 수 없는 사실이었다. 이 사실에 대한 고백은 내 세포 세포 속에, 뼈와 관절 속에 깃들여 있는 확신이었다. 그래서 다음의 고백이 내 영혼 속에서 우러났다.

> 나는 믿는다. 고로 나는 존재한다.
>
> 예수께서 나를 구원하셨음을 믿는다. 고로 나는 존재한다.
>
> 예수께서 나를 사랑하심을 믿고 나도 그 사랑에 힘입어 빈민들을 사랑한다. 고로 나는 존재한다.
>
> 나는 빈민을 사랑하되, 말로만이 아니라 삶으로 행동으로 사랑한다. 고로 나는 존재한다.

그리하여 내린 결론은 이것이다.

> 나는 나의 믿음에 따라 사랑하고 행동한다. 고로 나는 이 빈민촌에서 일한다.

이런 결론에 다다른 나에게 다시 의문이 떠올랐다. 그런데 왜 매사가 꼬이고 잘못되어 가는가? 이렇게 잘못되어 가는 원인은 무엇일까?

얼마간의 시간이 흐른 후에 나는 잘못되어 가는 원인이 나 자신 속에 있으리라 생각했다. 빈민 선교를 펼쳐나가고 있는 나 자신 속에 그릇된 자세나 오류가 있어 잘못되어 가는 것이거니 생각했다.

나는 성경을 펼치고 복음서를 정독하기 시작했다. 내가 무엇을 잘못하고 있는지를 성경 속에서 찾아야 한다고 생각했기 때문이다. 신약성서 마태복음 중 산상수훈의 한 부분인 6장 31절에서 33절 사이의 말씀을 읽었다

> **그러므로 염려하여 이르기를 무엇을 먹을까 무엇을 마실까 무엇을 입을까 하지 말라…. 너희는 먼저 그의 나라와 그의 의를 구하라. 그리하면 이 모든 것을 너희에게 더하시리라.**

이 말씀을 읽으며 나는 내가 빈민 선교를 펼쳐나가는 데 우선순위를 그르치고 있음을 인식했다. 빈민 선교도 선교인 이상 먼저 구해야 할 것과 나중 구해야 할 것이 있다. 먼저 구해야 할 것이 '그의 나라와 그의 의를 구하는 일'이어야 하거늘 나는 빈민들의 먹을 것, 마실 것, 입을 것을 구하기에 급급하여 본질을 그르치고 지엽적인 데 사로잡혀 있지 않았는가를 반성했다.

나는 굶주린 가정에 밀가루를 가져다주는 일에 열성이었으되 그들에게 하나님의 말씀을 나누는 일에는 게을렀다. 주민들의 소득 증대

를 위해 동분서주했으되 그들의 영혼에 생명의 도를 전함에는 등한히 했다. 그들의 물질적 · 사회적 조건의 개선에 집착하여 그들이 예수의 인격에 부딪혀 그 인격에서 오는 힘으로 일어서게 하는 일에는 게을렀다.

나는 죽은 자를 장례 지낼 때마다 느꼈던 무언가가 빠진 것 같은 느낌에 대해 생각했다. 나는 환자를 살리기 위하여 숱한 노력을 하면서도 그들과 '삶의 가치'와 '죽음의 뜻'에 대해서는 대화를 나누는 시간을 갖지 못했다. 나는 그들 영혼의 구원에 대한 안타까움이 없었다. 그래서 병에서 치료된 자들은 육신의 병에서는 놓임을 받았으나 마음의 병은 그대로 있었고, 치료되지 못했던 자들은 영혼의 해방을 누리지 못한 채 한을 품고 죽어갔다. 마찬가지로 일자리를 얻지 못하고 굶주림으로 지내던 주민들은 일터를 얻고 굶주림을 벗어났어도 인간 내면에 깃들인 문제는 그 모양만 바뀌었을 뿐 세월이 가면서 더욱 심각한 증세를 나타내곤 했다.

굶주렸을 때 오순도순 오누이처럼 의지하고 살았던 부부가 있었다. 내가 앞장서서 직장을 얻어주자, 생활에 한결 여유가 생겼다. 그러자 남편 쪽이 술을 먹고 늦게 들어오는 날들이 잦아졌다. 처음에는 조용조용히 다투던 말다툼이 일취월장 발전해 나갔다. 얼만가 지난 후에는 와장창 세간살이가 부서져 나가는 소리가 들리고 "날 죽여라." 부르짖는 부인의 외마디 소리가 이웃에 울려 퍼졌다. 아이들이 자지러질 듯이 울어댔다.

어느 날 부인은 화가 나 아이들을 방에 둔 채로 나가버렸다. 술 취한 남편이 세상모르고 곯아떨어져 있을 동안 이제 막 기어다니기 시작한 아들이 문지방에서 부엌 연탄불 위로 떨어졌다. 중화상을 입은 그 어린아이를 병원에 데리고 다니면서 나는 아이의 아버지에게 직장을 알선해 준 일을 후회했다.

나는 빈민을 빈곤에서 구한다는 거창한 구호를 내걸고는 내가 해야 할 직무의 가장 중요한 부분을 태만히 했다. 주민 한 사람 한 사람, 한 가정 한 가정에 생명과 진리 되신 예수를 전하는 일에 등한히 했다. 나는 주인 되신 예수님께 나의 과오를 용서해 주시기를 기도했다. 그리고 다짐했다.

> 이제부터 나는 활빈 선교운동을 전개해 나가는데 '본질과 수단' '말씀과 떡' '하늘의 양식과 땅의 양식'을 균형 있게 전하는 일에 집중하겠다. 빈민촌 주민들로 하여금 예수를 주인으로 모시게 하고 성령의 인도하심을 받아 스스로의 믿음과 결단으로 일어서서 하나님의 백성 되게 하는 일에 전심전력을 다하겠다.

이런 다짐을 구체화시켜 나가는 첫 사업으로 활빈교회는 집중 전도운동을 시작했다. 이 운동은 교인들의 훈련과 지역 복음화, 그리고 지역사회 개발을 목적으로 하여 지역사회 선교의 전략과 기동력을 개발하기 위한 시도였다. 한 달을 기간으로 정하고 평신도 중에서 지원자를 뽑아 10일간의 합숙 훈련을 시켰다. 그다음 20일간은 자기에게 배

당된 지역 내에서 호별 방문하여 전도하는 것이었다

물론 종래에 교회들이 실시해오던 전도와는 내용이 달랐다. 가정 가정을 방문하여 '예수 믿고 천당 갑시다'라는 식의 전도가 아니라, 활빈교회가 빈민 선교의 초기부터 발전시켜 온 DDT 작전으로 각 가정에 파고들어 그 가정이 당면한 문제들을 찾아내 그 문제 해결을 위해 최선을 기울여가면서 복음을 전하는 방법이었다.

다음 글은 집중전도운동을 시작하던 때의 취지문이다.

〈송정동판자촌지역 집중전도운동〉
취지문

1971년 10월 3일 창립 예배를 드린 이래 활빈교회는 지역사회 활동에 최선을 다해왔고 또한 놀랄 만한 열매를 거두었다. 주민 봉사와 지역사회개발을 통한 복음 선교를 위해 주민교육, 건강관리, 생활안정 및 주민조직 활동 등으로 주민 생활 전반에 파고들어 추진해 온 활동은 이제 주민들의 적극적인 호응과 참여를 얻고 있다.

그러나 반성해 볼 것은 그리스도 교회의 모든 활동의 초점은 그리스도를 전파함에 있다는 가장 기본적인 사실이다. 그간의 체험에서 느낀 점은 빈민촌에서의 빈곤은 경제 문제가 아니라 영적인 문제요, 일종의 질병이란 사실이다. 이 빈곤이란 질병의 근본적인 치료는 그리스도를 만남에서 이루어진다. 신앙화가 인간화의 첩경이다.

이 점에서 금번 활빈교회가 전도 운동을 실시하는 뜻이 있다.

교회는 그 교회가 속한 지역사회를 복음화함에 전략과 기동력을 가져야 한다. 성령이 역사하시는 교회는 항상 살아 움직여 확장되며 지역사회 주민의 전 생활에 활기를 불어넣어야 한다. 주민의 가슴 가슴에 그리스도를 심어야 한다.

이를 위해 노심초사하는 우리에게 임마누엘 하나님이 함께하실 것을 확신한다.

1973년

활빈교회 김진홍

한 달간 계속된 이 기간에 많은 열매가 있었다. 대원들은 자신들을 통해 얻어지는 열매에 스스로 놀라며 기뻐들 했다.

어느 날 저녁에는 지역 내의 어느 집에서 도박이 벌어지고 있다는 정보가 집중전도운동본부로 들어왔다. 지난날 도박으로 많은 세월을 보냈던 요원 한 명이 그리로 갔다. 그는 도박장에 들어가 얼마 전까지만 해도 함께 화투장을 만졌던 지난날의 친구들을 설득했다.

"이전에 나도 너희들처럼 화투장을 뒤집으며 살아갔을 때 내 처지가 얼마나 고단했던지 자네들도 알잖는가. 그 시절에 내 삶이 어떠했으며, 내 처자식들은 또 얼마나 고통당했던지도 자네들은 알고 있잖은가. 그러나 지금의 내가 얼마나 보람 있게 살아가고 있는지 자네들이 보고 있잖는가. 자네들, 이런 헛된 생활은 이제 청산하고 하나님을 섬기는 사람들이 되세. 그래서 굶주리는 가정들을 다시 일으키세."

그들은 그의 간곡한 설득과 증언에 감동받아 도박판을 거두었다. 그

리고 그 자리가 기도 모임의 자리로 바뀌었다. 그는 돌아올 때 화투를 가져왔다.

1973년 가을로 접어드는 어느 날 활빈교회 DDT 요원이 박 씨란 젊은이를 교회로 데려왔다. 결핵이 말기에 이르러 피골이 상접해 있었다. 직업이 박수(남자 무당)인 30대의 미남자였다. 그는 박수 생활을 하면서 무절제한 생활에 체력을 너무 소진하여 얻은 병이라고 했다.

나는 그에게 예수에 대하여 이야기했다. 역시 그는 종교성이 강한 사람이었다. 회한과 질병에 시달렸던 그의 혼에 예수의 복음이 심어졌다. 그는 기쁨에 넘치는 사람이 되어 날마다 기도하고 성경 읽고 찬송하는 날들을 보냈다.

우리는 그의 결핵을 치료하려 애썼으나 너무나 중증이어서 1차 약은 이미 약효가 없고 2차 약이어야 효력을 볼 수 있다고 했다. 그러나 2차 약은 값이 비쌌다. 우리는 너나 할 것 없이 너무 가난했다. 약값을 감당해 나갈 길이 없었다. 누군가가 일러주기를 시립결핵요양원에 입원하면 2차 약까지 투약해 준다고 했다.

나는 그와 함께 먼 길을 찾아 시립결핵요양원으로갔다. 그러나 요양원은 만원이어서 입원이 불가능한데 한가지 길이 있다고 일러주었다. 3만 원 정도의 뒷거래를 하면 입원이 된다고 했다. 무료 입원이 규정이었으나 들어오려는 환자는 많고 수용 능력은 제한되어 있어 부정거래를 통해 입원하는 관례가 이루어진 것이다.

우리는 실망하고 돌아왔다. 건강이 회복되면 신학을 공부하여 나를 돕는 일꾼이 되겠노라고 말하던 그에게 운명의 날이 왔다. 그는 마지막 숨을 몰아쉬며 찬송을 불러달라고 했다. 무슨 찬송을 원하느냐 물은즉 실낱같은 소리로 「나 같은 죄인 살리신」을 원했다.

나같은 죄인 살리신 주 은혜 놀라와
잃었던 생명 찾았고 광명을 얻었네

큰 죄악에서 건지신 주 은혜 고마와
나 처음 믿은 그 시간 귀하고 귀하다

이제껏 내가 산 것도 주님의 은혜라
또 나를 장차 본향에 인도해주시리

거기서 우리 영원히 주님의 은혜로
해처럼 밝게 살면서 주찬양하리라

나와 그의 아내가 나직이 부르는 찬송을 듣던 중에 그는 희미한 미소를 짓더니 마지막 숨을 몰아쉬고 안식의 세계로 들어갔다. 1973년이 저무는 때였다.

그의 아내가 부엌으로 나가더니 손이 피투성이가 되어 들어왔다. 죽은 남편의 입에, 잘린 손가락에서 뚝뚝 떨어지는 피를 흘려 넣었다. 그러나 피는 목으로 넘어가지 않고 입에서 넘쳐흘러 방바닥으로 떨어졌다. 임종 때 피를 흘려 넣어주면 다시 소생한다는 옛부터의 이야기

를 믿었던 모양이다. 그러나 그는 부인의 애틋한 사랑에도 아랑곳하지 않고 몸이 굳어지기 시작했다.

나는 시체를 염하면서 그의 얼굴이 밝은 것을 보고 기뻤다. 밝은 얼굴로 웃으며 죽을 수 있음이 축복이거니 생각했다. 죽음이란 다름 아니라 안식의 세계로 들어가는 문턱이다. 고달픈 이승을 떠나 안식의 저승으로 옮겨가는 문턱이다. 그래서 죽음이란 이미 준비된 자들에게는 하늘이 내리는 축복이다. 나도 하늘이 그런 축복의 시간을 허락할 때까지 열심히 살고 열심히 일해야겠다고 다짐했다.

나는 늘 하던 대로 벽제 화장터에서 한 줌의 잿봉지를 만든 후 그의 아내와 함께 한강교로 찾아갔다. 다리 난간에 기대선 채 흐르는 물 위로 재를 뿌리며 다시금 다짐했다.

약값이 없어 죽는 사람이 없는 사회를 건설해야 한다. 돈이 없다는 이유만으로 치료받지 못하는 환자가 없는 세상을 세워야 한다.

빈익빈 부익부 현상이 날로 깊어져 부자는 가벼운 감기에 걸렸어도 호화로운 병실에 입원하고 빈자는 주사 한 대 맞아보지 못한 채 죽어가는 현실을 거부해야 한다. 이런 현실을 철저히 거부하고 그 변혁을 위해 과감히 도전해야 한다. 그런 파괴력이 없는 신앙은 그릇된 신앙이요, 그런 도전력이 없는 종교는 종교답지 못한 종교다. 그런 종교는 마르크스가 지적했듯이 백성들의 아편이 되는 종교일 따름이다.

1961년 5월 16일 새벽녘에 군인들이 한강 다리를 넘었듯이, 언젠가는 평화군이 이 다리를 넘어야 한다. 이땅에 진정한 복지를 실현해 나갈 평화의 군대가 이 다리를 넘어야 한다. 총을 들고 탱크를 앞세운

군대가 아니라 정의와 사랑으로, 진리와 섬김으로 무장한 군대가 혁명을 일으켜야 한다. 그래서 활빈교회는 예수혁명을 준비하는 혁명기지가 되어야 한다고 다짐하며 한강교를 떠났다.

다음 날 새벽 일찍이 일어난 나는 냉수마찰을 마치고 훈이 엄마가 내 등에서 숨을 거두었던 날에 읽었던 다윗의 시를 다시 읽었다.

하나님이여 내 마음이 확정되었고
내 마음이 확정되었사오니
내가 노래하고
내가 찬송하리이다
내 영광아 깰지어다
비파야 수금아 깰지어다
내가 새벽을 깨우리로다

나는 다윗과 그의 동지들이 읊었던 이 시를 읽고 기도하고 묵상했다. 그리고 이 땅에 새벽을 깨우는 일을 내 사명으로 삼겠다고 다짐했다. 어둠에서 잠자는 민중들에게 새벽을 알리는 일에 인생을 바치겠노라고 다짐했다. 그리고 잠들어 있는 한국교회에도 새벽이 다가오고 있음을 알려야겠다고 다짐했다. 그리고 연이어 다짐했다

가난과 질병에 잠들어 있는 청계천 빈민촌의 6만 형제들에게도 새벽을 알려야 한다. 가난한 자들의 아픔을 모른 채 호화주택에 잠들어 있는 부자들에게도 새벽을 알려야 한다.

나는 밖으로 나가 새벽을 알리는 종을 울렸다.

땡그랑 땡~. 땡그랑 땡~. 땡그랑 땡~.

종소리에 깨어난 판자촌 이웃들이 밝히는 등불들이 창문에 밝혀지고 있었다.

한국판 『새벽을 깨우리로다』는 그 내용이 내 대학 시절에서 시작하여
청계천 빈민촌 생활의 초기인 1973년 말까지만 다루고 있다.
빈민촌 선교의 후반부 내용과 정치범 생활
그리고 농민 선교에 이르는 이야기들이 빠져 있다.
1982년도에 이 책이 나오던 때는 군사정권 시절이었던지라
시대적인 제약을 받았기 때문이다.

새벽을 깨우리로다

새벽을 깨우리로다

1973년 10월경, 기독교 방송국에서 개국 기념 사업의 하나로 신앙체험수기를 모집한다는 공고가 있었다. 지금은 잊었지만, 당선작 상금이 당시로서는 상당한 금액이었다. 나는 재정이 극도로 쪼들리던 터라 그 상금에 관심이 가서 응모하기로 했다.

그간에 주민들의 삶의 아픔을 몸으로 느끼면서 고민하고 아파한 나는 그 아픔을 풀어나가기 위하여 틈틈이 글을 써두었다. 처음에는 일기체로 하루의 생활 중 진한 경험들을 생각나는 대로, 틈나는 대로 적어나갔다. 그렇게 적은 글이 몇 권의 노트가 되었을 때 나는 그것을 주위의 가까운 사람들에게 읽혔다. 노트를 읽은 분 중에서 책으로 내길 권하는 분들도 있었다.

그러던 차에 1973년 연말이 가까운 어느 날, 나는 몸도 마음도 지쳐 자신을 지탱해 나가기가 벅찬 처지에 이르렀다. 그간에 쓴 두툼한 일기장을 들고 어느 여인숙으로 갔다. 여인숙에서 일주일여를 자며 쉬며 뒹굴며 그 일기문들을 하나로 연결된 글로 엮었다. 그러고는 그 글에 '새벽을 깨우리로다'라는 제목을 붙였다. 서른두 살 되던 해의 연말경이었다. 그 여인숙에서 원고지 800장을 써서 기독교 방송국으로 보냈다. 나는 으레 당선될 줄로만 알고 상금으로 쓸 용도까지 정해두었으나 당선자 발표에 내 이름은 없었다. 나는 방송국으로 가서 원고 뭉치를 찾아와서는 교회당에 붙어 있는 기도실 선반 위에 올려놓았다.

세상일이란 것이 참으로 재미있어서, 그 원고는 내가 옥중에 있는 동안 일본으로 가서 그곳에서 먼저 출간되었다. 바로 『새벽을 깨우리로다』라는 제목의 책이다. 그 글이 빛을 보게 된 데에는 일본인 노무라(野村基之) 목사의 공로가 크다. 1972년인가 1973년, 어느 무더웠던 여름에 자기 발로 청계천 활빈교회를 찾아왔던 분이다. 노무라 목사는 그후 후원자이자 친구가 되어 무던히도 열심히 도왔다. 때로는 나보다 더 빈민들을 돕는 일에 열심이었다. 활빈교회 선교 역사에 잊을 수 없는 은인인 셈이다.

1974년, 노무라 목사는 내가 구속됐다는 소식을 듣고는 한국으로 와서 청계천 판자촌의 활빈교회를 찾아왔다. 그는 활빈교회 교인들에게 묻기를 김진홍 선생이 감옥 가기 전에 무언가 남겨놓은 것이 없느냐고 물었다. 교인 중에 누군가가 대답하기를 얼마 전에 무슨 서류 같은 것을 기도실 선반 위에 올려두었다고 일러 주었다. 그리하여 '새벽을 깨우리로다' 원고가 노무라 목사 손에 들어가게 되었다.

그러나 노무라 목사는 한글을 모르는 분인지라 내용이 무엇인지도 모른 채 일본으로 가져갔다. 노무라 목사는 정치범인 나를 찾아온 외

국인인 데다 내가 철저히 감시받고 있던 처지여서 원고 뭉치를 그대로 들고 나갈 수 없었다. 그는 궁리 끝에 중앙시장에 가서 김을 많이 샀다. 그러고는 기도실에서 김 사이사이에 원고지를 한 장씩 깔았다. 800장이나 되는 원고지를 그렇게 감춘 후 그는 김포공항을 통과했고, 일본 도쿄에 있는 그의 집에서 원고지들을 다시 끄집어내어 일본어로 번역했다. 그런 과정을 거쳐『새벽을 깨우리로다』는 일본어로 먼저 출간되었다. 그리고 일본에서 한때 베스트셀러에 오르기까지 했다.

이처럼 일본 독자들의 도움이 있어 당시 재정적인 어려움을 극복하는 데 큰 힘이 되었다. 나는 이 책에 대하여 큰 고마움을 느끼는데, 처음 일본에서 출간되었을 때부터 지금에 이르기까지 나의 선교 운동에 큰 도움을 주고 있기 때문이다.

그런데「새벽을 깨우리로다」가 일본에서 출간된 일로 뜻밖의 곤욕을 치렀다. 초판이 나오자, 북한에서 1천 권을 구입하여 북한의 군당 인민위원장급들에게까지 한 권씩 다 돌렸기 때문이었다. 책 내용이 빈민촌에서 빈민들의 고달픈 삶이 워낙에 현실적으로 표현되어 있는데다 빈민촌 현장 사진들이 뒷받침되고 있어 북한 쪽에서는 남한의 실상을 알리는 데 좋은 자료가 된다고 생각한 것 같았다. 그 일로 나는 국가에 이적행위를 했다는 죄목으로 구속당했다. 그러나 일본의 마이니치 신문 등에서 앞장서서 애를 써주어 구속을 면하게 되었다.

국내에서는 내가 정치범이었기에 출간하지 못하고 있다가 1982년에야 겨우 출간할 수 있었다. 홍성사에서 출간한 이 책은 초판 이래 판을 거듭하여 이제는 백 쇄를 넘겼다. 그간에 영문판이 나오고 러시아

어판과 중국어판이 나왔다. 그리고 텔레비전 드라마의 소재가 되기도 하고 영화화 되기도 했다. 나로서 특히 보람을 느끼는 대목은 이 책이 방황하고 있는 청년들에게 큰 도움을 주고 있다는 사실이다. 기독교 방송국의 현상 응모에 낙선된 내용이 그렇게 호응을 얻게 된 것을 생각하면 '세상만사 새옹지마'란 말이 실감 난다.

그런데 한국판 『새벽을 깨우리로다』는 그 내용이 내 대학 시절에서 시작하여 청계천 빈민촌 생활의 초기인 1973년 말까지만 다루고 있다. 빈민촌 선교의 후반부 내용과 정치범 생활 그리고 농민 선교에 이르는 이야기들이 빠져 있다. 1982년도에 이 책이 나오던 때는 군사정권 시절이었던지라 시대적인 제약을 받았기 때문이다. 그간에 많은 독자들이 후편이 언제 나오느냐고 물어왔고 스스로도 후편 또는 증보판이 나와야 할 필요를 느껴왔다. 그러나 그간에 마음에만 있었을 뿐, 세월이 흐르며 미루어오다가 1997년 월간 『신동아』 지면을 통해 『출서울기』라는 제목으로 2년간 연재를 끝내게 되어 여간 다행스런 일이 아닐 수 없다.

1973년 가을에 들어가자, 정치판이 시끄러워지기 시작했다. 무리하게 강행해 오던 박정희 대통령의 유신체제가 흔들리기 시작한 것이다. 학생들이 저항하기 시작하고, 성직자들이 시국 선언문을 발표했으며, 교수들이 연명으로 유신체제에 도전했다.

빈민촌에 들어가던 때에는 내게 정치의식이 별로 없었다. 그러나 빈민 선교에서 서민들이 살아가는 모습을 접하고는 정치가 매우 중요하

다는 사실을 인식하게 됐다. 한 사회에서 개인이 아무리 착하고 도덕적이어도 그 사회의 규범이나 시스템이 잘못됐거나 그 사회를 이끌고 있는 정치인들이 그릇된 도덕관이나 통치관을 가지고 있을 때 전체가 고통당한다는 사실을 피부로 느끼게 됐다. 말하자면 빈민촌의 현장경험을 통해 사회의식 혹은 정치의식이 점차 발전한 셈이었다.

게다가 빈민촌에서 함께 일하는 제정구 군은 서울대 정치학과 학생인 데다 독재에 저항하는 데모를 주동했다가 제적당한 후 청계천으로 들어온 이였다. 또 수시로 와서 도움을 주는 서경석 군은 기독교 내에서 반독재운동을 이끌어가고 있는 인재였다. 비록 후배들이었지만 그들을 통해 우리 사회가 돌아가고 있는 판을 다소 읽을 수 있었다.

그러나 다른 어떤 것보다 나 스스로 성경을 읽고 그 성경 본문을 바탕으로 사회 현실을 보노라니 정치적 안목이 점차 발전해 갔다. 말하자면 선교 초기에 단순했던 복음주의 노선에서 현장 경험을 통해 점차 현실 참여파로 자라게 된 셈이다.

그런 과정을 거쳐 1973년 11월경에는 한국 교회 소장 성직자들의 유신체제 반대운동에 서명도 하고 모임에도 참여하게 되었다. 한때 기독교 내 반체제운동을 이끌던 박형규 목사가 주도하고 있는 도시산업선교팀에 소속되기도 했고, 문동환 목사와 조승혁 목사 같은 분들이 강의하는 브라질의 운동가 파울로 프레이리의 실천 이론이나 미국의 솔 앨린스키 같은 사회운동가의 이론을 강의받기도 했다. 그런 참여와 강의를 통해 나의 복음 이해는 점차 폭이 넓어졌다.

1974년으로 들어섰다 1월 8일자 석간을 펼쳐 든 나는 소스라치게 놀랐다. 박정희 대통령이 긴급조치 제1, 2호를 선포한다는 포고문이 실려 있었다. 대통령 긴급조치 제1, 2호는 헌법개정에 대해 국민들은 말하지도 말고 전하지도 말고, 모이지도 말라는 내용이었다.

긴급조치 발동은 내게도 큰 충격이었다. 그 공고문을 읽은 첫 느낌은 '정부가 역사에 큰 오점을 남기는구나!' 하는 생각이었다. 그날로부터 꼭 열흘 후 나의 감옥생활이 시작되었다

사실 1973년 후반에 들어오고부터 흔들리기 시작한 유신 정국은 그 해 연말에 이르러 온 나라를 소용돌이에 휘말리게 했다. 학원가와 종교계를 선두로 사회 각계각층에서 유신체제에 대해 불만을 표시하고 급기야 유신헌법을 개정해야 한다는 여론이 강하게 일어났다.

그러한 움직임이 드디어 국민 운동의 수준에까지 이르러 '헌법 개정 청원 백만인 서명운동'이 촉발됐다. 장준하, 백기완 선생 등이 중심이 된 이 서명운동은 큰 호응을 얻어 전국적으로 확산 되어갔다 이에 박정희를 수반으로 하는 유신 정부는 긴급조치 선포라는 비상 수단을 쓰기에 이르렀다.

전체 7항으로 이루어진 대통령 긴급조치 제1호는 다음과 같다.

1. 대한민국 헌법을 부정, 반대, 왜곡 또는 비방하는 일체의 행위를 금한다.
2. 대한민국 헌법의 개정 또는 폐지를 주장, 발의, 제안 또는 청원하는 일체의 행위를 금한다.
3. 유언비어를 날조, 유포하는 일체의 행위를 금한다.

4. 전 1, 2, 3호에서 금한 행위를 권유, 선동, 선전하거나 방송, 보도, 출판, 기타 방법으로 이를 타인에게 알리는 일체의 행동을 금한다.
5. 이 조치에 위반한 자와 이 조치를 비방한 자는 법관의 영장 없이 체포, 구속, 압수 수색하며 15년 이하의 징역에 처한다. 이 경우에는 15년 이하의 자격 정지를 병과할 수 있다.
6. 이 조치에 위반한 자와 이 조치를 위반한 자는 비상 군법 회의에서 심판, 처단한다.
7. 이 조치는 1974년 1월 8일 17시부터 시행한다.

이런 내용의 제1호 긴급조치에 이어서 대통령 긴급조치에 위반한 자를 심판하기 위해 비상군법회의를 설치하는 내용을 담은 제2호 긴급조치를 발표했다.

나는 그간에 정치의식은 다소 성장하였으나 현실 정치에는 별반 관여가 없던 터였다. 더구나 빈민 선교를 시작한 후로는 매일매일의 업무에 부대껴 외부 문제까지 신경 쓸 여유가 없었다. 그러나 이번에 선포된 대통령 긴급조치 제1호의 내용을 찬찬히 살펴본 나는 민주주의의 발전 과정이 뒷걸음질하는 심각한 문제라고 판단했다. 내가 특히 관심을 둔 점은 헌법 문제나 체제 문제가 아니었다. 국민 개개인이 지니는 의사표시의 자유와 민주주의의 기본이라 할 수 있는 집회에 관한 문제였다. 이런 문제들은 신이 인간에게 부여한 기본권 문제였다.

나는 생각했다. 국가나 법이 보장하는 국민의 기본권리 이전에 하나님이 보장하는 인권(人權)이 있다. 어떠한 이유로도 이 기본권인 인권을 유린해서는 안 된다. 인권을 유린하는 문제는 정치 문제가 아니라 종교 문제다. 왜냐하면 신이 부여한 기본권에 관한 문제이기에 정치 영역을 넘어선 종교의 영역이기 때문이다. 그런 점에서 긴급조치 제1호는 이 인권에 대하여 심각한 침해를 범하고 있었다. 헌법을 고치자는 국민들의 서명운동 자체를 금지하고 있기 때문이었다.

당시의 혼란한 정국의 초점은 유신체제를 정착시키려는 측과 유신체제는 반민주적인 법이니 개폐되어야 한다는 측의 마찰이었다. 유신체제가 개정되고 민주주의가 회복되려면 먼저 유신체제를 뒷받침하고 있는 유신헌법부터 개정해야 했다. 그런데 유신헌법이 개정되려면 먼저 정부 측이나 국회 측에서 헌법 개정안이 발의되어야 한다. 그러나 정부도 국회도 그런 헌법 개정안을 발의할 리 없었다. 유신헌법이 개정될 수 있는 유일한 길은 국민들로부터 발의되는 길 밖에 없었다.

유신헌법의 내용에는 국민 1백만 명이 헌법개정을 청원할 수 있다는 조항이 들어 있었다. 당시의 재야 세력은 바로 이 점을 노리고 1백만 서명운동을 일으켰다. 서명운동이 시작되자마자 국민들로부터 대단한 호응이 뒤따랐다. 이에 정부 측은 당황할 수밖에 없었다. 그래서 서명운동이 마무리될 즈음에 대통령 긴급조치 제1호를 선포했다.

당시에 나는 빈민 선교에 몸담고 있는 사람으로서 헌법개정 운동에 관여할 여유가 없었다. 그러나 내가 긴급조치 제1호를 읽고 느낀 점은 유신헌법의 개정 여부가 아니라 왜 헌법을 개정하자는 국민의 의사까지 강제로 막느냐는 문제였다. 국민의 의사를 탱크로 막는 일은 마

치 하나님께 총질하는 것과 같다. 이런 일은 히틀러나 무솔리니의 파쇼국가에서나 있을 수 있는 일이다. 어찌 우리 조국 땅에 그런 권력이 들어설 수 있겠는가?

'저항해야 한다!'

'이런 조치에는 교회와 교인들이 앞장서서 저항해야 한다!'

석간신문을 읽으며 이런 생각을 하고 있던 차에 때맞춰 성남 주민교회의 이해학 전도사가 찾아왔다. 이해학 전도사는 사회정의에 대해서는 골수파였다 나와 이해학 전도사 사이에는 긴 이야기가 필요 없었다. 이심전심으로 합의를 이루고 이 조치에 대항하는 시위운동을 추진키로 했다. 나와 이해학 전도사는 의기투합하여 밤늦도록 이야기를 나누었다.

이토록 살벌한 정치상황 아래에서는 학생들이나 일반시민들을 앞장서게 해서는 안 되고, 우리 성직자들이 나서야 한다는 결론에 이르렀다. 성직자는 어차피 선교라는 큰 뜻에 몸을 바친 사람들이므로 선교지역에서 일하는 것이나 감옥 안에서 옥살이하는 것이나 마찬가지라는 생각이었다. 그러니 신속히 동조하는 성직자들을 규합하여 시위운동을 일으키자고 합의하고 즉각 준비 작업에 들어갔다.

다음날부터 우리 둘은 한국 교계의 여러 선배와 접촉하면서 참여와 협조를 요청했다. 그러나 긴급조치 제1호가 워낙 엄청난 내용이어서 그런지 대개가 무모하게 나서지 말고 좀 더 관망하는 것이 좋겠다는 의견들이었다.

그런 분 중에는 우리를 퍽 곤혹스럽게 한 선배가 있었다. 그분은 평소에 한국교회의 사회정의와 현실 참여를 강력히 주장하시던 분이었다. 학문으로나 덕망으로나 현실 참여를 주장해 온 경력으로나 한국 교계에 널리 알려진 사람이었다. 이해학 전도사와 나는 주최하려는 시위행사에 호응해 줄 선배 목사들을 찾기 위해 여러 곳을 다녔으나 호응을 얻지 못해 고심하던 중이었다. 특히 시위행사 때 설교를 맡아 줄 선배 목사가 없는 게 큰 고민거리였다. 우리는 이분 저분 부탁드려 볼 만한 선배들을 찾아 헤매다가 이분이라면 꼭 호응해 줄 것이라는 기대감을 가지고 찾아갔다.

우리가 그 선배의 서재로 안내받아 들어가 앉자마자 그는 시국에 대해 고담준론을 펴며 "이런 때에 우리 크리스천들이 피를 흘려야 한다"고 높은 음성으로 역설했다. 우리 둘은 지옥에서 부처님을 만난 듯 반가웠다. 그래서 반가운 마음으로 준비하고 있는 행사에 대해 속 터놓고 말씀드리며 동참을 요청했다.

"교수님, 이번 행사에 앞장설 젊은 목회자들은 넉넉한데, 문제는 당일 설교를 해줄 설교자가 없습니다. 교수님께서 설교를 좀 맡아주십시오."

그러나 부탁을 받은 선배 교수님의 반응에 나는 너무나 놀랐다. 교수님은 갑자기 음성을 탁 낮추더니 속삭이듯 말했다.

"이 사람들아, 이런 때일수록 몸을 아껴야지. 지금 이 시국에 정권과 맞닥뜨린다는 것은 계란으로 바위 치기가 아니겠는가? 좀 더 기다렸다가 상대방의 예기가 죽거들랑 일을 도모해 보세나."

조금 전 '이런 때에 우리 크리스천들이 피를 흘려야 한다'고 역설하

던 모습과는 완전히 다른 사람이었다. 나는 씁쓸한 마음으로 물러났다. 한국교회 전체의 허점을 본 느낌이었다. 좋은 시절일 때는 용감하고 어려운 시기에는 약한 허점, 입은 크고 손발은 작은 허점을 보는 느낌이었다. 나는 목사에다 교수 겸 박사인 그의 집에서 물러나며 한마디 뱉었다.

"씹새끼!"

이해학 전도사는 못 들은 척 고개를 돌릴 따름이었다. 언행이 일치하는 훌륭한 교수라고 누누이 말해오던 터에 뜻밖에 그런 모습을 보게 됐으니 할 말이 없을 수밖에 없었다.

우리는 시위행사에 선배 목사들을 참여시키려던 계획을 포기하고 우리 또래의 성직자끼리 행사를 추진키로 했다. '시국을 위한 기도회' 형식으로 행사를 치르되, 성명서나 시국 선언문 등은 발표하지 말고 대신 조국의 현실에 직면하여 신앙고백 형식으로 발표하기로 정리했다. 말하자면 정치적인 집회가 아니라 선교론적(宣教論的)인 집회를 열자는 생각이었다.

내가 소속된 교단인 대한예수교장로회 소속 목회자들로는 영등포산업선교회의 인명진 목사, 신촌 대현교회의 홍길복 목사, 경동중앙교회의 임신영 목사, 연세대학교 도시문제연구소의 박창빈 전도사 등이 참여했다. 이해학 전도사가 소속된 교단인 한국기독교장로회에서는 권호경 목사, 박윤수 전도사, 이규상 전도사 등이 참여했다. 감리교교단에서는 김동완 전도사, 김경락 목사 등이 참여하기로 했다. 우리는 겨레의 앞날을 위해 예언자의 사명을 감당하자고 뜻을 굳혔다.

'한국 기독교 성직자 시국기도회'란 이름으로 행사하되 한국교회협의회 사무실에서 1월 17일 오전 열 시에 열기로 정했다. 집회 장소로 쓸 한국교회협의회 측에 사전 양해를 얻다가는 정보가 누설될 염려가 있어서 당일에 무조건 밀고 들어가 기도회를 열기로 했다.

이렇게 준비하는 과정에서 각자가 책임지는 부서와 역할도 정해졌다. 총책임자로 김진홍 전도사, 부책임자로는 이해학 전도사를 정했고, 감리교의 책임자로 김동완 전도사, 보도에 이규상 전도사, 추후 수습책은 인명진 목사로 정했다. 3 · 1 만세운동의 역사적 뜻을 살려 33인의 성직자로 시국기도회를 열기로 합의했다

이런 과정을 거쳐 1974년 1월 17일 오전 열 시에 한국교회협의회 사무실에서 열린 '한국 기독교 성직자 시국기도회'는 감리교 소속 김경락 목사의 사회로 시작됐다. 기도는 한국기독교교회협의회(KNCC) 총무인 김관석 목사가 맡아주었고, 설교는 사회자인 김경락 목사가 맡았다. 기도와 설교의 시간이 지난 후 홍길복 목사와 내가 함께 작성한 선언문을 이해학 전도사가 낭독했다.

> 역사의 주인이신 하나님의 선하신 명에 따라 우리 한국 기독교 성직자 일동은 조국이 처한 현실에 대해 순교자적 각오로 다음과 같이 우리의 신앙을 고백한다.
>
> 1. 금번 대통령의 1.8 긴급조치는 국민을 우롱하는 처사이므로 이는 즉시 철회되어야 한다.
> 2. 개헌 논의는 민의에 따라 자유롭게 전개되어야 한다.

3. 정부는 유신체제를 철폐하고 민주 질서를 회복하라.

그날 기도회에 참가했던 우리에겐 기도가 반드시 응답될 것이라는 확신이 있었고, 불안하거나 두려움을 느끼는 마음이라곤 없었다.

오전 열한 시경 나를 포함한 여섯 명의 동료가 현장에서 체포됐다. 신문기자들과 인터뷰하며 선언문을 나눠주던 자리에서 체포돼 동대문경찰서를 거쳐 오후 두 시경에는 남산 기슭에 위치한 중앙정보부로 연행되었다. 중앙정보부에서 이틀을 지낸 후 1월 19일 밤 열한 시 서대문구치소에 도착, 독방에 분산 수감됐다. 나는 서대문구치소 9사 하층 6호실에 수감됐다.

수감되는 즉시 부모님이 지어주신 '김진홍'이란 이름은 압수되고 2012번이란 죄수번호가 주어졌다. 이리하여 다음 해 1975년 2월 16일 수원교도소에서 출감하기까지 13개월에 걸친 옥살이가 시작되었다.

그렇게 구속된 직후에는 중앙정보부로 가서 조사를 받는 일과 구치소로 돌아와 새우잠을 자는 생활이 반복됐다.

밤 아홉 시경이면 새까만 세단차가 와서 나를 불러냈다. 양옆에 정보부 요원들이 앉은 채 뒷자리에 실려 서대문구치소를 출발해 사직터널을 지나고 시청 앞을 지나 남산 기슭에 있는 중앙정보부로 갔다. 지하실 방으로 데려가서 처음 묻는 말부터 간을 철렁 내려앉게 했다.

"김진홍, 너 평양 언제 갔다 왔어?"

느닷없이 그런 질문을 받고 당황하지 않을 사람이 없다. 그런 질문에 어안이 벙벙해진 내가 대답했다.

"보소. 대구 사람인 내가 평양 가는 길을 알아야 가지요."

"이놈에 새끼. 네가 지금까지 일해온 내력을 살펴보면 넌 평양 가서 밀봉교육 받고 온 녀석이 틀림없어. 너 임마, 평양방송에서 뭐라 그랬는지 알아?"

그러고는 북한방송을 녹취했다는 타이프로 친 원고를 내 앞에 내밀었다. 읽어보니 웃어야 할지 울어야 할지 기가 찬 내용이었다.

> 조국 해방 투쟁에 앞장서서 영웅적 투쟁을 벌이고 있는 김진홍 동지 이하 여러 혁명 전사들께 열렬한 지지를 보냅니다. 우리는 여러분들의 혁명 투쟁이 꽃피우고 열매를 맺어 조국해방의 그날이 다가오고 있음을 확신합니다.

이런 식으로 시작된 평양방송은 나를 혁명 영웅으로, 조국 해방 투쟁에 앞장선 투사로 그려놓고 있었다. 나는 원고를 넘겨주며 말했다.

"잘못하면 혁명 영웅 한 명 나오겠구먼요잉."

정말 힘든 기간이었다. 도대체 잠을 재우지 않는 것이 견디기 어려웠다. 밤새 묻는 말에 대답하고 쓰고 손도장 찍고를 거듭하고 나면 새벽녘에는 잠이 쏟아져 건잡을 수가 없었다. 남산에서 서대문구치소로 돌아오는 새벽 나절에는 졸면서 걸었다.

조사는 두 달간 계속됐다. 이 기간이 얼마나 어려웠던지, 그 시간이 영원히 끝나지 않을 것만 같았다. 조사장에 들어갈 때와 마치고 나올 때마다 하루에 두 번씩 차라리 영원히 잠들어 이 고통을 끝내게 해달

라고 기도드리곤 했다.

중앙정보부의 조사는 철저하고 집요했다. 1월 8일 긴급조치가 발표되던 시간부터 체포되던 때까지를 10분 단위로 쪼개 행동을 낱낱이 추적하는 것이었다. 나 자신의 기억이 뒤바뀌기도 하고 관련된 사정상 사람들을 숨겨주어야 할 경우도 있어서 조사에 임하기가 정말 어려웠다. 특히 나는 사건의 주범이었던지라 더욱 어려웠다.

우리 사건에 직간접으로 관련된 사람들이 53명이었다. 그들 53명에 대한 조사 내용이 내 진술과 일치해야 하는 것이었다. 내가 아무리 머리를 써서 짜맞추어 놓아도 53명 중 누구에게선가 다른 사실이 드러나면 다시 심문이 시작되곤 했다.

끝없이 반복되는 조사를 받으며 나는 그리스 신화에 나오는 영웅 프로메테우스와 코린토스의 왕 시시포스(시지프스)가 받았던 형벌을 연상하곤 했다. 영웅 프로메테우스는 불이 없이 사는 인간들을 동정했다. 그래서 신들이 사는 하늘나라에서 불을 훔쳐다가 인간에게 주어 불을 사용할 수 있게 도와주었다. 그는 이로인해 신들의 노여움을 사서 벌을 받게 됐다. 그런데 그 벌이 너무나 가혹했다. 카프카스산의 바위에 묶인 채 독수리에게 간을 쪼이는 벌을 받았는데, 쪼인 간이 되살아날라치면 또다시 독수리에게 쪼이고 하는 일이 영원히 반복됐다. 프로메테우스처럼 나는 백성들에게 민주를 일깨우려 했다가 형벌을 받는 것이 아닐까 하는 생각이었다.

호메로스(호머)가 말하길 고대 그리스 코린토스의 왕 시시포스는 '인간 중에서 가장 현명하고 신중한 사람'이었다. 그러나 신들의 편에서 보면 엿듣기 좋아하고, 입이 싸고, 교활할 뿐만 아니라 신들을 우습게 여긴다는 점에서 심히 마땅찮은 인간으로 일찍이 낙인찍힌 존재였다.

그는 명계(冥界)로 끌려가 가혹한 형벌을 받았다. 높은 산의 깊은 골짜기에서 큰 돌을 굴려 산꼭대기로 올리는 형벌이었다. 그러나 그가 천신만고 끝에 바위를 산꼭대기까지 올려놓으면 바위는 다시 굴러떨어져 버렸다. 그러면 그는 다시 골짜기로 내려가 큰 돌을 굴려 올리는 작업을 시작해야 했다. 이런 작업을 '하늘이 없는 공간, 측량할 길 없는 시간'과 싸우면서 끝없이 계속하는 것이 시시포스에게 가해진 형벌이었다.

그것은 인간으로서는 참으로 견디기 힘든 형벌이었다. 의미 없이 똑같은 일을 반복하는 것은 인간을 내면에서부터 무너뜨리는 행위이기 때문이다.

중앙정보부의 조사가 이와 흡사했다. 온종일 질문받고 대답하고 쓰고 지우고를 되풀이한다. 때로는 밤새워 실랑이를 계속한다. 마침내 끝마치고는 손에 수갑을 찬 채 졸면서 서대문구치소로 되돌아온다. 지칠 대로 지친 몸인지라 그냥 잠에 곯아떨어진다.

얼마간 자노라면 다시 쇠문이 찍 소리를 내며 열리고 "2012번 나와!' 하는 교도관의 고함소리에 잠이 깬다. 미처 정신이 들기도 전에 손에 수갑이 채워지고 다시 조사장으로 끌려간다. 방에 들어서면 담당 조사관이 소리친다.

"김진홍, 왜 자꾸만 사실을 숨겨서 서로 고생하게 하나? 빨리 끝내

고 쉬어야지. 안 그래?"

"원 별말씀을. 창자 속까지 다 훑어내시고는 또 뭐가 남았다고 그러십니까?"

"0월 0일 0시 모임에 7명이 모의를 했다는데 너는 6명이 모였다고 했잖나. 어떻게 된 게야. 왜 순진한 척하며 거짓말을 해서 사람을 골탕 먹이는 게야? 그리고 김 00 박사 방문은 본인은 오전 10시경이었다는데 넌 오후 4시경에 갔다고 했단 말야. 결국은 다 드러날 사실을 숨겨서 복잡하게 만들었잖나. 사람 좀 살자구. 넌 가서 잠이라도 자다 왔지만 난 집구석에도 못 들어간 지가 일주일이 넘었어. 다 된 조서를 다시 꾸며야 하니 이거 미칠 노릇이군."

나는 아차 싶었다. 그날 모임에 함께했던 친구 목사가 기도회를 열었던 당일에는 고열이 나서 참석하지 못했다. 기도회 직전에 그의 부인이 나를 찾아와 집안 사정으로 남편을 꼭 빼달라고 간청하기에 그렇게 하겠노라고 약속했다. 그래서 기도회를 열기 전 동료들에게 000는 사정상 처음부터 관계가 없었던 것으로 하고 앞으로 검거돼 심문을 받더라도 그를 빼달라고 말했는데, 그 약속이 지켜지지 않고 누군가의 입에서 나온 모양이었다.

그렇다고 이제 와서 내 입으로 아무개 목사가 처음부터 참여했었노라고 말할 수는 없는 노릇이었다. 그러나 다른 조사관에게서 정보가 어느 정도 나왔는지 감을 잡을 수 없었다. 나는 구체적인 내용이 드러날 때까지 계속 오리발을 내미는 수밖에 없었다.

"허, 그거참, 내가 6명이라면 6명인 겝니다. 아니, 왕초가 6명이라는

데 누가 7명이라구 했지요? 그 친구는 자기 그림자까지 헤아린 모양이구먼요."

내가 그렇게 말하면 담당관은 다른 조사관에게서 넘어온 동료들의 진술서를 뒤적여 해당 부분을 펴서 일러준다.

"000 목사가 그 자리에 있었잖나!"

나는 그제야 다 드러난 줄 알고 이실직고를 한다.

"허 참, 죄송스럽습니다요. 그 친구 마누라가 기도회 직전에 찾아와 설랑 남편은 빼달라고 하도 통사정하기에 빼주겠다고 약속한 건데. 허, 그것참, 다른 친구들도 그건 덮어주기로들 약속했는데 역시 정보부가 도사는 도사구먼요. 그걸 다 알아낸 걸 보니."

그렇게 너스레를 늘어놓으면 조사관도 지쳤는지 웃어버리고 만다. 이런 식으로 새로운 사실이 나올 때마다 다시 조사받고 진술서를 고쳐 쓰게 되니 끝이 없을 것 같은 작업이었다.

서대문구치소와 남산의 정보부를 오가며 서울 시내를 활보하고 있는 시민들을 창문으로 내다보노라면 나도 저렇게 자유롭게 다니던 때가 있었던가 싶었다. 또 앞으로 언제 저렇듯 자유롭게 거리를 걸어 다닐 수 있는 때가 올까 하는 생각도 들었다.

내가 움직일 때면 언제나 덩치 좋은 요원 두 명이 양옆에서 함께 다녔다. 처음에는 그들에게 긴장감을 느끼고 거리감을 두었다. 그러나 시간이 흐르면서 대화가 오가고 서로의 고충을 배려하면서 친한 사이로 변해갔다.

그러는 사이에 나는 중앙정보부 요원들도 인간미가 있고 나름대로

애국심과 국가관이 뚜렷함을 알고 놀랐다. 이곳에 들어오기 전에는 중앙정보부에 종사하는 자들은 사람을 무지막지하게 때리고 교양이 없는 난폭자들일 것이란 인식을 가졌었으나, 함께 지내다 보니 그렇지만은 않다는 사실을 알게 됐다. 그들에게도 휴머니티가 있고, 진지한 인생관과 국가관을 지니고 있었다. 나는 우리 사건을 조사하느라 밤낮으로 고생하고 있는 그들을 보며 생각했다.

저들은 어떤 동기로 저렇게 열심히 일하고 있을까? 박정희란 특정인의 권력 유지를 위한 시녀들일까? 출세욕이나 권력욕일까? 아니면 나름대로의 애국심일까?

나는 여러 가지로 생각하며 살피다가 나름대로 결론을 내릴 수 있었다. 그들도 자기들 나름대로의 애국심에서 그렇게 수고하고 있다는 결론이었다. 그들이 강조하는 점은 국가안보와 경제성장이었다. 우리가 강조하는 것은 자유와 인권이었다. 따지자면 국가안보가 먼저냐 시민들의 자유가 먼저냐의 문제였고, 경제성장이 우선이냐 아니면 개개인의 인권이 우선이냐의 문제였다.

그들은 '인권, 인권, 자유, 자유' 하다가 국가 기반이 무너지거나 경제 파탄에 이르게 되면 국민 전체가 더 큰 고통에 처할 수 있으므로 국가안보와 경제성장을 위해서는 어느 정도까지 인권과 시민들의 자유를 유보할 수밖에 없다는 생각을 하고 있었다. 그래서 그들은 국가의 질서유지를 위해 밤을 새워가며 일하고 있다는 데 대해 자부심과 사명감을 품고 있었다. 내 생각과는 다르지만, 그런 그들의 자세를 인정할 수밖에 없었다.

나는 매사에 상대를 좋게 여기고 어떤 상황에서도 낙관적으로 생각하는 습성이었다. 이런 성격 때문에 극단적인 방법으로 일을 끌어나가지 못한다. 그래서 친구들로부터 “투쟁심이 약하고 의식이 투철하지 못하다”는 비판을 받기도 했다. 나는 중앙정보부에서 조사받으면서도 이런 성격이 드러나 조사관들에게 적개심을 드러내지 못했다. 그들도 우리처럼 나라를 위해 하는 일인데, 그 일하는 방법이 다르고 입장이 다를 따름이라고 생각했다. 그리고 우리나라가 안정을 유지하며 발전을 이루어나가려면 양쪽이 다 있어야 한다는 생각이 들었다.

그런데 조사 과정에서 내가 심한 부상을 입는 사건이 일어났다. 그날의 조사는 우리 사건에 여자가 관계됐느냐는 내용이었다. 나는 여자가 관계된 사실이 없노라고 말했다. 실제로 짧은 기간에 준비하느라 남자들만 관계했지 여자까지 연결할 겨를이 없었다. 내가 그대로 말했으나 조사관은 굳이 여자가 관계돼 있으니 사실대로 말하라고 윽박질렀다.

같은 말을 몇 시간이고 반복하다 보니 서로가 짜증이 나고 상대에 대한 분노가 치밀어올라 폭발 직전에까지 이르렀다. 나는 악이 나서 말했다.

“예, 관계된 여자가 생각납니다.”

“아무렴, 진작 그렇게 말할 것이지 왜 숨기려고만 한 거야.”

그는 회심의 미소를 지으며 담배를 피워 물고는 내 대답을 기록할 자세를 취했다.

“첫째, 1월 9일 아침 청계천 판자촌에서 종로 5가에 있는 기독교방

송국으로 가느라 탔던 버스의 안내양이 여자였고 둘째, 종로 5가 기독교회관에서 8층 방송국으로 올라가던 때 탔던 승강기의 엘리베이터걸이 여자였고 셋째….

내가 열이 나서 이렇게 읊어대기 시작하니 그는 놀림받는 줄 알고는 화가 머리끝까지 나서 벌떡 일어났다.

"뭐 어째? 이 새끼가 누굴 갖고 노는 거야!"

그의 주먹이 내 왼쪽 옆구리에 내리꽂혔다. 워낙 화가 났던 터라 그 위력이 대단했다. 첫 번째 주먹에서부터 숨이 탁 막히며 호흡곤란을 느꼈다. 그 후로 숨을 내쉬거나 들이쉴 때마다 옆구리에 바늘로 찌르는 듯한 통증을 느꼈다.

그러던 차에 성경이 차입됐다. 처음 성경을 받아들었을 때의 감격을 어찌 글로 표현할 수 있겠는가! 나는 창세기부터 차근차근 읽기 시작했다. 월요일 아침부터 읽기 시작해 토요일 오후가 되니 성경 한 권을 다 읽을 수 있었다. 그렇게 엿새 만에 성경을 일독하고 난 후 나는 반성했다. 명색이 설교자가 되어 엿새면 한 번 읽는 성경을 일 년에 한 번도 읽지 않고 설교해 왔음을 반성한 것이다. 앞으로 옥중에 있는 동안에는 성경 읽기에 열중해야 겠다고 다짐하고는 열심히 읽었다.

성경 읽는 방법에는 크게 두 가지가 있다. 성경 전체를 물 흐르듯 죽죽 읽어나가는 방법을 통독이라 하고, 한 절 한 절 깊이 음미하며 읽는 방법을 정독이라 한다. 나는 통독을 했다.

그렇게 여섯 번째 읽을 때였다. 구약 예레미야를 읽는 중에 갑자기 성경이 변했다. 글자가 인쇄된 종이책은 사라지고 살아서 숨 쉬고 말하는 말씀으로 바뀌었다. 성경이 살아있는 말씀이 되어 나와 대화를 나누는 인격체로 변했다.

나는 감격에 넘쳐 울면서 성경을 읽어나갔다. 눈물이 흐르고 흘러 책장에 떨어지는지라 성경을 멀찍이 들고는 읽고 또 읽었다. 성경을 읽었다기보다 들이마셨다고 표현하는 게 옳을 것 같다. 성경 한 절 한 절이 내 몸 세포 하나하나에 파고들어 파도를 일으키는 듯했다.

나는 찬 마룻바닥에 무릎을 꿇고 감사기도를 드렸다.

"하나님 아버지, 이 허물 많은 사람에게 감옥에 들어올 기회를 허락하시어 생명의 말씀을 접할 기회를 주시니 감사합니다. 감옥에 머무는 동안에 말씀에 은혜가 깊어져 저를 새롭게 해주셔서 교회를 새롭게 하는 말씀의 종으로 세워주시옵소서."

괴테가 이르기를 "눈물 젖은 빵을 먹어보지 않은 자 인생을 논하지 말라"고 했다. 나는 이 말을 "성경을 읽다가 감격의 눈물을 흘려보지 않은 자는 기독교 신앙을 말하지 말라"고 표현하고 싶다.

조사가 일단락되면서 비상보통군법회의가 열렸다. 삼각지에 위치한 육군본부 뒤에 군법회의장이 설치되고, 우리 일행은 오랏줄에 묶인 채 재판을 받느라 끌려다니게 되었다.

두 번째 재판이 열리던 날 사건이 일어났다. 재판이 갑자기 중단된 것이다. 우리는 영문도 모른 채 육군본부 어느 방에서 몇 시간이고 기다리게 됐다. 우리는 추위와 지루함을 참으며 기다렸다.

수 시간 후에야 재판이 재개됐다. 후에 알고 보니 청계천 빈민촌 주

민들과 활빈교회 교인들이 육군본부 정문 앞에서 데모를 벌인 일로 재판이 중단됐던 것이었다.

빈민촌 주민들이 떼 지어 육군본부 정문으로 몰려와 소리를 질렀다.
"우리들의 지도자 김진홍 전도사를 석방하라!"

이 데모로 인해 육군본부에 비상이 걸렸다. 경비하던 헌병들이 카빈총에 장탄을 하며 "물러나라, 쏜다"고 해도 빈민촌 데모대는 막무가내였다. 아기를 등에 업은 것이 아니라 가슴에 안고 헌병들이 겨누는 총부리 앞으로 돌진하며 소리를 질렀다.

"쏠 테면 쏴라, 이 새끼들아! 이런 놈의 세상, 살 맘도 없다!"

이렇게 돌진하니 헌병들이 쩔쩔매며 뒷걸음질 칠 수밖에 없었다. 후에 누군가 건군 이래 헌병들이 육군본부 정문에서 후퇴하기는 그때가 처음이었을 거라고 말했다.

청계천 주민들의 데모 소식은 우리에게 큰 위로가 됐다. 바깥세상과는 단절된 고립무원의 세계에 있는 우리에게 재판과 때를 맞춰 데모했다는 소식은 큰 격려가 됐다. 밖에서 우리에게 관심을 가지고 있다는 표시인 것 같았기 때문이다.

동료 정치범들은 빈민촌 주민들의 데모 소식을 듣고 내게 말했다.

"진홍이가 참으로 부럽구먼. 그간에 큰일을 해놓았어. 지금이 어떤 때인데 육군본부 앞에서 데모를 벌이겠는가! 주민들이 김 전도사를 얼마나 따랐으면 서슬 퍼런 육군본부 헌병들 앞에서 데모했을까. 김진홍 전도사는 행복한 사람이야!"

그러나 나는 혹시 데모 중에 주민들이 다치지나 않았을까, 생명에 지장은 없었을까 염려가 됐다. 중앙정보부 요원을 만났을 때 그들이 다치지 않았는지 물었다.

"우리 재판받던 날 빈민촌 주민들이 데모했다던데 다치지나 않았는지요?"

"뭐라고? 다치지 않았느냐고? 말도 말게. 내 평생에 그런 데모는 처음이야. 아기를 가슴에 안고 쏘라고 달려드는데, 그 사람들 다쳤다간 큰일 나게? 잘 모셔다가 설렁탕 한 그릇씩 대접하고 일류극장 표 한 장씩 줘서 동네까지 모셔다드렸어."

가난하게 사는 밑바닥 사람들일수록 정이 있고 의리가 있게 마련이다. 추운 겨울에 끼니도 제대로 잇기 어려운 터에 주민들이 헌병들 앞에서 그런 데모를 벌였다니 고맙기도 하고 염려도 됐다. 감옥에서 풀려나면 그렇게 의리 있는 주민들을 잘 모셔야겠다고 다짐했다.

그런 중에도 군법회의는 계속됐다 2월 7일에 징역 15년, 자격 정지 15년의 선고가 내려졌다. 중형을 선고받고도 우리 일행 여섯 명은 낙심하거나 비관하는 마음이 없었다. 우리는 한결같이 민주 조국 건설에 밑거름이 되고 복음교회 성장에 제물이 된다는 자각에서 명예스러움을 느낄 따름이었다.

비상보통군법회의에서 형을 선고받은 즉시 우리는 항소했다. 비상고등군법회의에서 다시 수사가 시작됐다. 우리 사건의 배후 세력을 추궁하는 신문에서 우리는 다시 한번 곤경에 처했다. 조사관들은 끈질기게 물어왔다.

"당신들에게는 반드시 배후 세력이 있을 것이오. 어떤 정치세력이

나 불온 세력이 있을 것이오. 어차피 밝혀질 텐데 실토하시오!"

그런 추궁이 며칠간이나 계속됐다. 나는 대답했다.

"배후 세력이 있다는 말은 옳은 말이오. 우리 배후 세력은 사람이 아니라 하나님이오!"

어느 날 중앙정보부의 한 고위층 인사가 내게 해선 안 될 말을 했다.

"김진홍, 네가 주범이라지?"

"그렇습니다."

"왜 교회가 정부에 대해 자꾸 적대행위를 하는 게야? 교회가 이런 식으로 계속 적대행위를 하면 한국 땅에서 아예 교회를 없애버리겠어."

나는 그 말을 그냥 지나칠 수 없었다. 매섭게 걸고 들었다.

"뭐라고요? 교회를 없애버리겠다고요? 그 말에 책임질 수 있습니까? 교회가 반대하는 건 정부가 아니라 특정 정권입니다. 교회를 없애겠다고 말씀하시는데, 그것이 박정희 대통령의 생각이오, 공화당의 정책이오, 아니면 정보부의 방침이오?"

"이거 왜 진돗개처럼 물고 늘어지는거야."

"아니, 진돗개가 아니라 말치고 이상한 말을 하고 계시잖아요. 어디 연습으로라도 한번 해봅시다. 이 땅에서 공화당이 먼저 없어지는가, 예배당이 먼저 없어지는가, 둘 중 어느 쪽이 먼저 없어지는가 연습으로 한번 겨루어봅시다!"

부평초같이 흥망을 거듭하는 권력 집단이 그리스도의 교회에 대해 감히 존폐를 거론하다니, 참으로 가소로운 일 아니겠는가?

사람 사는 일에서 소유관계가 바뀌면 인심이 바뀐다.
물질이 하나가 되면 마음이 하나로 모이게 되고,
또 마음이 하나가 되면 물질도 하나로 모이게 된다.
그래서 다툼과 원망도 줄어들게 된다.
우리 일곱 명은 한 부모 밑에서 자란 칠형제처럼 되어
나이 순서 대로 형과 동생을 정하고 화목한 분위기를 갖게 됐다.
감방 안에서 식구들 사이에 공동체가 형성된 후 싸움이 줄고
서로 위로하는 분위기로 바뀌었다.

7인의 공동체

7인의 공동체

1974년 2월 중순 어느 날, 나는 방을 옮겼다. 그동안에는 0.7평 크기의 독방에 수감돼 있다가 일반수들이 있는 방으로 옮겨진 것이다. 새로 들어간 방은 1.4평 크기인데 여섯 명의 일반수가 있었다. 1.4평 넓이에 일곱 명의 짐이 있고 화장실까지 있으니 좁고 불편하기가 이루 말할 수 없었다. 낮 동안에 앉아 있으면 한방 가득 찼다.

문제는 밤이었다. 일곱 명이 자기에는 애초에 무리였다. 하는 수 없이 한쪽 어깨만 마룻바닥에 붙이고 잠들었다. 하루는 오른쪽 어깨로, 다음 날은 왼쪽 어깨로 자는 식이었다. 그렇게 자는 잠을 '칼잠'이라 불렀다. 어깨를 칼날처럼 세우고 잔다고 그렇게 부르는 것이었다.

그렇게 칼잠을 자다가 잠시 어깨가 빠지기라도 하면 금세 자리가 없어졌다. 그렇게 되면 화장실 옆에 앉은 채 자는 수밖에 없었다. 그래서 밤중이면 오줌이 마려워도 자리를 잃을까 봐 그냥 참았다.

내가 들어간 방 죄수 중에는 접시돌리기(사기꾼) 둘, 아리랑 강도 한 명, 물총 강도(강간범) 한 명, 특수 강도 한 명, 부러진 칼(절도) 한 명이 있었다.

접시돌리기 한 명은 200원짜리 설탕 한 봉지를 홍콩에서 갓 들여온 아편이라고 속여 500만 원에 팔았다가 잡혀 온 사람이었다. 어떤 바보가 그렇게 큰돈을 주고 설탕 한 봉지를 샀을까 싶지만, 그들의 실력(?)이 워낙 뛰어나 속아 넘어가기 마련이라고 했다. 물론 속는 사람 자체가 법을 어겨서라도 떼돈을 벌어보겠다는 욕심이 있을 때 한해서다.

그는 자기가 설탕을 팔아먹던 때의 과정을 소상히 일러주었다. 나에게 가르쳐줄 테니 교인들에게 한번 시험해 보라는 말까지 곁들이며 설명해 주었다.

그들은 3인조로 인천이 활동무대다. 생김새가 신사 타입인 동료가 흰 가운을 입고 가슴께에 의학박사 아무개란 명찰을 떡하니 붙이고는 인천기독병원 부근에 대기하고 있는다. 한 사람은 아편을 팔려는 사람, 다른 한 사람은 아편을 사지 못해 안달이 난 사람의 역할을 맡는다. 그는 이 장사를 제대로 하려면 척 인상을 보고 욕심 있게 생긴 사람을 골라낼 수 있는 안목이 있어야 한다고 덧붙였다.

사기에 걸려드는 사람은 꾀가 있어 보이고 욕심 있게 생긴 사람이지 욕심 없고 순진한 사람은 오히려 잘 걸려들지 않는다고 했다. 순진한 사람들은 큰돈을 벌 건수가 있다고 하면 내 형편에 그런 큰돈도 없고 합당한 일도 아닌 듯 하다며 그냥 지나가 버린다고 한다. 그러나 얼굴에 꾀가 흐르고 스스로 잘났다고 믿는 사람은 큰돈 벌 일이 있다는 말을 들으면 이미 자기 돈이나 되는 양 착 달라붙는다고 했다.

두 배우가 한적한 길목에 서 있다가 행인 중에 돈푼깨나 있어 보이고 욕심 기가 있어 보이는 행인이 나타나면 길 한 모퉁이에서 판을 벌인다.

"아니, 여보, 이 물건이 도대체 얼마짜린데 단돈 이백만 원에 먹으려 드는 거요? 안 됩니다. 지금 당장이라도 오백만 원 내겠단 사람들이 수두룩한데."

그들은 대상으로 점찍은 사람에게 들릴 만한 목소리로 말한다. 그러면 사는 역을 맡은 쪽에서는 값을 조금만 더 얹어주겠노라고 사정한다. 가진 돈이 없어서 그러니 250만 원에 넘겨달라고 사정 조로 말한다. 팔려는 쪽에서는 안 된다고 버틴다.

지나가던 행인은 크게 돈 벌 일이 터진 게로구나 생각하고 끼어든다. 그렇게만 되면 일은 다 된 것이다. 그가 대체 무슨 물건이냐고 물으면 홍콩에서 선원이 들여온 아편인데 잡히면 큰일 난다. 사려는 임자를 제대로 만날 수 없다. 임자만 만나면 2천만 원은 받을 물건인데 사람을 못 만나 이러구있다고 능청을 떤다.

미스터 봉은 의심이 나서 묻는다. 그 물건이 진짜인지 어떻게 아느냐고 물으면 아편 임자는 병원으로 가서 확인해 보면 금세 알 수 있노라고 일러준다. 그리고 이 물건에 관심이 있으면 지금 당장 병원으로 함께 가서 확인하자고 말한다.

미스터 봉은 귀가 솔깃해서 그러자고 응답한다. 둘은 택시를 타고 인천기독병원으로 간다. 아편을 사려는 사람 역을 맡은 동료가 먼저 가서 가짜 의사에게 "떴다!"고 연락해 준다. 가짜 의학박사는 인천기독병원 화장실에 들어가 대기하고 있는다.

택시 타고 온 둘은 병원으로 들어가 품질 감정을 의뢰할 만한 사람을 물색하느라 이 방 저 방을 기웃거린다. 그때 화장실에 있던 의학박사께서 의젓한 폼으로 복도를 지나간다. 아편 주인은 박사 곁으로 가서 머리를 조아리고 품질검사를 의뢰한다.

박사님은 아편을 받아 들고 어느 방으로 들어간다. 얼마 후 박사님이 나와 조심스러운 태도로 말한다.

"이 물건은 순도 99퍼센트짜리 진짠데, 우리 병원에 파십시오. 오백만 원을 현금으로 드리겠습니다. 이런 물건 들고 여기저기 다니다가는 위험하니 우리 병원에 넘기세요."

이 말을 들은 미스터 봉은 그만 열이 올라 끼여들어 병원 측과의 매매를 방해하고는 아편 주인을 데리고 밖으로 나온다. 그리고 서둘러 돈을 마련해 사들인다. 3인조는 크게 봐주는 척하며 300만 원에 팔아 각자 백만 원씩 챙겼다는 이야기였다.

그런데 왜 잡혔느냐고 물었더니 택시를 타지 않고 버스를 타서 잡혔다고 했다. 아편을 사들인 그자가 다시 인천기독병원에 가서 팔려고 했다. 병원에 가서 의학박사 아무개를 찾으니 그런 사람이 없다는 대답이었다.

덜컥 의심이 난 미스터 봉은 약국으로 가서 아편으로 속아 산 설탕가루를 조금 담아 품질 검사를 해달라고 부탁했더니, 약사가 설탕을 뭐 하러 검사하려는 거냐고 묻더라는 것이다. 미스터 봉은 놀라 포장을 뜯고 손가락에 가루를 찍어 혀끝에 대보니 영락없는 설탕이었다.

그제야 설탕 한 봉지를 300만 원에 산 줄 안 욕심쟁이가 얼마나 분통이 터졌겠는가. 그는 실성한 사람처럼 사기꾼 잡겠다고 인천 시내를 쏘다니다가 버스 안에서 이들과 마주친 것이다.

버스에서 또 한 사람 걸려들 만한 사람이 없을까 하여 승객들 인상을 살피고 있는데, 누군가가 뒤에서 혁대를 질끈 잡으며 "야, 이 사기꾼아, 여기서 잘 만났다!" 하기에 돌아보니 미스터 봉이었다.

그길로 교도소까지 들어온 것을 그는 못내 아쉬워하며 틈만 나면 말하곤 했다.

"사람은 신분에 맞게시리 살아야 돼야. 그날 택시를 탔어야 하는 건데 괜히 버스를 타 망했어."

그래서 그의 별명은 택시 아저씨가 되었다. 그를 부를 때면 이름도, 죄수 번호도 사라지고 그냥 '택시 아저씨'로 통했다.

그는 재물 관리에 재간이 뛰어나 교도소 안에서도 암거래를 해서 200만 원을 벌어 나간 사람이었다. 그렇게 뛰어난 재간을 지니고도 옳지 못한 곳에 쓰니 교도소 드나드는 신세를 벗어나지 못했다. 사람 마음가짐이 어떠냐에 따라 운명이 하늘과 땅만큼이나 달라지는 대표적인 사례라 하겠다.

또 다른 사기꾼은 연탄재를 필름이라고 속여서 팔다가 잡혀 온 사람이었다 연탄재를 기막히게 포장해서 쌓아두고 맨 위에는 진짜 필름을 얹어 사기 치는 것이었다.

거래할 때는 진짜 필름을 견본으로 보여주었다. 사는 사람이 맨 위에 있는 물건 포장을 헐어 내용을 살피고는 좋은 물건인 줄만 알고 값을 치르려 했다. 돈을 헤아리고 있는데 지나가던 형사가 느닷없이 끼어들어 "이거 뭔 물건들이오?" 하며 가운데서 하나를 쑥 뽑아 펼치니 연탄재가 나왔다. 일이 틀어진 줄 알고 재빨리 도망친다는 것이 워낙 사람들이 많이 모인 시장 바닥인지라 잡혀들어오고 말았다.

아리랑 강도란 노상에서 지나는 행인의 턱을 후려치고 쓰러지면 금품을 털어가는 강도를 말한다. 턱을 맞고 비틀비틀 쓰러지는 폼이 아리랑 고개를 넘는 것과 흡사하다고 해서 붙인 이름이다. 우리 방에 있던 이는 통산 47회나 아리랑 강도를 해서, 다섯 명은 턱이 부서지고 한 명은 즉사케 한 헤비급이었다.

물총 강도는 경기도 이천에서 산에 성묘하러 온 여중생을 덮치고 들어온 젊은이였다. 그의 공소장에는 열네 살 먹은 여중생을 묘지 앞에서 칼로 위협하고 시곗바늘 세시 방향으로 범하여 전치 2주의 상처를 입혔다는 내용이 적혀 있었다.

택시 아저씨가 우리 방 실장이었는데, 실장이 심심할 때면 그에게 묻곤 했다.

"어이, 시계방향 세시가 어느 쪽이지? 그쪽이 제일 맛이 좋은 쪽인가?"

특수 강도는 범행 때 칼을 사용했다고 해서 붙은 말이다. 그는 담을 넘어 들어가 칼로 부부를 위협해 묶어두고는 챙길 것 다 챙기고 나서 통금이 끝나기를 기다리다가 잡혀들어왔다. 그는 기다리기가 지겨워 찬장에서 나폴레옹 코냑 한 병을 발견하고는 이 술이 독한 술인 줄 까맣게 모른 채 포도주 마시듯 꿀쩍꿀쩍 들이켰다. 그러곤 잠에 곯아떨

어졌는데 깨어보니 파출소더라는 사연이었다.

방에서는 가끔 논쟁이 벌어지곤 했는데, 주제는 그가 그날 밤 과연 코냑만 마셨겠느냐, 아니면 주부까지 실례했겠느냐는 것이었다. 그 자신은 여자에게 손대지 않는 신사적인 사람이라고 주장했으나 아무도 그의 말을 믿으려 들지 않았다. 숨 쉬는 것 외에는 다 거짓말인 사람이라고들 했다.

'부러진 칼'로 불리는 절도범이 가장 불쌍한 젊은이였다. 지능 지수가 정상에서 조금 떨어지는 젊은이였다. 전라남도 신안군 어느 섬이 고향인 그는 일자리를 구해보려고 서울로 왔다. 그러나 일자리는 얻지도 못하고 배가 고파 어느 집 담을 넘었노라 했다. 담을 넘은 그는 부엌까지는 들어갔는데 차마 방으로 들어갈 용기가 나지 않았다. 어떻게 방으로 들어갈 방도가 없을까 궁리하다가 한가지 꾀를 썼다.

그는 부엌에서 연탄을 새로 갈아 넣고는 안방 문을 조금 열었다. 찬장에서 부채를 하나 찾아내 새 연탄에서 나오는 연탄가스가 방 안으로 들어가도록 부채질했다. 방안에 자는 사람들이 연탄가스에 중독돼 의식을 잃으면 그때 들어가 마음껏 훔칠 요량으로 한 일이었다.

그러나 그 생각이 제대로 맞아떨어지지 않았다. 빈속에다 얼었던 몸으로 불 곁에 앉아 있으려니 졸음이 밀려왔다. 처음에는 부채를 든 채 꾸벅꾸벅 졸았으나 얼마 후에는 아예 잠이 들어버렸다. 밤중에 그 집 주부가 연탄불을 갈려고 부엌으로 나왔다가 질겁을 했다. 시커먼 남자가 부채를 손에 쥔 채 부뚜막 곁에서 잠들어 있는 것을 봤으니 얼마나 놀랐겠는가. 남편을 깨우고 파출소에 전화를 걸어 경찰을 불렀다.

결국 잠들어 있던 그 자리에서 오랏줄에 묶여 경찰서를 거쳐 서대문 구치소까지 오게 되었다. 그의 죄명은 엄청나게도 집단 살인미수에다 절도미수였다. 연탄가스로 일가족을 몰살하려 했다 하여 그런 어마어마한 죄명이 붙었다.

머리가 좋은 사람이 꾀를 써야지, 머리 나쁜 사람이 꾀를 쓰니까 일이 제대로 될 리 없었다.

이상이 나와 같은 방에 살게 된 죄수들의 프로필이었다.

그들과 함께 지내며 놀란 점은 감옥 안에서도 빈부 차가 심하다는 사실이었다. 감옥에서는 돈을 사용할 수 없기에 물물교환이 성행했다. 치약, 비누, 미원 등이 화폐 역할을 하고 있었다.

그런데 그렇게 좁은 방에서 부자는 치약을 자루에 가득 쌓아 두고 있는 반면 어떤 죄수는 치약이 없어 손가락으로 양치질하고 있었다. 또 한 죄수는 비누를 두 박스나 가지고 있는데 다른 죄수는 비누가 없어 맹물에 빨래하고 있었다.

코딱지만 한 방에서 서로 얼굴을 맞대고 살아가는 처지에 돈 있는 죄수들은 끼니마다 불고기 사식을 들여다 먹는 반면 시골에서 올라온 가난한 죄수들은 냄새만 맡고 지냈다. 그러니 자연히 불화가 생기고 다툼이 일어날 수밖에 없었다. 처음에는 말로 시작된 다툼이 곧장 주먹다짐으로 이어지곤 했다.

부자 죄수가 불고기 정식을 시켜 먹고 있으면 냄새만 맡아야 하는 가난뱅이 죄수가 코를 씰룩거리며 트집을 잡았다.

"허, 거 냄새 한번 지독히 피우고 있네 그려. 언 눔은 인삼 묵고 언

눕은 배추 뿌리 묵고. 언 눕은 배 터져 죽고 언 눕은 굶어 죽고."

"아니, 왜 억울해서 그려? 이 냄새가 좋은 갑지? 좋거든 시켜 먹어. 누가 못 먹게시리 막아놓았어?"

"아니, 이 작자가 시방 누굴 약 올리는 기여?"

"약 올리는 기 아니라 경우가 그렇잖은가? 내가 지금 거금 들여 식사하고 계신디 니눔이 트집을 잡아싸니 통 밥맛이 없다 이기여."

"이색꺄, 아가리 통이 돌아가야겠냐. 그 입으로 다시는 고기반찬 못 씹도록 만들어 놓을까 보다."

"하~ 그래. 내 아가리 여기 있다. 니가 가져가 버려라."

이래서 주먹다짐이 오고 가기 시작하면 워낙 좁은 방이라 싸움 말리는 내가 얻어맞기 일쑤였다.

2평이 못 되는 방이 마치 한국 사회의 축소판 같았다. 한국 사회에도 부익부 빈익빈, 즉 부자는 날로 부자가 돼가고 가난뱅이는 날로 더 가난해져 가는 현상이 심해지고 있는데, 이 좁은 감방에서조차 빈부 갈등을 겪어야 하는 것이 못내 답답했다.

나는 생각다 못해 한 가지 제안을 했다.

"여러분, 우리 이 방에서 한번 멋진 정치를 해봅시다. 청와대에서도 못하고 장군들도 못하는 정치를 해봅시다."

"예? 정치를 하자구요. 뭔 정치를 어떻게 하자는 거요?"

"공동체 정치라 부를 수 있겠습니다. 우리나라는 지금 부자들과 가난한 사람들 사이가 점점 벌어지고 있는 것이 큰 문젭니다. 그걸 부익부 빈익빈 현상이라 하지요. 부자들과 가난뱅이들 사이가 많이 벌어지면 거기서 불평등 사회가 됩니다. 부자와 가난한 자 사이에 간격이 벌어져 중간에 고속도로가 닦이면 그리로 공산당이 들어오는 거지요. 그러니 우리 이 방에서 네것 내것 없이 모두 우리 것이 되는 공동체를 이뤄보자는 겁니다. 통장에 든 돈이고 치약이고 비누고 무엇이든 전부 공동의 소유로 하고 함께 쓰자는 겁니다."

그런 제안에 모두 멍한 얼굴로 나를 바라보고만 있었다. 얼마 후 돈이 제일 많은 택시 아저씨가 심히 못마땅하다는 투로 말했다

"2012번, 당신 혹시 평양서 온 사람 아니오? 혹시 반공법 관계로 들어온 거 아니슈? 말하는 거이 퍽 수상하외다?"

"그 점은 안심하십시오. 나는 평양서 온 사람도 아니고, 반공법에 걸려 들어온 사람도 아닙니다. 나는 기독교인이고 활빈교회라는 교회의 전도삽니다. 그러니 사상에 대해서는 염려 안 하셔도 됩니다."

"전도사든 뭣이든 그 말하는 것이 수상하외다. 언제 빨갱이들이 '나 빨갱이요' 하고 얼굴에 빨간 칠 하고 다니는 거 봤소? 이 방에서 다시는 그런 말 마슈. 한 번만 더 그런 말 하면 내가 간첩 신고하갔시다. 간첩 신고하면 보상금이 얼만지 선생께서도 알고 있갔지요?"

재산을 합하자니까 마음에 위협을 느낀 모양이었다. 나는 내 제안이 쉽사리 받아들여질 분위기가 아님을 느끼고는 말했다.

"여러분들은 내 제안이 얼른 이해가 안 가시는가 보구먼요. 어렵고 복잡하게 생각할 거 조금도 없습니다. 우리가 한 부모에게서 자란 형제들이라고 생각하면 됩니다. 여기서 나이가 제일 많은 분이 맏형이고 제일 어린 분이 막내가 되는 거지요. 그렇게 한 형제, 한 가족이 되

어 있으면 같이 먹고 없으면 같이 굶는 겁니다.

지금은 치약 한 통 가지고도 서로 다투며 지내는데, 그렇게 한 살림으로 합하면 다 같이 부자가 되는 겁니다."

"부자 좋아하시네. 누가 예수쟁이 아니랄까 봐 말 하나는 잘 허는군. 정 그런 생각이면 당신거나 먼저 내놓으시구려. 예수쟁이들은 말만 번지르르하다니까."

"물론 제 것을 내놓겠습니다. 하지만 내 것을 내놓아서 없는 사람에게 주는 것은 구제하는 거고, 이 방의 모두가 있는 것을 다 내놓고 하나로 합하는 것은 공동체를 이루는 일입니다. 구제와 공동체는 완전히 다릅니다. 구제는 있는 사람들의 자기만족이 되기 쉽습니다. 그러나 공동체를 이루어나가는 것은 있는 편과 없는 편이 다 함께 참여하는 거니까 완전히 차원이 다릅니다."

열심히 설득하려 했으나 역부족이었다. 이런 제안이 받아들여지려면 먼저 인간적인 신뢰가 쌓이고 마음속을 터놓을 수 있는 대화가 있어야함을 느끼고 다시 말했다.

"여러분들이 아직은 잘 이해가 되지않나 보군요. 아무리 좋은 일도 충분히 이해가 가고 나서 자발적인 참여가 있어야 하는 거니까 그런 분위기가 될 때까지 기다립시다. 저는 이 방이 그런 방이 되게 해달라고 기도하겠습니다."

그런 대화가 있은 지 며칠 후 좋은 기회가 왔다. 전남 신안에서 올라온 '미스터 연탄'이 역할을 하게 되었다. 그는 지능이 조금 낮은 데다 짜임새가 없어 자기 몸을 제대로 관리하지 못했다. 그런 그가 감옥에 들어왔으니, 아무도 도와주지 않았다.

그 해는 추위가 빨리 왔다. 감옥에서 겨울옷이 지급되기도 전에 기온이 이미 영하로 내려갔다. 다른 죄수들은 가족들이 옥바라지한다고 솜옷이며 내의, 담요까지 넣어줘 추위를 이겨나갔으나 그는 그렇지를 못했다.

홑옷만 입은 채 내의도 양말도 없이 떨다가 발이 동상이 걸렸다. 동상에 걸리면 가려움이 심하다. 절제력이 없는 그는 가려운 자리를 긁고 만지기를 계속하다가 상처가 나고 그 상처에 균이 들어가 덧나게 되었다. 오른쪽 발가락부터 검은색을 띠기 시작하더니 발등이 부어오르는 증세가 심상치 않았다.

나는 염려스러워 병실에 가서 진찰을 받아보라고 일렀다. 그가 다녀와서 풀이 죽어 말했다.

"발에 균이 들어가 썩는대요. 잘못하면 잘라야 한대요."

그러고는 머리를 벽에 댄 채 훌쩍훌쩍 울고 있었다. 그러는 그가 불쌍했다. 두 다리를 가지고도 못 살아 감옥까지 들어왔는데, 다리 하나를 자르고 어떻게 살겠는가 하는 마음이 들어 치료를 받을 수 있도록 도와야겠다고 생각했다.

그래서 내가 입고 있던 솜옷을 벗어 입히고 내의와 양말 등을 나눠주고는 하루 세 번씩 상한 다리를 마사지하며 기도했다. 따뜻한 물을 한 주전자 달라고 해서 수건에 적시고, 상처에 찜질하며 기도했다.

"하나님, 이 젊은이를 도와주십시오. 이 다리를 자르지 않도록 치료해 주십시오!"

하루 세 번씩 그렇게 기도하기를 계속한 지 8일째 되니 상처 부위의 색깔이 변하고 있었다. 검은색을 띠고 있던 부분에 혈색이 돌기 시작했다. 나는 무언가 내부에서 변화가 있음을 느끼고 그에게 말했다.

"이 사람아, 지금 피부 색깔이 달라지고 있어. 세포가 살아나고 있는 것 같아. 병실에 다시 가서 진찰해 보게. 잘하면 다리를 살릴 수 있을 것도 같은데?"

등을 떼밀다시피 해서 병실로 보냈더니 두 시간가량 지난 후 그가 돌아왔다. 그는 방에 들어와 아무 소리 없이 내 앞에 무릎 꿇고 앉더니 두 손을 바닥에 짚은 채 눈물만 줄줄 흘리고 있었다. 우리는 의아스러워 물었다.

"왜 그래? 왜 말없이 울고만 있는가? 의사가 뭐라 그랬어? 다리 잘라야 한대?"

그는 한동안 그러고 있더니 더듬거리며 말했다.

"선생님, 고마워요. 내 다리 살았대요. 다리 안 잘라도 되겠대요. 선생님, 정말 고마워요"

그가 그렇게 말하며 눈물을 훔치니 모든 방 식구가 환성을 질렀다.

"야! 센데! 다리가 살아났다고! 2012번 센데! 들어올 때 개털인 줄 알았는데 지내보니 완전히 범털이잖아?"

감옥에서는 약하면 '개털' 이라 하고 세면 '범털' 이라 불렀다. 개털보다 더 약하면 '쥐털' 이라 하고 범털보다 더 세면 '용털' 이라고 했다. 젊은이의 다리를 살려낸 것을 보고 방 식구들이 나를 범털로 인정한 것이다. 나는 그를 진심으로 위로해 주었다.

그런 일이 있은 날 오후부터는 방 분위기가 달라졌다. 싸움도 줄어들고 서로 위로하는 말이 늘어났다. 그날 밤 취침나팔 소리를 들으며 잠자리에 들었다. 역시 모로 누워 칼잠을 청했다. 막 잠이 들려는 참에 내 곁에 누워 있던 인천의 택시 아저씨가 말을 걸어왔다.

"김 선생, 주무세요?"

"아뇨, 아직 안 잡니다."

"선생님하고 함께 있으니 배우는 게 많습니다."

"그러세요? 저도 배우는 게 많습니다."

"그런데요 선생님, 처음 들어오셔서 한 말 기억 나세요?"

"무슨 말인데요?"

"거 왜 네 거 내 거 따지지 말고 같이 쓰자고 했던 얘기 말입니다."

"기억나고말고요. 지금도 그렇게 하고 싶어 늘 기도하고 있습니다."

"저도 생각을 해봤는데요, 까짓거 밑져야 본전이니 한번 해보자는 생각이 드는데요. 선생님이 좋으시다면 저도 적극 호응하겠습니다."

나는 그 말에 벌떡 일어나 앉으며 말했다.

"좋습니다. 쇠뿔은 단김에 빼랬다고, 당장 시작합시다."

그 방의 다른 사람들은 이미 다 찬성하는 분위기였다. 제일 부자인 그만 반대하는 입장이었는데, 젊은이의 다리 사건으로 자극을 받은 모양이었다.

그가 찬성하니 이제라도 당장 실천하는 것이 좋겠다는 생각이 들었다. 왜냐하면 밤사이에 또 생각이 변해 내일 아침이면 혹시 딴소리하지 않을까 염려됐기 때문이었다. 아침에 가서 어제저녁에는 잠결에

한 말이지요 하고 오리발을 내밀지도 모르니, 말이 나온 김에 지금 당장 실천에 옮기는 것이 좋으리라 생각했다.

그래서 나는 잠자리에 든 방 식구들을 모두 깨웠다.

"모두 일어나세요. 자기 전에 해야 할 일이 있습니다!"

모두 잠이 들려던 참에 영문도 모르고 일어났다.

"김 선생님, 왜 그러세요. 뭐 나쁜 일이라도 생겼나요?"

"아뇨, 다 합치는 겁니다. 통장에 든 돈도 치약도 비누도 모두 합해 이제 한 형제로 한 살림을 사는 겁니다."

그리고 내 것부터 다 털어 내놓으니 모두가 따라주었다. 그렇게 되니 다음 날부터 방 분위기가 달라졌다.

사람 사는 일에서 소유관계가 바뀌면 인심이 바뀐다. 물질이 하나가 되면 마음이 하나로 모이게 되고, 또 마음이 하나가 되면 물질도 하나로 모이게 된다. 그래서 다툼과 원망도 줄어들게 된다.

우리 일곱 명은 한 부모 밑에서 자란 칠형제처럼 되어 나이 순서 대로 형과 동생을 정하고 화목한 분위기를 갖게 됐다. 감방 안에서 식구들 사이에 공동체가 형성된 후 싸움이 줄고 서로 위로하는 분위기로 바뀌었다.

그렇게 며칠이 지난 어느 날 절도범이 내게 요청했다.

"선생님은 밤낮 성경을 보고 계시는데, 혼자서만 보시지 말고 우리에게도 성경 이야기를 좀 해주시라요."

내게는 더없이 반가운 요청이었다. 나는 형제들을 돌아보며 물었다.

"김 씨가 성경 이야기를 해달라고 하는데 어떠세요? 다른 분들도 원하십니까? 다 같이 원한다면 저는 좋습니다."

모두가 좋다고들 해서 나의 옥중 성경 강의가 시작됐다. 처음에는 주로 구약성서에 나오는 쉽고 재미있는 이야기들로 시작했다. 삼손의 러브 스토리, 소년 다윗이 적장 골리앗을 쓰러뜨린 이야기, 기드온 장군의 게릴라전 이야기, 다니엘 수상의 사자 굴 이야기 등을 들려주었다. 그런 이야기를 듣는 중에 흥미가 끌리는지 그들은 바짝 다가 앉으며 말했다.

"성경 이바구 재미있수다. 삼국지 뺨치는구만요!"

"그러네요. 김 선생 성경은 다른 목사들 성경과 다르네. 옛날에 예배당 가서 들을 때는 그런 재미가 없었는디. 김 선생 성경은 책이 다른가벼?"

그들이 성경 이야기에 흥미를 나타내자 나는 조금씩 수준을 높여 성경 공부로 들어가도록 이끌었다. 십계명을 배울 때였다.

"제오 계명은 부모를 공경하라. 제육 계명은 살인하지 말라."

한 계명씩 차근차근 설명해 나가다가 마지막 '네 이웃의 것을 탐내지 말라'라는 열 번째 계명에 이르자 절도범이 나서서 말했다

"김 선생, 이건 곤란한데요. 이건 빼고 아홉 계명으로만 합시다. 그렇게 되면 우리 직업이 없어집니다."

그러자 다른 절도범도 맞장구를 쳤다.

"그건 그려. 우리도 어엿한 직업이라고. 요즘 말로 물류업자라고. 밤에 부잣집에 들어가 남아도는 물건들을 가져다가 낮에 가난한 동네에서 쓰니까, 그게 바로 경제의 흐름을 풀어주는 물류업자 아닌가?"

이런 이야기들이 오고 가는 가운데 성경 공부를 하다가 일요일이 돼 주일예배를 인도했다. 말하자면 옥중 교회가 이루어진 셈이었다. 서로 이마를 맞대다시피 하고 둘러앉아 설교를 시작했다. 신약성서 고린도후서 5장 17절을 본문 성경으로 읽고는 쉬운 예화를 들었다

미국 어느 항구에 사고호(事故號, The Accident)란 별명을 가진 어선 한 척이 있었습니다. 그 배의 별명이 왜 사고호였느냐면, 고기잡이하러 나갈 때마다 사고를 저질렀기에 그런 이름이 붙은 겁니다.

어느 날 그 사고호가 고기잡이를 나갔다가 돌아오고 있었습니다. 사고호가 뱃고동을 울리며 항구 안으로 들어오자, 주민들이 소리쳤습니다.

"히야~ 사고호가 돌아오고 있다. 구경하러 가자. 이번엔 무슨 사고를 냈는지 보러 가자."

주민들이 선창가로 모여들었습니다. 사고호가 부두에 닻을 내리고, 드디어 선원 한 명이 뭍에 올라왔습니다. 기다리고 있던 구경꾼들이 그에게 물었습니다

"여보게, 사고호 선원, 이번 출어에서는 무슨 사고가 났는가?"

그러나 뜻밖에도 선원이 선뜻 말했습니다.

"이번에는 사고가 없었습니다."

이 말에 모였던 주민들이 모두 의아해하며 되물었습니다.

"아니, 사고호가 사고를 내고 돌아와야지 어찌 사고 없이 돌아

왔단 말인가? 납득이 가지 않는 일인걸."

주민들이 이렇게 말하며 고개를 갸우뚱거리자 선원이 말했습니다.

"예, 선장님이 바뀌었기 때문입니다. 이전에는 선장님이 사고뭉치의 원인이었습니다. 바다에만 나가면 선장님이 술을 먹고 행패를 부리고 선원을 때리고 하여 사고가 그칠 날이 없었습니다. 그러나 이번에 새로 오신 선장님은 얼마나 좋은 분이신지 모든 선원한테 인정과 존경을 받아 아무 사고 없이 고기를 한배 가득 잡아 가지고 돌아올 수 있었습니다."

이 이야기를 들은 주민들은 "허~참, 그거 좋은 소식일세. 선장 한 사람 바뀌고 나니 사고호가 무사고호로 바뀌게 된 거로 구먼" 하며 흩어졌습니다.

이 이야기에서 우리가 배워야 할 점이 있습니다. 다름 아니라 선장을 바꾸는 일입니다. 우리는 자신을 사고호에 비유할 수 있습니다. 내가 내 삶의 선장이 되어 가는 곳마다, 하는 일마다 사고가 그칠 새 없었습니다. 그래서 이곳 감옥에까지 오게 되었습니다.

우리가 예수를 믿는다는 것은 마치 선장을 바꾸는 것과 같습니다. 사고호 신세가 되어버린 내가 예수를 새 선장으로 모시고 새 선장의 지도를 받아보는 겁니다. 사고호가 무사고호로 바뀌게 되는 것이 바로 신앙생활입니다.

신약성서 고린도후서 5장 17절에 이렇게 씌어 있습니다.

그런즉 누구든지 그리스도 안에 있으면 새로운 피조물이라
이전 것은 지나갔으니 보라 새것이 되었도다

이 말씀이 바로 사고호 선장이 바뀌어 무사고호 새 배가 되었듯이 우리가 새 선장인 예수를 주인으로 모시고 살면 사고뭉치 인생이 새 사람으로 바뀐다는 뜻입니다.

이렇게 설교하고 찬송가 한 장을 함께 부르고는 헌금하는 순서가 있었다. 헌금이란 밖에서 건빵이나 영치금이 들어오면 10분의 1을 떼어 이웃 방에 보호자 없는 가난한 죄수들을 도와주는 것이었다. 그야말로 성경적인 헌금이라 하겠다. 헌금 순서 다음에 주기도문을 따라 외게 한 후 예배를 마쳤다. 이렇게 예배를 드리는 것이 재미있었던지 한 동료가 말했다.

"김 선생, 우리 이 방을 예배당으로 합시다. 김 선생이 목사하고 날 장로 시켜주소."

이 말에 모두 와 하고 웃고 있는데 교도관이 다가와 의심스러운 눈으로 방안을 살피다가 지나갔다. 뱀 같은 눈으로 방을 살피던 교도관이 사라지자, 감방장이 말했다.

"거 눈알 굴리는 모양이 심상찮구먼. 뭔 일이 있을 것같은디."

그 말을 받아 다른 동료가 말했다.

"아-니, 예배 보고 웃고 하는 것이 머시 나빠서요? 일 생길 것 하나 없시요."

예배 후에 그들은 느낀 바가 많다며 자주 예배를 드리자고 했다. 설교 비유가 자기들에게 꼭 맞는다며 매일 그런 비유를 한 가지씩 생각해 내 말해달라고 했다.

그러나 옥중 예배는 단 한 번으로 끝나고 말았다. 다음날 내가 독방으로 옮겨진 것이다. 내가 일반수 방으로 옮겨온 후 죄수들과 머리를 맞대고 자주 토론하는 것을 본 교도관이 이를 수상히 여겨 중앙정보부에 보고서를 올렸고, 정보부에서는 '그 선동꾼이 일반수들까지 의식화해서 무슨 사고를 낼지 모르니 다시 독방에 격리수용하는 것이 좋겠다고 판단해 서대문구치소로 통보를 보낸 탓이었다.

내가 갑자기 독방으로 옮겨지자 모두 섭섭해했다. 짧은 기간이었지만 정이 들어 눈물을 글썽이며 헤어짐을 아쉬워했다. 한 분이 떠나는 내 손을 잡으며 말했다.

"김 선생님은 꼭 성공하실 겁니다. 목사하지 마시고 정치를 하세요. 정치해서 우리 같은 백성들의 한을 풀어주는 일 좀 해주세요."

그가 왜 그런 생각을 하게 됐는지 물어볼 기회는 없었지만, 워낙 진지하게 말하였기에 오랫동안 잊혀지지 않는다.

8

1974년, 감옥 불세례

1974년, 감옥 불세례

내가 독방으로 옮겨진 날은 1974년 2월 23일이었다. 유난히 추운 날씨였다. 한방에서 여럿이 살아갈 때는 서로의 훈기로 추위를 덜 느꼈으나, 독방으로 옮겨오니 추위가 온몸으로 파고들었다. 더욱이 솜옷과 내의를 '미스터 동상'에게 벗어주었던지라 홑옷만 입은 몸이 떨리기 시작하더니 시간이 지날수록 감당할 수가 없었다. 추위가 심해지자, 나중에는 뼈까지 아파왔다. 마치 바늘 한 움큼으로 뼛속을 쑤셔대는 것 같았다. 나는 견디기가 너무 어려워 주님께 기도했다.

"주님, 이 추위를 도저히 견딜 수 없습니다. 도와주시옵소서. 이 추위를 이기게 해주옵소서."

그러나 기도하고 또 기도해도 추위는 가시지 않고 더욱 심해질 따름이었다. 나는 빈민촌 판잣집 지붕 아래에서 지낸 한여름 더위를 생각했다. 빈민촌 지붕들은 루핑으로 덮여 있었다. 기름먹인 루핑 지붕에 태양이 내리쬐면 지붕 아래 방은 한증막이 된다. 아들 동혁이가 더위에 못 이겨 울던 생각을 했다. 또 철공소에서 화부(火夫)로 있었던 때를 생각했다. 이렇게 뜨거웠던 기억들만 되새겨보아도 추위는 가시지 않았다. 나는 성경을 펴 들었다. 성경에 기록된 불에 관한 기록을 읽으며 추위를 견뎌낼 심산이었다.

맨 처음 찾은 불에 관한 말은 성경에서 두 번째 책인 출애굽기에서였다. 출애굽기 3장에서 모세가 호렙 산에서 양떼를 돌보고 있을 때 보았던 떨기나무에 붙었던 불이었다.

한때 모세는 이집트 왕 파라오의 후계자에 오를 만한 서열에 있었다. 그러나 뜻하지 않은 살인사건에 휘말려 망명자의 길에 올랐다. 사막을 가로질러 살길을 찾은 그는 호렙산 기슭에 이르러 처가살이로 살아가는 신세가 되었다.

그러기를 40년이 지난 후 그는 양 떼를 돌보던 산기슭에서 불꽃 더미를 보았다. 떨기나무에서 타오르고 있는 불이었다. 그런데 그 불꽃은 계속 타오르기만 하고 사그라지지 않았다. 이상히 여긴 그가 가까이 다가가자, 그 불꽃 더미에서 야웨 하나님의 소리가 들려왔다.

"모세야, 모세야. 이리로 가까이하지 말아라. 네가 선 곳은 거룩한 땅이니 발에서 신을 벗어라."

여기서 모세는 하나님을 만나 뵙고 종살이하고 있던 이스라엘 민족을 해방시키라는 사명을 받았다.

성경에서 '불' 자를 찾으며 추위를 이겨내려는 나는 이 모세 이야기부터 시작해 성경 전체를 두고 차근차근 진행해 갔다.

이사야 6장에서 청년 이사야가 제단 위 숯불로 입술을 지져 허물을

죄다 사함받았던 부분을 읽었고, 엘리야 선지(先知)가 갈멜산에서 바알 선지자 450명과 불로 겨루었던 열왕기서의 기록도 읽었다. 기드온 장군이 특공대 300명을 이끌고 횃불 작전으로 대군을 물리쳤던 사사기의 내용도 찾아 읽었다. 다니엘서에서 다니엘의 동지들이 신앙의 절개를 지키기 위해 불가마에 들어갔다 나온 이야기도 읽었다.

이렇게 '불' 자를 찾아 내려가던 손길이 구약성경을 지나 신약성경으로 넘어갔다. 신약성경에서 첫 번째 '불' 자는 마태복음 3장에서 나타났다. 세례 요한이 예수를 소개하는 대목이었다.

> "나는… 물로 세례를 주거니와 내 뒤에 오시는 이는… 성령과 불로 너희에게 세례를 주실 것이요."

이때부터 나는 기도하기 시작했다.

"주님, 성령과 불로 세례를 주시러 오신 주님, 내가 너무 추워 정신이 혼미해질 지경입니다. 이 추위를 이길 수 있도록 불세례를 좀 주십시오."

신약성경에서 두 번째로 찾은 '불' 자는 누가복음 12장 49절이었다.

> "내가 불을 땅에 던지러 왔노니 이 불이 이미 붙었으면 내가 무엇을 원하리오."

어머니 뱃속에서부터 교회를 다녔던 나인지라 그간에 누가복음을 수십 번 읽었겠지만, 그전까지는 이런 구절이 있는지 몰랐다. 이전에는 없었던 것 같은 말씀이 졸지에 나타난 것이다. 예수께서 땅에 오신 것이 불을 던지러 왔다는 것이다. 그리고 이르시길 '내가 땅에 던진 불이 땅에 붙어 타오르면 그것으로 족하다'고 하셨다. 나는 이 구절을 읽고 나서 무릎을 단정히 꿇고 두 손을 모은 채 기도드리기 시작했다.

"예수님, 이 땅에 불을 던지러 오셨던 예수님, 그 불을 오늘 내게도 좀 던져주시옵소서. 예수님께서 십자가 위에서 숨을 거두시던 때에 '다 이루었도다'고 하셨습니다. 그 말씀이 바로 예수님께서 던진 불이 땅에 이미 붙었다는 말씀인 줄 알고 있습니다. 그 불을 오늘 내게도 던져주옵소서."

나는 혼을 기울여 간절히 기도했다.

그런데 이어 사도행전 2장 첫 부분을 읽을 때였다. 바로 교회가 시작되는 계기가 되었던 오순절에 성령의 불이 강림하는 부분이다.

"오순절 날이 이미 이르매 저희가 다 같이 한곳에 모였더니
홀연히 하늘로부터… 불의 혀같이 갈라지는 것이 저희에게…."

이렇게 읽기 시작하여 3절과 4절에 이르렀을 즈음 나는 내 몸에 어떤 변화를 느끼기 시작했다. 나도 모르는 사이에 추위가 사라지고 온몸에 훈훈한 기운이 돌기 시작했다. 처음에는 의아해서 내 몸을 여기저기 만져보았다. 몸에도 마음에도 아무런 이상이 없는데 온몸과 방에 따뜻함이 감돌고 있었다.

나는 손바닥으로 마룻바닥을 더듬어보았다. 마룻바닥이 마치 온돌방처럼 따뜻했다. 계속하여 벽의 사면을 손으로 더듬어보았다. 사면 역시, 마치 스팀이 들어오듯 따뜻하기는 마찬가지였다. 어리둥절해진 나는 도대체 어찌 된 영문인가 생각했다. 혹시 내가 '불' '불' 하다가 자기최면에 걸린 것은 아닐까 하는 의혹이 솟았다.

대학 시절 내 전공은 철학이었지만 유달리 심리학에 관심이 많았던 지라 심리학 책들을 많이 읽었다. 심리학 중에 이상 심리학(異常 心理學, Abnormal Psychology)이란 분야가 있다. 형님이 정신병 환자여서 많은 시달림을 받았던 나는 자연히 이상심리학 분야에 관심이 많았었다. 그 시절에 읽었던 이상심리 현상 가운데 자기최면에 관한 이론이 생각났다.

사람이 어느 분야를 골똘히 생각하다 보면 스스로 최면에 걸려 정상 상태를 벗어난 이상심리 상태로 들어가게 된다. 예를 들어 가임신의 경우가 그것이다. 임신하기를 간절히 원하는 여인이 계속 임신을 바라다보면 가짜 임신이 되는 것이다. 실제로는 임신이 아닌데도 신체적인 증세는 꼭 임신 같다. 달거리가 중단되고 입덧하고 달이 차면 배가 불러온다. 꼭 임신한 여인처럼 모든 증세가 똑같이 뒤따른다. 이런 현상이 가임신 상태다.

나는 내 몸이 마냥 훈훈한 것이 혹시 가임신과 같은 자기최면 상태가 아닐까 하는 의혹이 들었다. 너무 '불' '불' 하다가 실제로 불이 임한 게 아닌데도 마치 불 받은 것처럼 착각에 빠져 있는 것은 아닐까 생각했다. 그러나 내 상태가 이상심리가 아니라 내 기도에 대한 응답으로 성령의 불이 내게 임한 것임을 확신하게 된 것은 내 마음에 기쁨이 넘치면서부터였다.

어느 순간부터인지 나는 넘치는 기쁨을 주체할 수가 없었다. 기쁨이 마치 시냇물처럼, 폭포수처럼 온몸에 흐르고 있었다. 그 흐르는 방향이 아랫배에서부터 심장을 거쳐 목을 타고 오르는 듯했다.

그제서야 나는 불 주시기를 구했던 내 기도에 대한 응답으로 성령의 불이 내게 임했음을 깨달았다. 감격에 넘친 나는 일어나 벽을 돌며 엎드려 절했다. 내 주인 예수 그리스도께서 이 방에 임하셨음을 느꼈기 때문이다. 예수님께서 마치 얼굴과 얼굴을 대하고 있듯이 내 방에 와 계시다고 느껴졌다. 나는 눈물을 주르륵 흘리며 기도드렸다. 기도라기보다 흐느낌이었다.

"예수님, 감사합니다. 이 부족한 사람도 대접해 주셔서, 이렇게 은혜를 베풀어주셔서 감사합니다. 진실로 감사합니다. 이 은혜를 평생토록 간직하며 충실한 일꾼이 되도록 힘쓰겠습니다. 온몸으로 예수님의 뜻을 이루어나가는 삶을 살겠습니다."

그런 감격의 시간이 무려 네댓 시간이나 지속되었다. 좁은 감방 안이 바로 천국 자체가 되었던 시간이었다.

그날 저녁 취침나팔 소리에 맞추어 잠자리에 들었던 나는 다시 한번 큰 은혜를 체험했다.

처음 구속된 지 한 달여 동안 나는 조사를 받느라고 밤마다 중앙정보부에 끌려갔다. 밤 아홉 시경이 되면 중정 요원이 서대문구치소로 와서 남산에 있는 정보부로 데려갔다. 밤새도록 조사받고 아침나절

감옥소 방으로 돌아올 때는 졸음에 겨워 졸면서 걸었다.

그해는 눈도 많이 내렸다. 양손엔 수갑을 차고 검정 고무신을 신은 채 졸면서 눈 쌓인 길을 푹푹 밟고 걸었다. 그러니 신발 속으로 눈이 들어가고 양말이 젖었다. 방에 들어가서 양말을 벗고 젖은 발을 말리고 잠자리에 들어야 동상을 예방할 수 있으련만 그럴 여유가 없었다. 워낙 졸리니 감방에 들어서기가 무섭게 쓰러져 잠들곤 했다. 잠자는 사이에 젖은 양말이 얼고 발도 얼어 그로 인해 동상에 걸리고 말았다.

두 발 모두 골고루 동상에 걸려 밤마다 이부자리에 들면 발가락들이 가렵기 시작했다. 동상이란 것이 추울 때는 별로 모르겠다가 이부자리에서 발이 녹으면 가려워지기 시작한다. 나는 밤마다 잠들기 전까지 가려움을 견디다 못해 북북 발을 긁다가 잠들곤 했다. 그러다 보니 열 발가락이 부어오르고 발바닥까지 부어 걸을 때마다 무척 불편스러웠다.

그런데 낮 동안에 성령의 불을 체험했던 2월 23일 그날의 잠자리에서는 발이 가렵지 않았다. 밤마다 발을 긁던 일에 익숙했던 터라 나는 이상히 여겨 일어나 불빛에 발을 비춰보았다. 그랬더니 동상 증세가 말끔히 사라지고 발이 깨끗했다. 신기함을 느낀 나는 거듭 양손으로 발가락들을 만지다가 하나님께서 낮 동안에 불로써 나와 함께했을 때 동상까지 깨끗이 치유해 주셨음을 깨달았다.

그렇게 깨닫고 나니 너무나 세심하신 예수님의 배려에 감격이 넘쳐왔다. 낮 동안에 느낀 감격보다 더한 감격이 내 마음을 휘감았다.

전공이 철학인 나는 그중에서도 논리학에 몰두했던지라 무슨 일이든 따지기를 좋아했고, 또 합리적이고 논리적이지 않으면 잘 승복하지 않는 기질이 있다. 그래서 예수 믿는 일에도 믿음에 합리성이 있고 상식을 존중하는 신앙이어야 한다는 것이 평소의 지론이다. 그런 나를 잘 아시는 성령께서 내게 부인할 수 없는 확실한 증거를 보여주시려고 낮 동안에 성령의 불로 함께하실 때 발의 동상까지 말끔히 고쳐준 것이라 생각했다.

그래서 성령의 깊은 배려에 너무나 감사하고 그 감사가 감격으로 바뀌어 나 자신을 주체하기가 어려웠다. 그런데 끓어오르는 감격에 어떤 리듬이 있는 것 같았다. 감격의 흐름이 밀물처럼 확 밀려들었다가 썰물처럼 휘익 빠져나가곤 했다. 밀물처럼 밀려들 때는 온몸이 공중에 뜨는 듯하다가 썰물처럼 빠져나갈 때는 미끄럼을 타고 내려가는 듯했다. 그런 감격의 오르내림에 심장이 벅차 나는 터질 것 같은 마음을 가다듬으려고 찬송가를 부르기 시작했다. 찬송가 405장을 소리 높여 불렀다.

나 같은 죄인 살리신 그 은혜 놀라와
잃었던 생명 찾았고 광명을 얻었네

이제껏 내가 산 것도 주님의 은혜라
또 나를 장차 천국에 인도해주시리

나는 목이 터져라 불렀다. 그랬더니 교도관이 득달같이 달려와 방

안을 들여다보며 말했다.

"2012번 조용히 해! 알 만한 사람이 왜 그래."

감옥에서는 낮에도 노래할 수 없게 되어있다. 그런데 모두가 취침해 있는 밤중에 찬송가를 불러대니 도저히 용납될 수 없을 터였다. 그러나 나는 교도관의 호통 소리에도 아랑곳하지 않고 말했다

"교도관님, 죄송합니다. 양해하시라요. 성령님께서 내게 임하셔서 저는 찬송을 부르지 않을 수 없습니다. 제가 찬송을 부르지 않으면 제 심장이 터지겠구먼요. 도리없이 찬송을 부를 수밖에 없겠습니다요."

내가 벅차오르는 감격을 억누르며 그렇게 말하자 교도관이 놀란 눈으로 나를 보더니 오른쪽 집게손가락을 펴서 자신의 관자놀이께에 동그라미를 그려 보였다. 미친 사람을 나타낼 때의 표현이다.

"어떻게 된 게야? 2012번, 또라이 된 거 아냐?"

또라이, 즉 정신병자가 된 게 아니냐는 교도관의 말에 나는 즉각 답했다.

"맞습니다, 교도관님. 제가 돌아버렸구먼요. 성령님 때문에 제가 돌아버렸구먼요. 교도관님도 이 방으로 들어오세요. 우리 둘이 같이 돌아봅시다."

내가 그렇게 말하며 쇠문으로 다가서니 교도관은 어이없다는 듯이 자기 자리로 가버렸다.

"2012번이 진짜 돌아버렸구먼. 아까운 사람 또 하나 버렸네."

그날 밤 나는 울다 웃다 손뼉 치며 찬송 부르기를 되풀이했다. 그러는 사이에 날이 밝아왔다. 한밤을 통째로 새웠으나 피곤은 커녕 몸이

날아갈 듯이 가벼웠다. 밤새 엔도르핀이 쏟아져나온 것이었을까?

배식구로 아침밥이 들어오자 나는 금식할 마음으로 밥과 국을 변기에 쏟아버리고는 성경을 펴서 히브리서 12장 마지막 절을 읽었다.

여호와께서는 소멸하시는 불이심이니라.

첫 번째 끼니를 금식하며 나는 기도했다.

"여호와 아버지께서는 불이십니다. 모든 것을 태워 소멸하시는 불입니다. 어제 추위를 태우셨고 동상을 소멸하셨듯이 이 땅에 살아가는 백성들의 눈물도 한숨도 소멸해 주시옵소서. 감옥에 넣는 사람들의 죄도 감옥에 들어가는 사람들의 죄도 소멸해 주시옵소서. 이 땅에 펼쳐지는 불의도 태워주옵시고 다툼도 원망도 태워주시옵소서."

이렇게 기도드리고는 말씀을 묵상하다가 점심도 다시 변기에 버리고는 성경을 펴서 고린도후서 5장 17절을 찾아 읽었다.

누구든지 그리스도 안에 있으면 새로운 피조물이라.
이전 것은 지나갔으니 보라 새것이 되었도다.

이 말씀을 읽고는 두 끼째 금식하며 기도했다.

"부족한 제가 그리스도 안에서 새사람 된 것을 감사드립니다. 그리스도를 따르며 섬긴다면서 그릇된 생각을 품었고 그릇되이 살아왔던 삶을 용서하여 주시옵시고, 이제부터 그리스도 안에서 새롭게 살기를

다짐합니다. 몸도 마음도 생각도 뜻도 새로워지기를 다짐합니다."

나는 그날 오후 내내 성경을 묵상하다가 저녁밥이 들어오자, 세 번째로 변기에 쓸어넣고는 갈라디아서 2장 20절을 읽고 기도를 드렸다.

> 내가 그리스도와 함께 십자가에 못 박혔나니 그런즉 이제는 내가 산 것이 아니요 오직 내 안에 그리스도께서 사신 것이라 이제 내가 육체 가운데 사는 것은 나를 사랑하사 나를 위하여 자기 몸을 버리신 하나님의 아들을 믿는 믿음 안에서 사는 것이라.

이 말씀을 읽고 기도를 드렸다.

"이제 나는 그리스도 안에서 죽었습니다. 내 야심도 내 꿈도 내 장래도 죽었습니다. 이제 남은 것은 그리스도를 믿는 믿음 안에서 그리스도를 위해 사는 삶뿐입니다. 저를 통째로 받아주시옵소서."

그렇게 하루 세 끼를 금식하며 기도하고 묵상하며 새로운 출발을 다짐했다.

그 후로 나는 지금까지 해마다 2월 23일이면 금식한다. 1974년 2월 23일에 그런 은혜를 받은 이후로 지금까지 해마다 거르지 않고 지켜왔다. 매년 2월 23일에 금식하며 1974년 그날 경험했던 바를 돌이키며 그날 읽었던 성경 말씀들을 다시 찾아 읽노라면 그날의 은혜가 다시 임하는 듯한 감격을 느낀다. 지금까지 그러했던 것처럼 앞으로도 계속할 일이다. 내 평생에 그토록 감격스러운 날이 있었다는 것 자체가 내게는 큰 은총이자 축복이었다.

3월로 접어들자 수사도 종결되고 추위도 물러가 감옥살이가 한결 편해졌다. 다만 옆구리의 통증에 시달리는 것 말고는 아무 불편함이 없어 성경 읽기에 집중할 수 있었다.

3월 어느 날, 나는 서대문구치소의 9동 건물에서 이웃동 2층에 있는 방으로 옮겨졌다. 새로 들어간 방은 0.7평의 좁은 방이어서 맨손체조도 할 수 없었다. 그 방에 들어간 날 벽의 사면을 찬찬히 살피노라니 한편 벽에 분명히 피로 쓴 것 같은 세 단어가 있었다

진리(Wahrheit)!
자유(Freiheit) !
정의(Gerechtigkeit)!

이 방에 먼저 살다 간 어느 선배 정치범의 필적일 것이다. 누구였는지는 알 길 없지만 그분의 앞길에 '진리' '자유' '정의'가 깃들이기를 비는 마음이 일어 잠시 묵념했다.

그 맞은편 벽에는 한 편의 시가 기록돼 있었다. 이미 오랜 세월에 바래져 알아보기 힘겨운 글씨였다. 나는 잘 보이지 않는 글자들을 더듬으며 읽어 내려갔다. 윤동주 시인의 「서시」(序詩)였다. 간도 땅 용정에서 태어나 민족의 비극을 한 몸에 안고 살다 일본 땅 후쿠오카(福岡) 감옥에서 숨을 거두었던 시인 윤동주의 시였다.

한 자 한 자 읽는 중에 29세 나이로 침략자의 땅에서 한을 품은 채 죽어가던 날의 그 마음이 내게로 전해오는 듯했다.

죽는 날까지
하늘을 우러러
한 점 부끄럼이 없기를
잎새에 이는 바람에도
나는 괴로워했다
별을 노래하는 마음으로
모든 죽어가는 것을 사랑해야지
그리고 나한테 주어진 길을 걸어가야겠다

시는 여기서 끊긴 채 마지막 연인 '오늘 밤에도 별이 바람에 스치운다'가 빠져 있었다. 아마 이 시를 쓰던 어느 선배 수인(囚人)이 기억을 더듬어 써나가다가 이 마지막 연을 기억해 내지 못한 것이리라.

나는 끝 연을 채워 넣고 싶었으나 쓸 도구가 없었다. 옥중에서는 필기도구를 소지할 수 없었다. 정치범들에게는 특별히 금지되고 있었다. 그러나 나는 마지막 연을 꼭 기록해 두고 싶었다.

궁리 끝에 잉크를 제조하기로 마음먹고 밥을 담아온 알루미늄 그릇을 벽에 문질렀다. 알루미늄가루가 바닥에 떨어졌다. 떨어진 가루들을 모아 그릇에 담고는 거기에 오줌을 누어 갰다. 알루미늄 가루는 검은빛을 띤 잉크가 되었다.

잉크는 그렇게 해서 마련됐으나, 그 잉크를 찍어 쓸 펜이 문제였다. 생각 끝에 나는 칫솔 손잡이를 벽에 문질러 뾰족하게 만들었다. 아쉬운 대로 펜이 만들어졌다. 나는 칫솔 펜에 오줌 잉크를 묻혀 윤동주시의 마지막 연을 벽에 써넣었다.

'오늘 밤에도 별이 바람에 스치운다.'

다음날 감시 창구로 한 죄수가 들여다보며 "성직자님이십니까?" 하고 묻기에 고개를 끄덕였더니 쪽지 하나를 던져주고는 급히 사라졌다. 우리 같은 정치범들에게는 일반 죄수들의 접근이 금지돼 있었기에 그로서는 큰 모험을 한 셈이었다.

정치범들은 일반 죄수들과 달리 가슴에 특별한 표식을 붙이고 다녔다. 플라스틱으로 된 노란색 삼각형 모양이었다. 이 노란색 마크는 원래 정신병 환자들이 붙이는 패찰이었다. 간첩과 반공법 위반은 붉은색, 사형수는 푸른색, 정치범과 정신병 환자들은 노란색이었다. 정치범은 말하자면 정신병자로 구분된 셈이었다.

나는 방 가운데 떨어진 쪽지를 주워 읽었다. '보시고 찢어버리세요'라고 시작되는 글에는 먼저 자신들에 대한 소개가 있었다 자신들은 반공법 위반범, 절도범, 과실치사범, 폭력범, 강도범 다섯인데 서로 의형제를 맺어 형제로 지내고 있다. 자기들끼리 성경을 읽다가 은혜를 받고 예수를 믿기로 결의했다. 그런데 막상 예수를 믿기로 했으나 어떻게 해야 제대로 믿는지 모르겠으니 지도해 달라는 내용이었다.

나는 칫솔로 만든 펜에 오줌 잉크를 찍어 그들을 격려하는 글을 쓰고, 이어서 신앙생활에 기초가 되는 사항들을 썼다. 그러나 그 글을 전할 기회를 얻지 못해 며칠을 고심하다가 아침 세면 시간을 이용하

기로 했다.

아침마다 방별로 문을 따주면 세면장으로 나가 열을 세는 동안에 세수를 마친다. 열을 세는 속도가 워낙 빠른지라 손에 물을 담뿍 받아 얼굴에 끼얹고는 곧바로 돌아서야 한다. 어물거리다가는 불호령이 떨어졌다. 모두가 서두르기에 극히 혼잡했다. 이 틈을 타서 우리는 서신을 주고받는 데 성공했다.

감옥에서는 비밀 서신 주고받는 일을 '비둘기 날린다'고 한다. 나는 수차례 비둘기를 날려 그들의 신앙 성장을 도왔다. 그들의 신앙이 조금씩 자라는 것을 그들의 얼굴에 나타나는 화색(和色)으로 확인할 수 있었다.

흔히 교도소 생활을 일컬어 '콩밥 먹는다'고 하듯이 감옥에서는 실제로 콩밥이 급식 된다. 콩과 보리가 섞인 콩보리밥이었다. 그런데 밥에 섞인 콩이 너무 많아 나는 제대로 다 먹을 수가 없었다. 옆구리의 통증으로 몸이 거북한 데다 신체 기능이 떨어지면서 제대로 소화를 시키지 못했기 때문이다.

나는 끼니마다 채 먹지 못하고 버려지는 콩들이 아까웠다. 그래서 이 남겨지는 콩들, 말하자면 잉여농산물을 활용할 길이 없을까 생각했다. 이런저런 생각을 하며 성경을 읽다가 피곤해지면 일어서서 방안을 서성거리며 창밖을 내다보곤 했다.

그러던 터에 창 가까이에 있는 나무에서 노닐고 있는 비둘기들을 보게 되었다. 그때 문득 버려지는 콩으로 저 비둘기들을 기르면 어떨까 하는 생각이 들었다. 그래서 다음 식사 때 콩을 골라 두었다가 창밖

벽돌 위에 가지런히 놓고 비둘기들이 다가오기를 기다렸다.

처음 이틀은 비둘기들이 관심을 기울이지 않더니 사흘째부터 날아들기 시작했다. 나는 방 한구석에 몸을 숨기고는 비둘기들이 경계심을 품지 않게끔 마음을 썼다. 다음날에는 비둘기들이 콩을 먹으러 올 때 전날보다 조금 더 비둘기들 쪽으로 다가갔다. 조금씩 비둘기들이 나와 친해질 수 있도록 애를 썼다. 그러기를 얼만가를 되풀이했더니 드디어 내가 창문가에 서 있어도 비둘기들이 날아가 버리거나 두려워하지 않게 되었다. 비둘기들이 나를 나쁜 사람, 해칠 사람은 아니로구나 믿게 된 것 같았다. 그런 뒤로는 내가 식사를 마치고 골라낸 콩을 창문 밖에 놓고 "구~ 구~" 하고 부르면 비둘기들이 날아와 콩을 먹을 만큼 친해졌다.

그렇게 날아드는 비둘기들 중에 한 쌍인 듯한 두 마리가 특히 나와 친해졌다. 비둘기들은 내가 곁에 있어도 아무 두려움 없이 콩을 쪼아 먹곤 했다. 비둘기들이 콩을 먹는 동안에 나는 그들에게 말을 걸었다.

"비둘기들아, 나 대신 청계천 빈민촌으로 가서 우리 교회 교인들 가정방문을 좀 해주겠니. 내가 가야 하는데 보다시피 그럴 처지가 못 돼서 그런다."

내가 그렇게 이야기하면 비둘기들은 꼭 알아듣기라도 한 듯이 "구구"하고 반응을 보였다.

다음날 비둘기들에게 물었다.

"비둘기 부부야! 어제 청계천으로 가정방문 다녀왔니? 교인들도 주민들도 잘 있던?"

그렇게 물으면 비둘기들은 역시 잘 다녀왔다는 듯이 "구구"했다. 나는 비둘기 부부에게 "비둘기야" 하고 부르는 것이 마땅치 않아 이름을 지어주기로 했다. 남편 비둘기에게 민혁(民革), 부인 비둘기에게 민애(民愛), 그리고 그들의 성은 나를 따라 경주 김씨로 정했다. 그리하여 우리 셋 김진홍, 김민혁, 김민애는 한 가족이 되었다.

비둘기 부부의 이름을 이렇게 지은 것은 '민혁'과 '민애'가 당시 내가 사색하던 주제였기 때문이다. 불교식으로 표현하자면 화두였던 셈이다. 한국교회가 겨레와 백성들을 위해 해야 할 가장 중요한 일이 무엇일까? 그것은 백성들을 사랑하는 것, 바로 민애(民愛)다.

그런데 백성들을 어떻게 사랑할 것인가? 백성들을 바르게 사랑하는 길은 무엇일까? 다름 아니라 백성들 스스로가 깨닫고 스스로 일어설 수 있도록 깨우치는 것이다. 바로 백성들의 생각이 바르게 설 수 있도록 이끄는 일, 곧 민혁(民革)이다. 그래서 이 시대에 한국 교회가 겨레와 백성들을 위하여서 해야 할 바의 핵심은 바로 민애와 민혁의 사역(事役)이다.

당시 나는 이런 생각을 하고 있었기에 비둘기 부부의 이름을 그렇게 지었다. 그리고 앞으로 내가 옥에서 풀려나가 자식을 낳는다면 아들은 민혁이라 이름 짓고, 딸이면 민애라 이름짓겠다고 생각했다. 그리고 가능하다면 아들과 딸을 하나씩 낳아 민혁과 민애라 이름 짓겠다고 생각했다.

비둘기 부부를 보며 이런 생각을 했던 일 년 남짓 후 나는 석방이 됐고, 세월이 흘러 1981년에 아들을 낳았다. 두말할 것 없이 이름을 민혁이라 지었다. 2년 후 다시 아이를 낳았는데 꼭 딸이기를 바랐다. 민애란 이름 때문이었다. 그런데 아기를 출산하고 보니 또 아들이었다.

태어난 아기가 아들인 것을 보고 실망한 나는 무심결에 아내에게 "딸을 낳아야 했는데…. 또 아들이면 곤란한 데…. 낳으라는 딸은 안 낳고 왜 아들만 자꾸 낳는 거냐?"고 투덜거렸더니 몹시 섭섭해했다.

어쨌건 낳은 아들의 이름을 지어야겠는데 민애는 남자 이름으로는 곤란하기에 도리없이 그 순서를 뒤집었다. 애민으로 하면 남자 이름으로도 괜찮을 것 같았다. 그래서 둘째 아들 이름이 김애민(金愛民)이 되었다.

지금은 아이들이 자라 민혁이는 고3이고 애민이는 고1이 되었다. 나는 형제가 자라는 모습을 보며 지금도 민혁과 민애의 뜻을 생각하곤 한다. 내가 지금 일하고 있는 터전은 농촌에서 농민들을 위해 일하고 있기에 농민들을 사랑하는 민애의 길과 농민들을 제대로 사랑하는 방편인 민혁에의 길을 농민들 속에서 생각하곤 한다.

이런 생각들이 쌓여 그 구체적 실천 방안인 농업공동체 '두레마을'을 세웠다. 농민들속에서 민혁, 민애를 실천하는 현장이라 할 공동체 마을이다. 1979년에 처음 세웠다가 일 년 만에 실패하고 다시 7년을 준비하여 1986년에 2차로 시작했다. 농업공동체인 두레마을은 13년이 지난 지금에야 자립의 발판을 쌓게 되었다. 참으로 고마운 일이다.

9

정금같이 나오리다

정금같이 나오리다

비상보통군법회의에서 15년 형을 받은 나는 비상고등군법회의에 항소했다. 그러나 비상고등군법회의의 공소심 재판도 기각되었기에 우리는 대법원에 상고했다.

그 후 우리는 안양교도소로 이감되었다. 안양교도소에서는 2012번에서 73번으로 바뀌었다.

안양교도소에 도착한 다음 날, 한 교도관이 방으로 와서 크리스천이냐고 묻기에 그렇다고 대답했더니 시편 138편 7, 8절을 읽으라 권하고는 사라졌다. 나는 도대체 시편 138편 7, 8절이 무슨 내용이기에 일부러 찾아왔는가 생각되어 읽어보았다.

> 내가 환난 중에 다닐지라도 주께서 나를 소성(蘇醒)케 하시고 주의 손을 펴사 내 원수들의 노(怒)를 막으시며 주의 오른손이 나를 구원하시리이다. 여호와께서 내게 관계된 것을 완전케 하실지라.

여호와여 주의 인자하심이 영원하오니 주의 손으로 지으신 것을 버리지 마옵소서.

나는 이 말씀을 읽고 큰 격려를 받았다. 당시에 내가 옥중에서 가족과 교우들에게 보냈던 서신중에 다음과 같은 글이 있다.

…기상나팔 소리에 일어나 청소와 점호를 끝낸 후 성경 읽기와 묵상으로 시작되는 나의 일과는 하루하루가 많은 열매를 얻고 있습니다. 이번 기간을 주님께서 앞날에 나를 쓰시기에 합당한 그릇으로 만드시려고 마련하신 기회인 줄로 알고 심선을 갈고 닦기에 정진하고 있습니다. 동료 중에는 징역살이의 고달픔을 말하고 석방될 때를 초조히 점치기도 합니다만 나는 석방 시기에 대하여는 초조해하지 않습니다. 왜냐하면 여호와께서 이번을 나를 훈련시키는 기회로 삼으신다면 석방의 시기도 사람들이 정하는 것이 아니라 여호와께서 정하신다는 확신이 있기 때문입니다

이사야 48장 10절을 나의 신앙고백으로 적습니다.

보라 내가 너를 연단(練鍛)하였으나 은(銀)처럼 하지 아니하고 너를 고난의 풀무에서 택하였노라.

위에 인용한 서신의 한 구절에 나타나 있는 것과 같이 나는 감옥생활을 여호와께서 허락하시는 연단의 풀무라 생각하였기에 잘 순응할

수 있었다.

그런데 한 가지 문제는 중앙정보부에서의 조사 중에 상처 입은 옆구리의 통증이 점차 심해지는 것과 이로 인한 소화불량이었다. 체중이 40킬로그램 아래로 내려가고 건강 상태가 위험 수위에 다다라 고생이 말이 아니었다.

동료들은 내가 혹시나 '뒷문 출소'하게 되지나 않을까 염려했다. 뒷문 출소란 감옥에서 죽은 사람들이 앞문으로 나가지 못하고 뒷문으로 실려 나가는 데에서 생긴 말이다.

그때 동료들이 내게 붙인 별명은 '미스터 비아프라'였다. 내가 비아프라의 굶주린 사람들처럼 야위었다고 해서 붙인 별명이었다. 아프리카 비아프라 지방은 기근으로 인해 굶어 죽는 사람들이 많은 것으로 세계에 알려져 있다. 게다가 눈이 침침해져 성경 읽기에 어려운 것이 문제였다. 나는 옥중 음식이 소금국에 콩보리 밥만이어서 비타민 부족으로 인해 눈이 보이지 않는 것이 아닐까 하는 생각이 들어 교도관에게 요청했다.

"교도관님, 비타민이 부족해 그런가 눈이 잘 보이지 않으니 신선한 채소 좀 먹게 해주시라요."

"집에 가서 먹어. 여기가 호텔인 줄 알아? 주문하는 대로 음식이 나오는 호텔인 줄로 아는 기여? 잘해주면 또 들어와서 안 돼."

교도관이 그렇게 대답을 하니 뭐라 더 할 말이 없었다. 눈이 침침한 건 그렇다 쳐도, 가장 큰 고통인 왼쪽 옆구리의 통증은 심각한 지경이었다. 숨을 들이쉬면 갈비뼈가 시큰시큰하고 내쉬면 관절 마디마디를 바늘로 찌르는 듯했다. 누워도 아프고, 앉아도 아픈지라 옆구리에 손을 대고 이마를 벽에 댄 채 기대 있으면 그나마 한결 나았다.

나는 이마를 벽에 기댄 채 숨을 몰아쉬다가 성경을 펼쳤다. 구약성서 욥기를 읽기 시작했다. 욥기는 크리스천이 당하는 고난에 무슨 의미가 있는지를 말해주는 책이다 싶었기 때문이다. 욥기를 한 구절 한 구절 되씹으며 읽는 중에 23장 8~10절의 말씀을 읽으며 그 속에 담긴 뜻을 지금 처지에 비추어 묵상하던 중 큰 은혜를 받았다.

> 내가 앞으로 가도 그가 아니계시고 뒤로 가도 보이지 아니하며 그가 왼편에서 일하시나 내가 만날 수 없고 그가 오른편으로 돌이키시나 뵈올 수 없구나. 나의 가는 길을 오직 그가 아시나니 그가 나를 단련하신 후에는 내가 정금같이 나오리라.

통증이 심해질 때면 "아이고, 하나님" 하며 신음 소리가 절로 나온다. 그러나 하나님은 전혀 응답이 없으시다. 그래서 나는 나홀로 고통의 밑바닥에 버려진 사람 같음을 느낀다. 하나님께로부터도 사람들로부터도 버려지고 잊혀진 사람 같은 자신을 느낀다.

지금 내가 처한 형편은 아무도 모르고 있다. 부모형제도 모르고 교인들도 모른다. 그러나 여호와 하나님은 아신다. 그런데 여호와께서는 나의 처지를 아시면서 왜 가만히 계실까? 모르셔서 가만히 계신다면 이해가 갈 듯도 한데 알면서 왜 가만히 계시는 것일까?

10절에서 그에 대한 해답을 말해주고 있다. 다름 아니라 훈련을 위

해서다. '…그가 나를 단련하신 후에는' 이라고 할 때의 단련은 엄격한 훈련을 뜻한다. 하나님께서 김진홍이란 한 인간에 대하여 어떤 계획이 있으셔서 훈련시키는거다. 그래서 이런 고통 중에 그냥 두고 계시는 거다.

그렇다면 나에게 그런 훈련이 왜 필요할까? 정금(正金) 같은 사람을 만들기 위해서다. 성경에서 '정금' 이라면 믿음을 뜻한다.

그런데 믿음에도 종류가 있다. 순탄한 환경에서 얻어진 믿음은 그냥 믿음이라고 부르지 정금' 이란 말을 붙이지 않는다. 고난과 시련, 실패로 아픔을 겪으며 다져지고 다져진 믿음일 경우에만 '정금 같은 믿음' 이란 말을 붙인다. 이런 생각 끝에 나는 결론에 도달했다.

> '나의 주인되신 여호와께서 나를 장차 교회와 백성들을 위해 정금같이 쓰시기 위해 훈련시키느라 지금의 고통을 겪게 하신다.'

그렇게 생각하게 되니 통증을 견디기가 한결 쉬워지고 마음이 안정되었다. 그 후로 통증이 심해지면 '이런 고통쯤 능히 이길 수 있어. 이건 기도하라고 하늘로부터 보내오는 신호야. 이럴 땐 무릎 꿇고 기도해야 하는 거야'라고 마음을 다져 먹고 기도했다.

그리고 그때까지는 낮 운동시간이 되면 운동장으로 나가기를 거절했다. 정치범들에게는 낮 동안에 하루 한 번씩 30분간의 운동시간이 허락된다. 교도관이 방으로 와서 00번 운동시간이오 하며 밖에서 문을 열어준다. 그럴 때마다 나는 움직이면 더 아프기에 고개만 흔들며 거부 의사를 표했다. 그러나 욥기 말씀을 읽는 중에 이런 깨달음을 얻게 된 뒤로는 내가 자청하여 운동장으로 내보내 줄 것을 요청했다.

그렇게 운동장에 나가서는 달리기에 열중했다. 한쪽 손으로는 아픈 옆구리를 부여잡은 채로 "나의 가는 길을 오직 그가 아시나니 그가 나를 단련하신 후에는 정금같이 나오리다"라는 이 말씀을 구령처럼 따라 외며 달음질을 거듭했다. 그렇게 달리노라면 다리가 후들거리고 눈앞이 침침하게 흐려져 왔다.

그런 때에 담장 밑에 푸른 풀들이 보였다. 나는 사람이 먹을 수 있는 채소인가 해서 가까이 갔더니 토끼풀 클로버였다. 나는 클로버란 토끼가 먹는 풀이니 사람이 먹어도 독이 없으려니 하는 생각이 들어 뜯어먹기 시작했다. 클로버 잎을 한 주먹씩 뜯어서 씹으며 달음질을 계속했다. 그러기를 며칠을 거듭하니 한결 숨쉬기가 수월해지는 듯했다. 그러나 클로버가 마냥 있는 것이 아니어서 일주일여가 지나니 클로버 잎이 떨어졌다. 다시 잎이 자라기를 기다리는 수밖에 없었다.

그렇게 지나는 중에 나의 건강을 결정적으로 회복시킬 계기가 다가오고 있었다. 다름 아니라 도가 선생 김용상 군이 내 방으로 들어오게 된 것이다.

하루는 정치범 몇 명이 안양교도소로 들어왔는데, 그중 한명이 내 방에 배치되었다. 중요한 정치범들은 독방 수감이 원칙이었으나 긴급조치 발동으로 정치범 숫자가 늘어나자, 각 방으로 후배 정치범들이 배치된 것이다 내 방에 들어온 그는 20대 후반의 김용상이란 젊은이였다. 그가 인사하는 자리에서 내 얼굴을 살펴보더니 물어왔다.

"김선배님, 건강이 좋지 않으십니까? 안색이 매우 나쁩니다"

"조사 과정에서 조금 무리가 있어 왼편 옆구리를 다쳤는데 통 풀리지를 않는군요."

"아, 그래요. 염려하지 마십시오. 제가 책임지고 회복시켜 드리겠습니다. 제가 하자는 대로만 따라 해주십시오. 한 달이면 거뜬히 회복될 겁니다."

"직업이 의사입니까?"

"아닙니다. 의사는 아니지만 의사 위에 있는 사람입니다."

"의사 위에 있으면 수의사겠네요?"

"아닙니다. 수의사라고 하니 듣기 우습네요. 저는 요가 선생입니다. 이번 사건에 관계된 것도 내가 서울대학교 학생들에게 요가를 지도하고 있었는데, 그 학생들 중에서 전문 운동권 학생들이 섞여 있어서 영겁결에 딸려 들어왔습니다. 제가 선배님이 회복되도록 지도해드릴 테니 제가 하자는 대로 따라주십시오. 이제부터 건강 문제만큼은 제게 맡기시고 안심하십시오."

김용상 군은 전주 출신으로 전주고등학교를 졸업한 후 대학으로 진학하지 않고 10년간 요가 수행에만 전념한 사람이었다. 요가 수행이 상당한 경지여서 내 처지에 꼭 적합한 인물이었다. 당시의 나로서는 지옥에서 부처님을 만난 셈이었다.

그때부터 나는 그에게서 요가 지도를 받았다. 요가의 효력은 빠르고 정확했다. 그를 따라 요가 수행을 시작한 지 20여 일이 지나자, 옆구리의 통증이 줄어들고 소화 능력이 높아지더니 1개월여가 지난 후에는 교도소에서 주는 규격밥(가다밥이라 부른다)으로는 배가 고플 정도였다. 요가를 시작하기 전에는 절반도 못 먹고 남겼던 밥이었다. 그리하여 내 체력은 급속도로 좋아지고 매일 운동시간에 달리기를 계속하면서 건강의 위기에서 벗어날 수 있게 되었다.

안양교도소에서는 매주 한 번씩 종교 시간이 있다. 한 달이면 한 번은 신부님이 오시고, 한 번은 스님이 오시고, 두 번은 목사님이 오시는 식으로 종교 집회가 열린다. 종교 시간에는 전 재소자가 참석함이 의무 사항으로 되어 있다

어느 종교 시간에 우리 정치범들도 일반수들과 함께 강당으로 갔더니 그날 강사로 이천석 목사가 왔다. 이천석 목사는 여느 목사와 달리 경력이 이채로운 분이다. 상이군인 출신으로 크리스천이 되고, 목사가 되기 전에는 한때 주먹패로 이름난 분이었다. 그래서 교도소 생활도 전과 4범에 이르는 선배였다. 그런 이목사께서 강단에 서더니 첫마디부터 여느 강사와는 달랐다.

"내가 별이 네 개여."

전과 4범이란 말이다. 그 말에 재소자들은 갑자기 조용해졌다. 전과 4범인 대선배께서 강사로 섰으니 조용해질 수밖에 없을 터였다. 이어서 그는 말했다.

"내가 명동에서 냄비(여자) 하나 달고 어깨 힘주며 가고 있는데 까마귀(경찰)가 날 찍길래 인상을 팍 찌끄렸더니….

전과자인지라 언어 자체가 달랐다. 감옥에서만 쓰는 은어를 줄줄이 뱉으며 설교를 하니 청중들이 쥐 죽은 듯 조용해졌다. 그리고 이천석

목사님 이야기 자체가 유별났다. 그렇게 주먹을 휘두르며 살아온 그가 예수님을 만나 회개하고 새사람 되기까지의 인생 역정이 드라마틱하고 또 은혜스러웠다

그러나 거기까지는 좋았는데 그다음부터가 문제였다. 이 목사는 자신의 간증이 끝난 뒤 4천 300명 재소자를 한 바퀴 돌아보며 엄숙한 목소리로 말했다.

"너희들 중에 나처럼 회개하고 예수 믿어 목사 될 사람 일어서!"

이천석 목사의 이 말에 무려 6, 7백 명의 재소자들이 목사가 되겠노라고 앉은 자리에서 일어섰다. 나는 그런 장면을 보고 가슴이 철렁했다. 그래서 저절로 기도가 나왔다.

"맙소사 하나님, 저분들 집사까지만 되게 해주시고 목사는 안 되게 해주시옵소서. 저들 사기꾼, 절도, 강간범들이 회개했다고 목사가 되었다가는 앞으로 한국 교회에 큰 사달이 나겠습니다. 제발 저분들이 평신도로 있으면서 자신의 믿음을 지키게 해주시고 목사까지는 안 되게 해주시옵소서."

내가 이런 기도를 한 것은 그들을 불신해서나 무시해서가 아니다. 오히려 그들을 아껴서다. 사람이 한때 회개하고 새출발 했어도 자신의 체질이나 기본 성품이 완전히 바뀌기는 실로 어렵다. 은혜받고 감동받은 당시에는 천사라도 될 것 같지만, 그런 감동과 다짐이 세월이 흐르면서 약해지게 마련이다. 그렇게 약해진 후 자신도 모르는 사이에 옛날 성품과 육성이 드러나게 되기 때문이다. 그래서 그들이 은혜받고 변화되어 신앙 세계에 귀의하더라도 집사까지만 되게 해주시고

영적 지도자인 목사까지는 되지 않게 해달라고 기도한 것이다.

나는 청계천 빈민촌 목회에서 '미스터 박치기'를 전도하여 술 끊게 하고 집사까지 시켰다가 그가 어느 날 술에 만취되어 교회당 지붕에 올라갔던 경험을 한 적이 있다. 그와같이 사람이 한때 선해질 수 있지만 그 변화가 평생토록 바뀌지 않는다는 보장은 없는 것이다. 그래서 그런 기도를 저절로 드리게 된 것 이다.

감옥에서는 우리 정치범들을 가끔 일반수들 방으로 들여보내 며칠씩 지내게 했다. 안양교도소에서도 한번은 일반수와 합방하여 지내게 되었다.

일반수들 방에 들어가 지내던 어느 날, 잠결에 이상한 소리가 들려 눈을 떠보니 옆자리 남자 둘이 벗은 몸으로 엉겨 흥분된 분위기를 만들며 열을 올리고 있었다. 나는 그 장면이 바로 말로만 듣던 동성연애인 것을 알고 신기하여 구경하였다. 바로 옆자리였던지라 관람하기에는 특등석인 셈이었다.

남자끼리 그러는 광경을 보고 있으려니 징그럽기도 하고 꼴불견이기도 했는데, 막상 본인들은 그렇지 않은 듯했다. 당사자들은 무아지경을 헤매며 즐기고 있었다.

그런 중에 남자 역을 맡은 사람과 눈이 마주쳤다. 그는 어색한 표정을 지으며 내게 사정조로 말했다.

"에이, 김 선생님, 뭘 그리 보고 계세요. 저쪽 보세요. 우리 김샙니다."

"거 세금 안 나오는 구경 좀 합시다."

내가 고개를 돌렸더니 그들도 얼마 후에 마무리하고는 다시 잠자리에 들었다. 다음 날 아침, 남자 역을 맡은 이가 내게 사과했다.

"김 선생님, 어제 저녁엔 수면을 방해해서 미안합니다. 이해해 주시겠지요?"

"글쎄요, 난 그 방면엔 통 경험이 없어서…. 남자끼리 그렇게 연애해도 재미가 있는지요?"

"아니. 73번 선생님은 아직 남자끼리의 재미를 모르십니까?"

"글쌔요, 장차 알게 될는지 모르겠지만 아직은 전연 경험이 없어서요."

그는 내게 그 방면에 대해 자세히 설명해 주었다. 나는 그에게서 그렇다는 말만 들었을 뿐이지 그런 분야에 관심이 있을 턱이 없었다. 다만 그러려니 하고 있었는데 옥중에서 일어나는 남자들만의 세계에서 애정 관계의 심각함을 보고는 적이 놀랐다.

한 예로 내가 교도소에 있는 동안에 남자끼리 빚은 삼각관계로 살인사건이 일어났다. 사건 경위는 이러하였다.

한 감방 안에서 한 여자와 두 남자 사이에 삼각관계가 벌어졌다. 물론 다 남자들 사이의 이야기다. 여자가 끼가 있었던지 처음 남자를 버리고 다른 남자에게로 갔다. 첫 남자가 눈에 쌍심지를 켜고 지켜보고 있으니, 둘이 사랑을 나눌 수가 없어 둘은 전출 운동을 하여 다른 방으로 옮겨가서 부부의 정을 나누었다.

혼자 남은 첫 남자는 애인의 배신에 분노해 보복하기로 마음먹었다.

낮에 출역나갔던 기회에 길에서 큰 못 하나를 주워 왔다. 그는 그 못을 비밀리에 갈고 갈아 송곳으로 만들었다. 그러고는 기회를 노리던 중 매일 30분씩 허락되는 운동시간에 운동장에서 변심한 애인의 등을 찔러버렸다. 못은 등에서 허파까지 닿아 여덟 번이나 수술했지만 죽어버렸다.

또 한 번은 감옥 안에서 정사(情死) 사건이 일어났다.

'이 땅에서 이루지 못할 사랑, 저승에서 맺고 살자'는 유서를 남기고 남자 역이 목을 매고 죽었다. 목을 매는 끈은 빵을 포장한 비닐봉지를 사용했다. 비닐봉지를 펴서 길게 늘이면 끈이 된다. 그 끈을 여러 번 꼬면 아주 질긴 끈이 된다. 그 끈으로 남자 역이 목을 맸다. 그들이 한 방에서 밤마다 너무 요란스레 부부생활을 하니까 동료들이 참다못해 교도관에게 요청했다. 수면 방해가 심하니 다른 방으로 옮겨달라는 요청이었다. 교도소 측에서는 둘을 한방으로 옮겨주지 않고 각각 다른 방에 수감했다. 그랬더니 남자 역이 그리움을 못 이겨 유서를 남기고 자살한 것이다.

모두가 사랑에 굶주려 일어나는 질병이었다. 인간에게 비타민이 부족하면 비타민 결핍증이 생기듯이 사랑이 부족하면 사랑 결핍증이 생긴다. 그런 사랑 결핍증 환자들은 정상적인 관계를 벗어난 비정상적인 사랑을 찾게 된다. 그들을 일반적인 잣대로, 도덕적으로 판단해 매도하기 전에 먼저 그들을 안타깝게 여기고 이해하고 치유해 주려는 마음이 필요하다고 생각한다.

교도소에서는 자해행위가 흔히 일어난다. 한 죄수는 바늘로 자신의

눈을 꿰맨 일도 있었다. 이 따위 세상 보기도 싫으니 아예 눈을 꿰매 보지 않겠다고 아래위 눈꺼풀을 바늘로 꿰매버린 것이다. 교도관이 와서 꿰맨 실을 뽑아내느라 고생했다.

내 옆방의 장기수 한 명은 자신의 발등에 못을 박기도 했다. 그가 "아야~ 아야~" 하고 소리치기에 돌아보니 자기 발등에 못을 쳐서 마룻바닥에 박고 있었다. 꽤 깊이 박힌 못이 마루에서 뽑히지 않자, 고통을 호소하게 되었다.

교도관이 와서 발등에 박힌 못을 뽑으려니 쉽지 않았다. 당사자가 아프다고 소리 지르니 교도관은 그의 머리를 쥐어박으며 "이 새끼야, 아플 걸 모르고 박았어? 하고 소리쳤다. 옆에서 보던 죄수는 "하~ 예수가 십자가에 못 박힌 건 저리 가라네" 하며 감탄했다.

죄수들은 자신들의 내면에 억압된 감정을 발산시킬 길이 없어 자신을 해친다. 밖으로 울분을 터뜨리자니 어마어마한 사법 조직이 있어 그 힘에 맞설 수가 없기에 애꿎게 자기 자신을 해쳐 감정을 푼다.

죄와 고통으로 인해 본래의 모습을 상실한 인간은 자신 속에 스스로 지옥을 세우고 그 속에 갇혀 고통당하고 있다. 그래서 교도소란 다른 곳이 아니었다. 작은 지옥들을 한곳에 모아 큰 지옥을 이룬 곳이었다.

교도소에서 하루 중 가장 엄숙한 시간은 취침나팔이 울릴 때다. 이상스럽게도 교도소마다 취침나팔을 불 때는 꼭 찬송가를 불렀다.

"전능왕 오셔서… 우리를 다스려 주옵소서."

잠자리에 들 때 찬송가가 울려 퍼지면 듣는 이들을 숙연케 한다.

밤마다 취침나팔의 곡이 끝나면 여기저기에서 "어-머니" 하고 부르는 죄수들이 있다. 그래서 나팔 소리가 끝나고 어머니를 부르는 소리가 들리는 시간에는 모두 진지한 얼굴이 되곤 했다.

어머니는 모든 죄수에게 잃어버린 고향이자 때 묻지 않은 어린 시절의 상징이다. 그리고 어머니는 인간 내면에 깃들인 사랑과 정과 따뜻함의 표상이다. 아무리 비뚤어진 인격도 어머니란 말 앞에서는 진지하게 자세를 바로잡았다.

한 예로 옆방에 한 사형수가 있었다. 무슨 일로 그렇게 되었는지는 몰라도 스물세 살 나이에 사형수가 되었다. 그는 매일 저녁 취침나팔 소리만 끝나면 창가로 다가가 "어머니-어머니"를 불렀다. 그런데 그가 어머니를 부를 때의 그 소리가 어떻게나 애절했던지 듣는 이들의 가슴을 저미게 했다. 저녁마다 그가 어머니를 부르는 소리를 듣고 모두가 자신의 어머니를 생각하며 숙연해짐을 느끼곤 했다.

나도 그의 소리를 듣고 '아이고 불쌍한 젊은이로구나. 저렇게 애절하게 어머니를 부르는 것을 보아서는 자신의 잘못을 참회한 모양인데 그만 사형시키지 말고 살려주었으면 좋겠다'는 생각을 하기도 했다.

그런데 그러던 그가 어느 날 밤부터는 어머니를 부르지 않았다. 나는 그가 병이 들었을까 아니면 다른 교도소로 이감이 됐을까 무척이나 궁금했다. 그래서 사흘이 지난 뒤에 교도관에게 물었다.

"교도관님, 옆방의 사형수 청년에게 뭔 일이 생겼습니까? 요 며칠 사이에 기척이 없는데요?"

"아니, 몰랐어요? 사흘 전에 넥타이 맸는데…."

감옥에서는 사형 집행하는 일을 넥타이 맨다고 이른다. 그 말을 듣

고 나는 '아뿔싸, 그랬었구나. 사형이 집행되고 말았구나. 참으로 불쌍하다. 그렇게 살려는 의욕이 강했던 젊은이였는데 결국은 형을 집행하고 말았구나' 하는 생각이 들어 한동안 숙연함을 벗어나지 못했다. 그래서 나는 이 세상을 어머니들이 다스린다면 달라질 것으로 생각했다. 어머니들이 다스리는 세계에는 감옥도 고문도 폭탄도 없으려니 생각했다. 괴테가 '여성적인 것, 그것이 인류를 구원한다'고 했다지만, 내 생각에는 '어머니 적인 것, 그것이 인류를 구원한다'고 함이 옳을 것같다.

감옥에서는 시간이 지루하기에 가끔 욕하기 시합을 벌인다. 서로 마주 보는 방끼리 한가지씩 욕을 해서 욕 거리가 떨어지거나 이미 나왔던 욕을 되풀이하는 편이 지는 시합이다. 옆에서 듣노라면 별의별 희한한 욕들이 다 등장한다. 배꼽을 잡을 정도로 우스운 욕이 있는가 하면 듣기에 섬뜩할 만큼 잔인한 욕도 있다.

그런데 가끔은 욕지거리가 달리는 편에서 어머니에 관한 욕이 나올 때가 있다. "너 에미 xx다" 하는 식으로 어머니에 대한 욕이 나오면 시합을 지켜보던 다른 방들에서 즉각 항의가 나온다.

"에-이, 니들 다른 욕은 좋은데 어머니 욕은 취소해~ 그 판에 어머니를 끌어들이진 말어!"

그러면 당사자들이 이를 받아들여 어머니에 대해 나왔던 욕을 취소하고 다른 욕을 내뱉는다.

이처럼 어머니는 죄수들에게 마지막 남은 거룩한 부분이었다. 인간의 이런 심리에 착안하여 가톨릭에서는 성모마리아를 등장시켰는지도 모르겠다.

나는 교회가 해야 할 바 중에 죄짓고 방황하며 세상 살기에 지치고 상처받은 영혼에게 어머니 역할을 해주는 것도 중요하다는 생각이 들었다. 방황에 지친 아들을 어머니가 품어주듯 교회는 상처받은 영혼들을 사랑으로 포용하는 일이 중요하다고 생각한다. 어머니가 가진 힘은 사랑의 힘이요, 사랑의 힘은 인류를 파멸에서 구원해 낼 힘이 아니겠는가? 그래서 예수 그리스도의 사랑은 바로 어머니의 사랑과 통하는 것이라 여겨진다.

감옥에서는 겨울 추위가 견디기 어렵더니 여름 더위 역시 사람을 미칠 지경으로 만들었다. 안양교도소 2층은 시멘트 슬라브 지붕이어서 덥기가 이루 말할 수 없을 정도였다. 오후에 방에 앉아 있노라면 머리가 띵 해오고 온방이 빙그르르 도는 증세가 나타날 정도였다.

롬멜 장군의 아프리카 전차대가 탱크 위에서 계란을 프라이해 먹었다던데, 우리도 데워진 천장에 계란을 던지면 프라이가 되어 떨어질 게 아니냐, 바닥에 그릇을 대고 받으면 멋진 요리가 될 것이라고들 말하곤 했다.

그런 와중에 안양교도소에 수감된 동료 정치범들에게서 단식 투쟁을 하자는 제안이 나왔다. 유신체제 철폐, 언론자유 보장, 민주주의 회복 등의 요구 조건을 걸고 단식을 감행하자는 의견이었다.

이 제안에 대하여 찬반이 반반으로 갈라졌다. 단식투쟁 찬성파는 민주주의를 위해 일하다가 이왕에 감옥까지 왔으니, 끝까지 투쟁해야

한다는 주장이었고, 반대파는 감옥에 있다는것 자체가 투쟁이니까 감옥에 있는 동안에는 건강관리를 잘해야 한다는 주장이었다. 투쟁도 생산적인 방법으로 해야 하는데, 이 어려운 조건에서 단식하여 건강을 해치는 것은 비생산적이라는 생각이었다. 말하자면 단식투쟁 지지파는 강경파인 셈이었고 반대파는 온건파인 셈이었다.

나는 항상 온건파였다. 내게는 매사를 투쟁으로 끝장내겠다는 강경파적인 기질이 없었다. 나는 모든 가치 있는 일의 성취는 점진적이고 단계적으로 이루어진다는 생각을 품고 있었다. 그래서 단식 문제에서도 강경파 동료들에게 말했다.

"민주주의의 기초는 체력이다. 우리가 굶다가 병들거나 죽고 나면 민주주의는 누가하느냐? 열심히 먹고 튼튼해야 민주주의를 일궈낼 수 있는 거다. 민주주의가 어떻게 1, 2년 안에 이뤄질 수 있겠는가? 못해도 삼십 년은 잡아야 한다. 민주주의야말로 과일나무와 같아서 촉성재배가 안 되는 거다. 십 년, 이십 년 세월을 끈기 있게 나가야 민주주의는 달성된다. 그러니 먹자. 왜 굶느냐."

나는 이렇게 열성껏 동료들을 설득했으나 잘 먹혀들지 않았다. 어디서든지 강경파의 의견이 돋보이게 마련이다. 미성숙한 사회일수록 더욱 그렇다. 온건파는 수는 많지만 침묵하기에 입이 큰 강경파의 주장이 대세를 이끌어가게 된다.

안양교도소 정치범들도 결국 단식투쟁을 하기로 결정했다. 그렇게 결정이 된 다음 단식을 하되 얼마간 할 것이냐는 문제가 대두되었다. 강경파의 입장은 우리들의 요구가 관철될 때까지 무기한 단식하자는

주장이었다

그러나 나는 사흘간만 하자고 주장했다. 그리고 사흘도 부담되는 사람들은 하루 이상만 단식에 동참하여 자기 체력을 스스로 조절하면서 알아서 하게 하자고 했다. 결사 각오란 식의 극단론은 피하자고 했다. 그랬더니 한 친구가 내게 핀잔을 주며 말했다.

"진흥이, 넌 왜 늘 그렇게 타협적이냐? 그걸 바로 사쿠라 기질이라고 하는 거다."

"글쎄, 날 보고 사쿠라라 하든 오쿠라라 하든 그건 상관없어. 난 오직 매사에 합리적으로 순리를 따르자는 거다. 내가 니들 앞에서 사쿠라 소리 안 들으려고 내 주장을 굽힐 수는 없잖냐? 그러나 꼭 내 주장대로 하자는 건 아니고, 각자 자기 입장과 주장을 밝힌 후 토론을 거쳐 투표로 결정하자는 거다."

이렇게 설왕설래한 후에 우리는 양편의 주장을 절충하여 타협안을 마련할 수 있게 되었다. 3일간을 단식하되 본인이 원하는 자는 자기 사정에 맞추어 단식에 참여하기로 했다

이리하여 안양교도소에 수감돼 있던 정치범들은 일제히 단식에 들어갔다. 그러나 처음에 약속했던 3일간의 단식이 끝난 후에도 몇몇 동료들은 단식을 계속했다 나와 같은 방에 있던 이해학 전도사도 그들 중 한 명이었다. 나는 그만 중단하라고 간곡히 권했으나 그는 막무가내였다. 나는 열을 내며 그를 힐책했다.

"이형, 도대체 언제까지 단식을 계속하겠다는 거요?"

"언제까지라고 기한이 정해진 것이 아니지. 박정희가 우리의 요구

조건을 들어줄 때까지 하는 거지."

"우리의 요구조건이 뭔데?"

"민주주의 하는 거지."

"그렇다면 아까운 사람 하나 죽어 나가겠네. 박정희가 얼마나 독한 사람인데, 몇 사람쯤 감옥에서 굶다가 죽는다고 민주주의 할 사람이오?"

"김형, 박정희가 어떻게 나오든 우리는 우리 할 일을 하는 거 아니겠소?"

"이형, 난 그렇게 생각지 않수다. 박정희를 이기려면 박정희보다 더 오래 살아남아야 하는 것 아니겠소? 그렇게 무리하다가 건강 잃고 쓰러지면 박정희만 좋아할거요. 악착같이 먹고 악착같이 살아남아 민주주의 세상 만들어봅시다."

그러나 이 전도사는 요지부동이었다. 단식한 지 열흘이 지나자 걱정스럽기가 이루 말할 수 없었다. 건강 유지가 힘든 옥중에서 열흘 이상 금식한다는 것은 무리였다. 그런 터에 교도소내 의무실에서 그를 데려가더니 얼마 후 식사를 하고 돌아왔다. 나는 의아스러워 물었다.

"아니, 이형, 그럴 줄 알았으면 의무실로 진작 갈 일이지. 거기 가서 그렇게 쉽게 먹을 걸 여기선 왜 그리 고집을 부린 거요?"

"김형, 말 마소. 난 먹을 생각 눈곱만치도 없는데 강제로 먹게 만듭디다."

"아이들도 아니고 어른을 강제로 먹인다고 먹어요?"

"말 마소. 이발관 의자 같은 데에 앉으라 합디다."

"그래서요?"

"그러고는 소 멍에 같이 생긴 기계를 머리에 씌웁디다. 그리고 무슨 단추를 누르니까 윙 하는 소리가 나더니 양쪽 관자놀이를 누르더군요. 그렇게 되니 입이 저절로 벌어지드먼요. 입이 벌어지니까 주스 몇 모금을 들이켜게 하고는 입안으로 밥숟가락을 들이미는데 숨을 들이쉬려니 밥이 목으로 넘어가 버리드라구요. 난 우리나라에 그런 기계가 있을 줄은 상상도 못 했지요."

"히야, 그런 기계가 있었어요? 장차 우리나라 기계공업이 발전할 징조구먼. 그런 기계를 수출해서 외화를 벌어들였으면 좋겠네….

모르긴 해도 세계에서 강제로 먹게 하는 기계를 발명해 사용하고 있는 곳은 우리나라밖에 없지 않을까 여겨졌다.

8 · 15 광복절 오후가 되니 외부 소식이 차단된 옥중에도 이상한 소문이 돌기 시작했다. 대통령 신변에 이상이 생겼다는 소문이었다. 다음날 아침나절이 되니 소문의 윤곽이 드러났다. 광복절 기념식장에서 총격 사건이 있었는데 대통령은 살고 육영수 여사가 죽었다는 소문이었다.

그런데 정치범 중에서는 이 소식을 듣고 환호성을 지르며 박수를 치는 사람들이 있었다. 나는 그런 태도가 못마땅했다. 대통령 부인이 죽었는데 국민의 한 사람으로 슬퍼해야 할 일이지, 어떻게 박수치며 기뻐할 일인가? 우리가 박정희의 통치 방식에 저항해 옥살이하고 있더라도 인간 생명에 대한 존중이란 원칙은 지켜야 한다고 믿었다. 증오심에 바탕을 두고 있다면 또 하나의 악순환이 되풀이될 뿐이다.

육 여사의 죽음을 계기로 옥중에서는 열띤 토론이 벌어졌다. 초점은 육 여사의 죽음이 애도할 일이냐 기뻐할 일이냐 하는 주제였다. 환영파는 육 여사가 자연인 아무개가 아니라 공인이기에 그녀의 피살은 하늘의 경고이니, 따라서 환영할 일이라고 주장했다.

반면에 애도파는 육 여사는 정치가도 독재자도 아닌 한 남자의 아내이자 한 가정의 주부였을 따름이므로 그녀의 죽음에 대해 기뻐하는 것은 합당치 못하다고 주장했다. 설사 당사자인 박 대통령이 피살당했을지라도 우리가 환영해야 할 일인지 아닌지 판단이 서지 않는 터에 그 부인이 유탄에 맞아 죽은 일을 두고 기뻐하는 일은 온당치 못하다는 말이었다. 이런 생각은 우리들의 인간성 상실이요, 우리를 가둔 자들과 같은 동질의 인간으로 타락하게 될 뿐이라고 했다. 따라서 우리는 육 여사의 죽음을 진심으로 애도해야 한다고 설명했다.

온건파는 덧붙여 논리를 폈다.

"더욱이 그녀를 저격한 사람이 일본에서 들어온 교포라지 않습니까. 비록 교포긴 하지만 외부에서 들어온 세력입니다. 국내 정세가 아무리 못마땅하더라도 우리 스스로 해결해야지, 외세의 개입으로 해결하는 건 바람직하지 못한 처사입니다."

여기서 토론은 육 여사를 시해한 사람이 재일교포라는 점에서 한국 정세 해결에 대한 외세의 역할 문제로까지 확대되었다. 한쪽에서는 유신 세력이 철저한 자기방어를 굳히고 있기에 국민 세력만으로는 와해시킬 수 없으므로 외세의 지원을 기대하지 않을 수 없다고 했다. 그래서 미국이나 일본 측에서 현 정권에 정치적 · 경제적 압력을 가해 민주화를 촉진해야 한다고 주장했다.

그러나 다른 한편에서는 그런 식의 해결은 문제에 대한 근본 해결이 아니며 사대주의적 발상이라 했다. 그리고 민족 자주성 상실과 외세의 개입이란 또 다른 문제를 일으킬 뿐이라고 주장했다.

이런 주장에 대해 전자가 반박했다

"그런 생각은 어디까지나 이상일 뿐이지 현실적인 방법이 못 됩니다. 성취할 수 없는 목표는 종교적 의미는 있을지언정 정치 현실에서는 적용되지 않습니다."

후자가 다시 반론을 폈다.

"자기 자신의 축적된 힘에 의하여 해결하지 않고 외부의 힘에 의해 해결하는 것은 해결이 아닙니다. 일시적 변화에 불과합니다. 외세는 자신들의 이익에 따라 움직이는 법입니다. 우리 민족의 이익을 위해 움직여주는 외세는 없습니다. 손님은 주인이 주인 노릇을 제대로 할 때 손님이지 주인이 제구실하지 못할 때는 손님이 주인이 돼 주인을 지배합니다. 이것은 역사가 보여주는 교훈입니다."

토론은 끝이 없었고 결론이 내려질 수 있는 성질의 것도 아니었다. 육 여사의 죽음은 우리 정치범들에게 열띤 토론을 벌이게 했고, 그 토론은 민주화를 위해 함께 일하는 동료들 사이에도 서로 다른 견해가 있음을 확인케 했다.

비상보통군법회의에서 징역 15년, 자격정지 15년을 선고받고 항소했던 나는 3월 7일부터 비상고등군법회의에서 항소심 재판을 받게 됐

다. 재판장은 이세호 장군이었다.

우리는 푸른 수의를 입고 수갑을 찬 채 얼기설기 묶여서 재판정에 섰다. 비공개 재판이라 방청객도 없었다. 재판장석을 쳐다보니 별 다섯을 단 장군이 위엄 있게 앉아 있었다. 재판관석에 앉아 있는 장군들의 별을 헤아리니 모두 열 개가 넘었다. 모두들 가슴팍에 훈장들을 여러 개씩 달고 있었다. 이해학 전도사가 비아냥거렸다.

"젠장, 다 큰 어른들이 애들처럼 뭘 저렇게 달고 다녀?"

"아직 정신연령이 모자라 장난감들을 좋아하는 거여."

옆에서 박윤수 전도사가 그렇게 말해 우리 일행은 와 하고 웃었다.

죄수들이 웃자, 위엄을 부리고 있던 재판관측이 당황했다. 권위란 상대적인 것이어서 상대방이 인정해 줄 때 세워지는 것이다. 상대가 인정하지 않을 때 그 권위는 힘을 잃고 마치 종이호랑이처럼 별 볼일 없는 것이 되고 만다. 장군들은 자기들의 권위를 인정할 줄도, 자신들이 얼마나 높은 사람인지도 모르고 있는 상대들을 만나자 퍽 곤혹스러워했다.

헌병들이 당황하여 "조용히 해!"하고 고함을 질렀다. 그러나 헌병이 고함지른다고 해서 조용해질 이유가 없는 사람들이었다. 겁 없는 이 전도사가 헌병에게 말했다.

"당신은 별도 없으면서 왜 소리를 빽빽 지르는 거요?"

그 말을 받아 곁에 있던 누군가가 "소리를 지르면 별을 달아줄지 누가 아나" 하고 거들었다.

우리를 호송해 온 교도관이 울상을 지으며 말했다.

"여러분이 이러시면 우리 입장이 난처해집니다. 좀 봐주십시오. 우리가 문책당하게 됩니다."

약한 데는 약한 것이 성직자들이다. 그가 그렇게 사정 조로 말하자 우리는 조용히 했다. 이어서 재판이 시작되자 주범인 나부터 시작했다. 재판장인 이세호 장군이 묻고 나는 대답했다.

"김진홍, 직업이 무언가?"

"활빈교회 전도삽니다."

"성직자가 왜 본연의 임무를 떠나 정치에 관여하였는가?"

"군인들이 본연의 임무를 떠나 있는 일로 인해 우리 성직자들도 잠시 본연의 자리를 떠나게 됐습니다."

"군인들이 본연의 임무를 떠나 있다니, 무슨 뜻인가?"

"예, 군인들이 휴전선을 지키는 일 같은 국토방위의 임무를 떠나 있기에 우리들도 그걸 말리느라 우리 자리를 떠나게 되었다는 말입니다. 군인들이 휴전선으로 돌아가면 우리도 본연의 자리로 돌아갈 테니 그 점은 염려 마시기 바랍니다."

이런 식의 질문과 대답이 몇 시간 동안 계속되곤 했다. 그렇게 재판을 치르고 난 날은 우리 모두 녹초가 됐다.

항소심 재판 결과는 우리 전원에게 기각이 선고되고, 우리는 다시 대법원에 상고했다. 나에게도 상고 이유서를 제출하라는 통보가 왔다. 나는 정성 들여 상고 이유서를 작성해 제출했다. 그 내용을 요약하면 다음과 같다.

대통령 긴급조치 위반이란 죄목으로 나에게 부과된 15년의 선고는 부당하다.

그 이유로 첫째, 긴급조치는 언론 자유를 너무나 억압하고 있다. 말하는 자유로서의 언론권은 하나님이 주신 인간의 기본권이다. 이를 억압함은 하나님의 뜻을 거스르는 행위이다. 언론 탄압의 죄를 범하였던 역대 정권이나 위정자가 하나님의 심판을 받았음은 역사가 증명하고 있다. 이러한 과오에 대하여 각성을 촉구하는 의미에서 시국기도회를 주도하였던 본인에게 군사재판에서 15년의 형을 가함은 부당하다.

둘째, 긴급조치법은 합법적인 개헌 청원 운동을 금지하고 있다. 이는 본인이 초등학교에서부터 배워온 민주주의에 어긋나는 조치다. 5 · 16 이후 대통령께서는 세 번이나 개헌했다. 그런데 이번에 국민들이 개헌하자고 한다 해서 조치법으로 금하는 것은 어불성설이다.

셋째, 긴급조치는 군법회의를 설치하고 나라를 염려하는 애국시민들에게 과도한 형량을 부과하고 있다. 국내외 정세가 급변하는 이때, 북한의 위협 앞에서 조국의 운명이 위태로운 때에 군인들이 휴전선에서 적을 지키는 본연의 임무를 떠나 후방에서 애국시민들을 재판하고 있음에 각성을 촉구한 본인 등이 제재를 받아야 할 이유가 없다.

현명하신 대법원장님과 대법원 판사님들께서 사건의 시종을 살펴 바른 재판을 해달라.

그러나 1974년 8월 20일에 대법원으로 올렸던 상고도 기각돼 15년 형이 확정되고 나는 삭발을 당했다.

10

집 밖은 가랑비, 집 안은 소낙비

집 밖은 가랑비, 집 안은 소낙비

형량이 확정되자 안양교도소에 있던 정치범 중 아홉 명이 수원교도소로 이감되었다. 나는 열여덟 명 중 여섯 명이나 포함되어 있는 중죄수들의 방에 입방 되었다.

수원교도소는 전국 교도소 중에서도 모범 교도소로, 외국인 죄수들이 수감돼 있었다. 게다가 도서관 시설이 잘돼 있었으나 우리 정치범들에게는 도서관에 비치돼 있는 책들을 읽을 권리가 없었다. 책 읽을 권리를 찾기 위해 우리는 머리를 짜냈다. 내가 아이디어 하나를 제안했다.

“단식하겠다고 교도소 측에 통보하자. 그러면 교도소 측에서 만류하려 들 것이다. 그때 우리가 단식을 중단하는 대신 도서관을 이용하게 해달라고 요구해 보자. 잘하면 통할지도 모르잖는가?”

나의 제안에 모두 찬성했다. 디데이를 정하고 우리는 일제히 식사를 거부했다. 교도소 측은 당황해 우리를 설득하려고 나섰다. 소장이 찾아와 다른 요구는 들어줄 테니 단식만은 중지해달라고 사정했다.

"여러분들의 관리를 위탁받고 있는데, 여러분 건강이 나빠지면 관리를 위탁받은 우리 교도소가 문책당하게 됩니다. 그리고 책임도 우리에게 돌아옵니다. 그러니 제발 단식만은….

나는 적당한 기회를 잡아 우리가 단식을 중단하면 도서관 이용을 허가해 줄 수 있겠느냐고 물었다. 소장은 그 정도는 자기 재량으로 즉각 허락해 줄 수 있노라 했다.

우리는 단식을 중단했다. 한 끼 단식으로 소원하던 도서관 이용권을 얻은 것이다.

수원교도소에는 미국인, 일본인, 중국인 등이 수감되어 있기에 좋은 서적들이 비치돼 있었다. 나는 대학 시절 이후 모처럼 장서 속에 묻혀 몇 개월을 보낼 수 있었다. 오죽하면 갑자기 석방돼 이런 기회가 사라져 버릴까 염려될 정도였다.

어느 날 저녁, 같은 방의 일반수들이 나누는 대화를 듣다가 나는 놀랐다. 그들의 대화가 정치 문제로 옮겨졌다. 한 죄수가 말했다

"이 나라의 장래가 어떻게 될 건지 퍽 암담한 거 같다."

이 말을 받아 다른 죄수가 말했다.

"그건 그래. 도대체 믿을 구석이 있어야제. 재판하는 것만 봐도 나라 돌아가는 사정을 알 수 있어. 도대체 판사, 검사를 믿을 수가 있나. 그렇다고 변호사를 믿을 수가 있나. 재판이란 게 유전 무죄(有錢無罪)요 무전유죄(無錢有罪)인 기라. 돈 있고 빽 있는 녀석들은 다 빠져나가 버리고 우리같이 돈 없는 송사리들만 감옥에 남아 국민 세금이나

축내고 있으니 나라 장래가 말이 아닌 기라. 암담하다 이기여. 정부도 못 믿겠고 국회도 못 믿겠고 백성들이 믿을 구석이 없는거여. 그렇다고 미국을 믿겄어, 야당을 믿겄어. 우리 같은 힘 없는 백성들은 믿고 기댈 곳이 없단 말이여."

그가 그런 말끝에 한숨을 쉬자, 곁에 있던 절도범이 말했다.

"우리가 뭐 그런 걱정까지 할 것 있간디? 우린 그냥 담이나 타 넘고 다님 되는기여."

"그렇지 않어. 담 넘어 다니는 거도 나라가 잘돼야 들고 나올 것들이 있는 기여."

"그래, 우린 도둑눔이지만서도 좌우지간에 나라는 잘돼야 해. 그래야 우리 같은 것들도 맘 잡고 살아볼기 아니겄는가? 우리라고 언제까지나 죄만 지으란 법이 있간디. 언젠가는 맘잡고 사람 구실 허고 살아야 하는디…. 그런 날이 올란가 모르겠구먼. 바깥시상이 오죽했으면 이런 김 선생 같은 분들까지 잡아넣어 콩밥을 먹이겄나?"

그의 말에 모두가 공감을 표시하며 분위기가 숙연해졌다. 나는 충격을 받았다. 백성들이 사법부와 행정부, 그리고 입법부를 믿지 못하는 데다 우방까지 믿을 수 없다면 그 나라의 장래가 어떻게 되겠는가?

범죄를 업으로 삼고 살아온 이들까지 나라의 장래를 이토록 염려하고 있을진대 하물며 일반시민들의 마음이야 오죽하겠는가? 한 국가가 존립하고 번영하려면 상호 신뢰에 바탕을 두고 있어야 하는데, 각계각층에 불신 풍조가 넘쳐 있고 옥중의 죄수들까지 믿을 곳이 없음을 탄식하고들 있으니, 나라의 기초가 흔들리고 있는 것이라 생각했다.

그래서 나는 다짐하고 기도했다.

교회가 중요하다. 한국 교회는 온 국민이 믿을 수 있는 최후의 보루가 되어야 한다. 이 땅에서 다른 기초들은 모두 흔들릴지라도 교회만은 부동의 터전이 돼 국민들이 믿고 의지할 수 있는 마지막 보루가 돼야 한다. 나의 남은 삶은 믿을 수 있는 교회를 건설하는 일에 헌신하자. 목사나 교인들만 믿을 수 있는 교회가 아니라 백성들이 믿을 수 있는 교회를 세워나가자. 노동자들도 농민들도 도둑도 경찰도 모두가 믿을 수 있는 교회를 세우자. 그런 교회를 세워나가기 위하여 교회가 먼저 자기 정화를 이루고 복음 신앙으로 자기 고백을 확고히 한 후 민족 변혁의 깃발을 들어야 한다.

이런 다짐을 한 후 나는 한방의 동료 죄수들에게 정을 느끼고 한 사람 한 사람 깊이 사귀려고 힘썼다.

동료들 가운데 열아홉 살에 청부살인을 하고 들어와 18년을 산 사람이 있었다 서른일곱이 된 그와 같은 방에서 살면서 '사람이 저렇게 악한 일만 생각하며 사는 수도 있구나!' 하는 생각이 들었다.

그는 꿈을 꿔도 보통 꿈을 꾸는 것이 아니었다. 잠꼬대도 이를 박박 갈며 "찔러, 찔러" 하고 웅얼거리곤 했다. 그의 곁에 누워 있으면 옆구리가 서늘할 정도였다.

그는 식사만 끝나면 창문 곁에 붙어 서서 두 손가락을 꼬부려서는 창밖으로 손을 내뻗었다가 오므렸다를 되풀이했다. 한번은 그에게 "무슨 운동인데 그렇게 끊임없이 반복하는 겁니까?"라고 물었더니 그가 "아, 이거 손가락에 힘 오르면 교도관 눈깔 뽑는 운동이야" 하고 대

답했다.

그는 동작을 멈추지 않고 눈 뽑는 동작을 거듭했다.

"왜 하필이면 그런 운동을 하세요" 하고 물었더니 인상이 일그러지면서 "초짜가 왜 이리 말이 많아"하며 오므렸던 두 손가락을 내 얼굴로 확 뻗었다. 나는 질겁해서 몸을 뒤로 뺐다.

그가 말했다.

"내 평생소원이 무엇이냐? 언젠가 출소하게 되면 수류탄 하나를 구해 서울 한복판 명동으로 가서 잘생긴 냄비(여자) 열댓 명을 모아두고 수류탄을 터뜨려 장렬한 최후를 마치는 거야."

"하필이면 왜 그런 최후를 마치려 하십니까?"

"내 같은 놈은 죄가 많아서 천당 가기는 글렀고 염라대왕께로 갈 텐데, 염라대왕이 냄비를 좋아한다니께 열댓 명 갖다 바쳐야 거기서 한자리 할끼 아니겄나."

그는 수류탄은 어떻게 구할 것이며, 명동 어디에 냄비들이 많은지 등을 연구하곤 했다.

그는 손가락 운동으로 그 방을 완전히 제압하고 지냈다. 누구든 그의 비위를 거스르면 단박에 눈 뽑는다고 달려드니 모두 그를 두려워하고 싫어했다. 우리 방에 있는 18명 중에는 태권도 7단도 있었다. 태권도 7단이라면 싸움에는 무적인 셈이었다. 그러나 그에게는 꼼짝 못했다. 왜냐하면 그는 기분이 상하면 이렇게 말했기 때문이다.

"너, 태권도 7단이라구 까불어? 너 잠잘 때 두 눈을 뽑아버릴 테니깐 알아서 하라구."

그러면서 눈 뽑는 동작을 반복하니 당할 재간이 없을 수밖에. 그가 아무리 싸움에 능수라도 잠잘 때 눈 뽑는다는 데는 어쩔 도리가 없었다. 그래서 태권도 7단은 그에게 싹싹 빌며 화해를 요청했다. 나는 그렇게 살아가는 그가 측은해 보였다.

'저 사람도 어머니 품에 안겨 있던 어린 시절이 있었을 텐데, 세월을 어떻게 지냈기에 저런 성품으로 바뀌었을까?'

이런 생각이 들자 어떤 수를 쓰더라도 그의 성품을 변화시켜 사람답게 살게끔 도와주고 싶은 마음이 간절했다. 나는 그를 위해 특별히 기도하며 그와 친해지려고 힘썼다. 그의 편지도 써주고 물품을 나눠 쓰기도 했다.

그러다가 3일간 금식하며 그의 인격을 변화시킬 수 있도록 성령께서 도와주시기를 기도했다. 그는 내가 자기를 위해 금식기도 하리라고는 전혀 생각도 못 하고 "김형, 어디 몸이 편찮수? 감옥에서는 식사를 못하는 날이 죽는 날인데" 하며 염려해 주었다.

그렇게 정성을 들인 후 적당한 시기를 찾다가 비 오는 날 그에게 복음을 전하기로 마음먹었다. 밖에서 가을비가 내리던 어느 날, 나는 그의 앞에 앉아 정중한 음성으로 말했다.

"이형, 오늘 나하고 이바구 좀 합시다."

"예? 뭔 이바구요?"

"결론부터 먼저 말하자면 우리 주인을 바꿉시다."

"뭔 주인을 바꾼다요?"

"나나 이형이나 이 좋은 세월에 왜 징역살이하고 있습니까? 주인을

잘못 정한 때문이에요. 우리가 자기 자신을 주인으로 정하고 살았을 때는 사고뭉치가 돼 징역살이하게 되었는데, 이 주인을 바꾸자는 것입니다. 나 대신에 예수를 새 주인으로 모시면 새 주인께서 우리를 도와서 새 성품, 새 사람으로 바꾸어줍니다.

성경 요한복음 1장 12절에 이런 구절이 있습니다.

> **영접하는 자, 곧 그 이름을 믿는 자들에게는 하나님의 자녀가 되는 권세를 주었으니….**

여기서 영접한다는 말은 모신다는 뜻입니다. 예수를 나의 주인으로 모시는 사람, 곧 예수를 믿는 자는 하나님의 아들이 되는 권리를 주었다는 뜻입니다.

이형도 이제까지는 자신이 주인이 돼 고단한 세월을 살아왔으니 이제 예수님을 주인으로 모시고 새출발합시다. 그러면 예수님의 영이신 성령님이 이형의 마음에 주인으로 머무르시면서 이형을 도와주십니다. 그래서 새로운 삶을 살게 이끌어주십니다."

내가 간곡히 권하니 정신을 모으고 조용히 듣고 있던 그가 말했다.

"나 같은 잡배도 예수 믿을 수 있갔시요?"

그 말 한마디에 나는 가슴이 떨릴 지경으로 기뻤다. 그에게서 그런 말이 나온다는 것 자체가 기적이었다. 나는 용기를 얻어 확신 있게 말했다.

"믿을 수 있고말구요. 예수는 모범생이나 잘난 사람들을 위해 온 게 아니라고 하셨습니다. 잡배나 문제아들의 친구가 되려고 왔다고 했습니다. 신앙의 세계는 잡배나 불량배가 예수를 모시면 곧바로 신사로 바뀌게 되는 세계입니다."

"그렇다면 김형이 나를 예수 믿는 사람으로 만들어주시오. 나는 그저 김형 시키는 대로 할 테니 잘 이끌어주시오."

그 후 그는 날로 새롭게 변했다. 눈 뽑기 운동도 명동 냄비 이야기도 사라지고, 진솔한 구도자의 자세로 바뀌어갔다. 나는 그에게 찬송가를 가르쳐주고, 기도해 주고, 성경 이야기를 들려주었다.

내가 석방되어 나오던 날 그가 내 앞에 무릎 꿇은 채 눈물을 글썽이며 말했다.

"김 선생님, 석방을 축하합니다. 선생님은 반드시 성공하실 겁니다. 나가시기 전에 제 이야기를 몇 마디만 들어주십시오. 선생님, 저를 인간이 되게 도와주신 일 고맙습니다. 선생님을 만나기 전에는 내가 지은 죄는 생각지도 않고 나를 감옥 살게 하는 세상만 원망하며 살았습니다. 그러나 선생님을 통해 예수님을 알게 된 후에는 그런 생각들이 눈 녹듯 사라지고 이제는 나도 사람답게 살아야지 하는 생각만 하고 있습니다. 나도 이제 언젠가 석방이 되면 공원에 떨어진 휴지를 줍더라도 이 세상에 무언가 도움 되는 일을 하며 살겠습니다. 김 선생님, 고맙습니다. 출옥하셔서 좋은 일 더 많이 해주십시오."

나는 그의 변화 되어가는 삶을 보며 신앙이 가지는 힘에 다시 한번 놀랐다.

이 사회가 범죄를 저지른 그에게 해준 것은 18년간의 감옥살이였다.

그러나 예수가 그에게 해준 것은 감사와 기쁨, 그리고 새출발하고 싶은 용기였다. 예수께서 이 살인수에게 새 희망이었듯이 우리 겨레 전체에게도 희망이어야 한다고 생각했다.

1974년의 크리스마스가 왔다. 같은 방의 동료 죄수들이 내게 성탄축하 예배를 드리자고 했다. 나는 '기쁘다 구주오셨네' 찬송을 부르고 마태복음 2장 16절에서 18절의 말씀을 읽고는 성탄절 메시지를 전했다.

첫 번째 성탄절에 아기 예수가 태어남으로 인해 수많은 남자 아기들이 살해당했다. 그들은 왜 죽는지도 모르는 채 예수와 같은 시기에 같은 지역에서 태어났다는 이유로 죽게 되었다. 이상하지 않은가? 하나님의 아들이 인류를 구원하러 오셨다는데, 왜 오자마자 죄 없는 아기들을 죽게 하였을까? 여기에 어떤 뜻이 있을 것 같다. 인생살이에서 모든 귀중한 것은 값을 치르고 얻어진다는 뜻이다.

우리가 값있는 삶을 살려면 그에 합당한 희생을 치러야 한다. 예수가 오시는데, 피 흘림이 필요했듯이 우리가 사람답게 살아가는 일에도 피나는 노력이 있어야 한다. 고통과 대가를 치르고 자기를 지켜나가는 자만이 인간다운 삶을 누리게 된다. 값을 치르지 않고 편하고 쉽게 살려는 자는 인생에 낙오자가 된다. 그리고 범죄자란 칭호도 받게 된다. 예수가 나선 것은 우리에게 고난과 피 흘림을 거쳐 승리를 얻게 하기 위해서다.

이런 요지의 설교를 하고는 동료 18명의 이름을 한 명씩 부르며 각자에게 합당한 제목으로 기도했다. 그렇게 예배를 마치니 고개를 숙인 채 울고 있는 사람들도 있었다. 자기를 위해 염려해 주는 기도를 평생 처음 들었으며, 자기를 위해 염려하는 기도 말씀을 들으니 웬일인지 눈물이 그치지 않는다고 했다.

성탄절 오후에는 재소자 전원이 모이는 예배에 갔다. 수원 시내 한 성당에 계시다는 젊은 신부님이 와서 강론했다. 신부님의 강론을 들으며 나는 실소를 금치 못했다.

'도둑님'을 앞에 앉혀두고 신부님은 신학자, 철학자들의 이름을 연이어 소개했다. 아퀴나스에서부터 시작하여 마르셀, 카시러, 마리탱, 베르자예프 등이 등장하고, 이어서 하이데거, 키에르케고르, 샤르댕까지 출현했다. 소개되는 대로 헤아려보니 무려 스물여섯 명의 신학자와 철학자가 한 시간의 강론에 언급됐다.

죄수들은 그가 강론하는 동안 발은 시리고 주리가 틀려 갖은 악담을 퍼부었다. 그런 분위기에도 그는 전혀 개의치 않고 서양 학자들의 이름을 들먹이고 있었다. 죄수들은 대개 빈민촌 주민들처럼 참을성이 적다. 정서가 불안정하여 산만하고 조급하다. 그런데 신부님이 50분간을 그렇게 강론했으니, 분위기가 어떠했을까는 가히 짐작할 만한 일이다.

예배가 끝나고 돌아오는 길에 내 곁의 조수가 말했다.

"자식새끼 낳아 예배당 보내면 내가 개새끼다!"

얼마나 지겨웠으면 그런 말을 했을까마는 나는 그에게 항의했다.

"여보, 오늘 연설한 분은 신부지 목사가 아니오. 그리고 예배당이 아니라 성당이오."

"예배당이나 성당이나, 목사나 신부나 다 그놈이 그놈이지 다를 게 뭐요?"

"나 참, 신부 덕에 애꿎은 예배당 목사까지 욕먹는구먼. 달라도 한참 다르지요. 신부들은 장가를 안 가서 여자한테 시달려보지를 않아 철이 덜 든 거지요."

말은 그렇게 하면서도 나는 신부나 목사나 비슷하다는 말에는 일리가 있겠다는 생각을 했다. 강대 아래에서 듣고 있는 청중은 온갖 아픔을 안고 고민하고 있는데, 강대 위에서는 그런 아픔과 고민은 아랑곳하지 않고 어려운 말이나 해대 쌌고 서양학자들 이름이나 들먹이고 있는 점에서는 신부나 목사나 별다를 바가 없다는 생각이 들었다. 백성들의 춥고 서러운 사정은 모른 체하고 서양 신학 이론을 겉만 핥다가 와서는 설교단에 서게 되니 백성들의 가슴에 전혀 닿지 않는 설교를 할 수밖에 없는 것이다. 출소하게 되면 그 성당을 찾아가 좀 일러주어야겠다고 생각했으나 아직도 실행하지 못하고 있다.

1974년이 저물고 1975년 1월 1일을 수원교도소에서 맞았다. 정월 초하루에는 명절이라 하여 쌀밥에 고깃국이 나왔다. 1월 6일에 활빈교회 교인 다섯 명이 특별면회를 와서는 말했다.

"전도사님, 우리 교인들이 내일 저녁부터 전도사님 석방을 위해 40일 철야기도를 드리기로 했습니다."

나는 깜짝 놀라 말했다.

"그게 무슨 소리예요? 밤은 자라고 있는 시간인데 웬 철야예요? 밤에 푹 자고 새벽에 맑은 정신으로 기도드리면 되는 거지요."

"전도사님 사도행전 12장을 보니까 베드로가 감옥에 있었는데 성도들이 누군가의 집에서 철야기도를 드렸더니 옥문이 열렸습디다. 지금도 그런 역사가 있을 줄로 믿습니다."

"그땐 그때고 지금은 지금이지요. 그리고 사람이 다르잖아요. 베드로는 배 씨고 나는 김 씬데 다르지요. 겨울에 잘 못 먹어도 잠이 보약이란 말 못 들었나요? 사람이 먹는 것이 시원찮을 때는 잠이라도 푹 자야 하는 겁니다. 나 때문에 철야기도하고 그런 일은 하지 마십시오."

"전도사님, 징역 들어오시더니 믿음이 식었네요. 전에는 그렇게 설교하시지 않았는데요."

"글쎄요. 내 믿음은 식어도 나갈 때 채워나가면 되니까 좌우지간 철야기도는 그만두세요."

"전도사님, 우리가 알아서 하겠습니다."

교인들은 그렇게 말하고 가더니 다음 날부터 40일 철야기도를 드렸다. 난로도 없는 교회당에서 베니어판 마루에 앉아 40일 밤을 기도로 지새운 것이었다. 여성 신도 중에 어떤 분은 40일간 단 하루도 등을 방바닥에 대지 않고 앉아서만 지낸 분도 있었다.

그렇게 철야기도를 시작해 40일째가 되는 날이 2월 14일이었다.

40일간의 철야기도가 끝나고 2월 15일 낮에 직장에서 졸며 일하거나 집에 머물러 있던 신도들은 정오 뉴스 시간에 박정희 대통령이 정치범을 석방한다는 담화문을 듣게 되었다. 석방되는 정치범 명단에

김진홍이란 이름이 첫 번째로 보도 되었다.

뉴스를 들은 활빈교회 신도들과 빈민촌 주민들은 감격에 넘쳐 울고 웃고 손뼉을 치며 서로 알리기에 분주했다. 모두 교회당에 모여들어 축제 분위기를 이루었다. 그러나 막상 당사자인 나는 그런 줄도 까맣게 모르고 있었다.

2월 15일 아침나절에 한 교도관이 감방으로 찾아와 오늘 중으로 정치범들에게 좋은 소식이 있을 것 같다는 말을 했다. 그러나 우리는 전혀 감을 잡지 못하고 좋은 일이라니 무슨 좋은 일이런가 하며 무덤덤한 마음으로 있었다.

정오 조금 지나 교도관이 와서 석방된다는 소식을 알려주었다. 2월 16일 아침나절에는 교도관이 와서 한 시간 내에 출감할 테니 준비하라고 일러주었다. 감옥에 들어온 지 꼭 13개월 만이었고, 교인들이 철야기도를 시작한 지 꼭 40일 만이었다.

들어올 때는 어려운 절차를 거쳤는데 나갈 때는 쉬웠다. 수원 교도소의 마지막 철문이 열리고 밖으로 나오니 다섯 살짜리 동혁이가 "아빠"하고 부르며 달려오는 게 보였다. 친정에 내려갔던 아내는 갓난아이를 품에 안고 있었다. 아내는 친정으로 가기 전 뱃속에 아기를 갖고 있었다. 내가 감옥에 있는 동안 태어난 그 아기는 여자아이였고, 이름은 은송이였다.

아이들을 보는 순간 머릿속이 핑 돌며 현기증이 났다. 교도소 입구에 교인들과 동네 사람들이 현수막을 걸고 기다리고 있었다. 흰 천에 붉은 글씨로 '할렐루야! 우리의 목자가 돌아오신다'라고 쓴 플래카드가 보였다. 갑자기 하늘과 땅이 붙었다 떨어졌다 하고 지면이 꿀렁꿀렁 움직이는 듯하여 제자리에 서 있기조차 힘들었다. 나는 그 자리에 무릎을 꿇고 흙바닥에 입을 맞추며 감사기도를 드렸다.

"하나님, 감사합니다. 이런 순간을 허락하셔서 감사합니다. 이 귀한 백성들과 평생을 함께 지내다가 함께 하늘나라까지 가겠습니다. 앞으로 아무리 좋은 길이 열려도 이들을 떠나지 않고 함께 살며 하늘의 일을 이루어나가겠습니다."

청계천 빈민촌으로 돌아오니 온 동네 사람이 뜨겁게 환영해 주었다. 더욱이 활빈교회 신도들의 환영은 열광적이었다. 나는 감격스러웠다. 이들을 위해 목숨을 바친다 한들 무엇이 아까울쏘냐! 남은 삶을 통째로 바쳐 이들을 위해 살겠노라고 다짐했다.

이들을 위해 일하는 거다! 이제부터 시작이다! 내 생애를 걸고 죽기 아니면 까무러치기 각오다!

석방된 다음 날 나는 세브란스병원으로 가서 종합 진단을 받았다. 일본의 친구들이 종합 진단 비용을 보내왔다. 진단 결과 몸 전체가 다 정상이고 심장이 일반사람보다 특별히 강하다는 결과가 나왔다. 다른 동료들은 수감생활로 인해 건강이 나빠져 고생하는 경우가 많았으나 나는 오히려 들어갈 때보다 더 건강한 몸이 되어 나왔다. 나는 하나님께서 앞으로 더 열심히 일하라고 건강을 주신 줄로 알고 즉시 일을 시작했다.

빈민촌에는 예전과 다름없이 많은 문제가 기다리고 있었다. 그런 문

제들을 살펴 간추린 후 한 가지씩 풀어나가는 일에 착수했다.

첫 번째로 대두된 문제는 내가 없는 동안 외부에서 들어온 일꾼들이 이전에 일하고 있던 일꾼들을 밀어내고 모든 일을 주도하고 있다는 점이었다.

내가 옥중에 있는 동안 활빈교회를 도우려고 들어온 분이 여럿 있었다. 그분들은 좋은 뜻으로 많은 수고를 했으나 결과가 좋지 못했다. 본인들의 의도와 달리 교회와 동네에 혼란을 일으키고 있었다.

그렇게 된 이유는 빈민 선교에 대한 기본자세에서 비롯한다. 빈민 선교는 의욕만으로는 하기 어렵다. 기본자세가 바로 서 있어야 한다. 빈민촌 내의 문제점들과 빈민들의 심리에 대한 정확한 이해를 바탕으로 바람직한 선교 방법을 택해야 한다. 그리하여 그 바탕과 방법 위에서 주민 자신들이 주체가 되어 문제를 스스로 해결해 나갈 힘을 길러주어야 한다. 외부에서 들어온 일꾼들이 일을 해준다거나 도와준다는 사고 방식으로 임하면 나쁜 결과를 가져오기 십상이다.

13개월간 옥중에 있는 동안 청계천 빈민촌 선교 지역에서는 바람직하지 못한 일들이 일어났다. 외부에서 활빈교회를 돕겠다고 들어온 사람들이 선교활동을 주도하면서 문제가 발생했다. 활빈 정신이 퇴색되고 그간 활빈교회가 혼을 기울여 쌓아 올렸던 지역사회와의 일체감이 무너져가고 있었다.

대표적인 예가 변소의 경우다. 수원교도소에서 출감하는 길로 청계천 빈민촌으로 직행해 교회당을 찾았더니 교회당 건물 한켠에 호화변소(?)가 지어져 있었다. 그런데 문이 자물쇠로 채워져 있는 데다 '내빈용'이란 딱지가 붙어 있었다.

빈민촌 변소는 수세식이 아닌 우세식(雨洗式)이다. 청계천 강물 위에 지어진 변소들인지라 변을 보면 한강으로 직행한다. 청계천 강물이 줄어들 때는 변이 쌓여 있어 악취를 풍기고 파리 떼가 들끓다가 비가 오면 빗물에 씻겨 자동으로 청소되기에 '우세식'이라 일컫는다. 그러므로 당연히 변소에는 지붕이 없다. 그리고 변소 벽 판자에는 구멍이 많아서 안에 사람이 있고 없고를 노크로 확인하는 것이 아니라 눈으로 확인하는 방식이다.

이런 변소에 외부 손님들을 안내하는 것이 창피스러워 교회 마당 한켠에 손님용 변소를 따로 만든 것이다. 나는 변소가 문제가 되면 주민들과 의논해 새 변소를 짓는 것이 합당한 방법이지, 주민들이 사용하는 변소는 그대로 둔 채 손님용 변소를 따로 짓는 것은 옳지 못하다는 생각이 들었다. 그리고 어쨌든 새 변소가 지어졌으면 손님이나 교인이나 주민이 다 함께 사용해야지 자물쇠로 채워두고 외부 손님들만 사용하게 한 것은 합당치 못한 처사였다.

나는 당장 교인들에게 말했다.

"똥은 다 같은 똥이지 손님 똥 다르고 주민들 똥이 다른 게 아니다. 손님들 똥은 따로 모아 수출이라도 하나? 이 변소 문제는 언뜻 보기에는 사소한 것 같지만 빈민 선교 원칙에 비추어보면 중요한 문제다. 이런 사고 방식은 교회와 주민 간에 거리를 만들고 주민들이 교회를 멀리하게 하는 원인이 된다."

이렇게 이야기하고 교인들에게 새 변소를 철거하자고 제안했다.

내 말에 교인들은 "전도사님 주장은 이해가 가는데 이미 지어진 변소니, 철거하지 말고 그대로 사용하자"고 만류했다. 사용하되 자물쇠를 떼어내고 내빈용이란 글도 지우고 누구든 자유롭게 사용하는 변소로 하자기에 나는 그 선에서 마무리 지었다.

또 다른 예가 피아노 건이다. 어느 분이 활빈교회를 도우려는 마음에서 피아노를 기증하겠다고 했다. 활빈교회는 준다는 거니까 별생각 없이 감사히 받겠다고 해 며칠 후면 피아노가 도착하게 되어 있었다.

그런데 그 피아노 값이 판자촌 집값의 네 배가 넘는 금액이었다. 교회당 건물은 비가 새어 밖에서 가랑비가 올 때면 안에서는 소나기가 떨어지는 형편인데, 그 안에 그 비싼 피아노가 어울릴 턱이 없었다. 게다가 교회당 건물은 온종일 주민들에게 개방되어 온갖 프로그램이 진행되는 동네 센터인데, 그곳에 피아노를 가져다 둔댔자 제대로 남아날 리 없었다.

나는 회의를 열고 토론에 부쳐 이렇게 제의했다.

"피아노가 나쁜 게 아니라 판잣집 건물에 피아노가 안 어울립니다. 활빈교회 형편에는 소형 오르간이나 기타로 예배드려도 좋지 않습니까? 그러니 피아노 헌납을 사양하고 피아노값을 현찰로 받아 응급환자들을 위한 치료 기금으로 삼읍시다."

내 의견에 주민들은 적극 찬성인데 외부에서 들어온 교인들이 반기를 들었다.

"하나님께 바쳐진 물건인데 어떻게 취소합니까? 아무리 판잣집 교회라도 좋은 피아노 두고 좋은 음악 들으면 하나님께 영광이 되는 겁니다. 그리고 빈민들도 좋은 음악을 배워야 인격도 향상되고 또 자녀 교육에도 좋을 테니 피아노를 그냥 받읍시다!"

반대 측에서 다시 주장했다.

"하나님께 영광은 비싼 악기라고 되는 게 아니잖습니까? 그리고 주민들 인격 향상이니 자녀교육이니 여러 좋은 말들을 해쌌는데, 인격 향상이란 게 얻어온 피아노 소리로 되는 건 아닐 거 같습니다. 우리들이 헌금해 사 온 악기로 예배드릴 때 인격 향상이 더 잘될 거고 그런 자립정신이 자녀 교육에도 더 이로울 거 아닙니까?"

피아노 받자는 쪽에서 다시 반박하고 나섰다.

"지난번에 애써 지어놓은 변소를 헐자고 할 때도 못마땅한 걸 참았는데, 이번 피아노 문제는 양보 못 합니다."

그들은 강경하게 나왔다. 나는 활빈교회의 분위기가 이전과는 달라진 것을 느꼈다. 무슨 문제건 토론할 때는 자유로운 분위기에서 화기애애하게 진행돼 왔었는데 이제는 자못 긴장된 분위기가 느껴졌다.

나는 토론 참가자들의 면면을 살펴보았다. 피아노를 받지 말자는 측은 판자촌 주민들인 교인들이었고, 피아노를 받자는 측은 외부에서 들어온 교인들이었다. 그들은 일반교회에서 듣고 자라면서 한국 교회의 전반적인 풍토에 익숙해진 교인들이었다.

나는 이런 차이가 잘못되면 교회 안에 파벌을 조성해 풍파를 일으킬 수도 있겠다는 생각이 들었다. 결국 피아노 문제에 대한 논의는 그 선에서 멈추게 하고 회의를 마쳤다. 그러고는 피아노를 헌납하겠다는 뜻을 밝힌 교인을 찾아가 차근차근 설득했다.

내 설명을 들은 그는 말했다.

"전도사님, 그렇게 알아듣도록 설명해 주셔서 감사합니다. 우리 교인들은 그렇게 잘 깨우쳐만 주시면 언제든지 교역자님 뜻을 따르지요. 전도사님처럼 그렇게 사리를 밝혀주시면 다 순종합니다. 전도사님 의향대로 피아노 대신 현금으로 헌금할 테니 응급환자 치료 기금으로 사용해 주십시오."

한국 교회는 예배당 건축이나 비품 구입에는 과소비하면서도 구제, 지역사회 개발, 인재 육성 등에 쓰는 데에는 대단히 인색하다. 그 점은 옛날이나 지금이나 변함이 없다. 지금도 교회당 건축에는 수백억 원씩 투입하면서도 노동자들의 복지나 농촌 돕기, 빈민 구제, 북한 돕기 등에는 관심을 쏟지 않는다.

내가 출옥 후 두 번째로 부딪힌 문제는 신비주의로 인해 일어난 문제였다. 출옥하고 며칠 후 주민 대표들이 나를 찾아와 인사하더니 말했다.

"우리 동네 사람들은 여러 면에서 전도사님 석방을 기다렸습니다. 이제 나오셨으니 그간 교회로 인해 주민들이 입은 불편한 점들을 시정해 주시면 고맙겠습니다."

듣기에 유쾌하지 못한 말이었다. 교회로 인해 주민들이 겪은 불편이라니, 도대체 무슨 뜻일까? 나는 할 말이 없어 그들을 쳐다보고만 있었다. 이어서 한 분이 말했다.

"첫째는 새벽종 치는 문젭니다. 전에는 새벽종을 치되 시간을 알려주는 정도로 가볍게 몇 번만 치니까 주민들에게도 좋았습니다. 그런데 전도사님이 안 계시자 몇 사람이 계속 쳐대니 종소리에 온 동네 사람이 깨고 아이들까지 다 깨곤 합니다."

"아니, 그런 문제라면 교회 측에 말씀하셨으면 금세 시정될 수 있었을 텐데요."

"왜 안 했겠습니까. 교회 측에 좀 짧게 쳐달라고 말했더니 우리가 하나님의 은혜를 몰라서 그런다며 회개하면 종소리가 듣기 좋아질 거라고 합디다. 그러곤 오히려 더 길게 치곤 했지요. 전도사님이 안 계시는데 싸울 수도 없고 해서 전도사님이 나오시면 시정되겠거니 하고 기다렸습니다."

나는 사정을 짐작하고 선뜻 말했다.

"알겠습니다. 교회 측에서 잘못했구먼요. 내일부터 새벽종 치는 일을 중단토록 하겠습니다."

"그렇게 말씀하시면 저희의 뜻을 오해하신 겁니다. 우리가 원하는 것은 이전처럼 시간을 알리는 정도로 짧게 쳐달라는 거지 아예 치지 말아 달라는 게 아닙니다."

"예, 알겠습니다. 제가 알아서 처리하겠습니다. 다음 문제는 뭡니까?"

"역시 비슷한 문젭니다만, 한밤중에 기도하는 건 좋은데 기도 소리를 좀 낮게 교회 안에서만 할 수 없겠습니까?"

"아니, 기도를 교회당 안에서 드리는 거이지 누가 동리에 다니면서 기도하는 사람이 있습니까?"

"전도사님, 그런 게 아니구요. 교회 안에서 하기는 하는데 어찌나

울고 불고 시끄러운지 교회당 가까이 사는 사람들은 잠을 잘 수가 없습니다. 한번은 밤중에 어찌나 소리를 지르던지 잠결에 '불이야!' 하는 소린 줄 알고 잠옷 바람으로 뛰어나와 보니 예배당에서 기도하는 소리였습니다. 그러니 조금 소리를 낮추어 기도했으면 해서요."

나는 곁에 있는 교인에게 물었다.

"도대체 어떻게 했기에 동네 사람들이 불난 줄 알고 나온 겁니까?"

"예, 전도사님. 부흥회를 하면서 온 교인이 은혜를 받는다고 한꺼번에 '주여! 주여!' 하고 고함을 쳤더니 자던 사람들이 '불이야!' 하는 소리로 잘못 듣고 소동이 일어났던 겁니다."

나는 우습기도 하고 미안하기도 해서 주민들에게 말했다.

"제가 사정을 짐작은 하겠습니다. 여러분들도 이점은 이해하시겠습니다만 제가 감옥에 있으니까, 교인들이 저를 위해 기도한다고 하다 보니 정성이 지나쳐 다소 무리가 있었던 거 같습니다. 이제는 제가 나왔으니, 여러분께 피해가 없도록 바로잡겠습니다."

"아무렴요. 전도사님만 나오시면 이전처럼 다 잘될 거라고 우리도 참아왔습니다."

나는 그다음 주일예배 때 이 문제에 대해 교인들에게 말했다.

"우리가 기도하는 것도 좋고 은혜받는 것도 귀한데, 주민들에게 피해를 주어서는 안 됩니다. 활빈교회는 창립 정신이 교회를 위한 주민이 아니라 주민을 위한 교회입니다. 교회가 주민들을 위해 있는 거지 주민들이 교회를 위해 있는 게 아닙니다. 이 점을 명심하고 새벽종은 낮게 두 번만 쳐서 시간을 알리는 정도로 하고, 밤 기도회 때는 기도

소리가 자기 귀에 겨우 들릴 정도로 조용히 기도하고, 큰 소리로 기도하고 싶을 때는 산이나 기도원 같은 곳에 가셔서 마음 놓고 하길 바랍니다."

그런데 예배 후 낯모르는 분이 앞으로 나오더니 "방짜는 기도실로 모여주세요" 하고 광고를 했다. 나는 무슨 뜻인가 하여 김종길 집사에게 물었다.

"김 집사님, 방금 모르는 분이 나와서 방짜 모이라 했는데, 도대체 무슨 말이에요?"

"예, 전도사님, 방짜는 방언 은사 받은 사람들을 일컫는 말입니다. 방언하는 교인들은 따로 모이란 말이지요."

"아니, 방언하면 하는거이지 왜 따로 모입니까? 그건 따로 모일 성질이 아닌데요?"

"전도사님께서 낮 예배 시간에 그들에게 제재를 가했으니, 대책을 세우려고 모이는 거겠지요."

"아니, 내가 언제 제재를 가했지요? 방언 같은 은사는 교회에서 장려할 일이지 제재할 일이 아니지요. 그런 일로 따로 모일 턱이 있겠습니까? 집사님이 잘못 알았겠지요."

그러나 내가 감옥에 있던 13개월 동안에 교인들 신앙의 질이 바뀌어 있었다. 지도자가 석방되게 해달라고 밤낮으로 기도드리다 보니 여러 가지 신비한 은사들을 체험하게 됐다.

그렇게 은사를 체험한 것까지는 좋았는데, 그런 은사와 체험을 뒷받침할 말씀과 경건의 훈련이 부족한 채 신비 체험에만 몰두하다 보니

신앙생활의 균형이 무너졌다. 그럴 때 교회를 이끌어가는 지도자들이 말씀을 바탕으로 건전한 방향으로 이끌어야 했는데, 오히려 그런 흐름에 편승해 신비주의 일변도로 빠져 버렸다. 그래서 방언 은사라도 받은 사람이라야 성령 받은 교인이고 방언 못 하는 교인들은 거듭나지도 못한 교인인 것처럼 인식이 그릇되어 있었다.

대체로 빈민촌 주민들은 정서적으로 허점이 많다. 그래서 목회자가 그들의 신앙을 지도할 때는 균형 잡힌 인격으로 성숙하도록 하는 일에 관심을 기울여야 한다. 그런 균형 잡힌 인격의 성숙 없이 신비 체험에 몰두하게 되면, 그 체험이 인격의 균형을 무너뜨리는 부작용을 낳게 된다. 신비주의에 대한 몰두는 빈민촌 주민들에게 아편 구실을 하게 된다.

예를 들어 주민자활회의 폐품수집부에 최 씨란 분이 있었다. 강원도 어느 탄광에서 일하다가 탄가루를 너무 많이 마셔 폐병을 얻은 직업병 환자였다. 증상이 심한 편은 아니어서 감옥 가기 전에 반년 남짓 치료에 힘써 회복기에 들어서고 있었다.

그랬던 그가 기도 중에 신비 체험을 하고 부흥회에 참석하여 성령 충만한 은혜를 받게 되었다. 그 뒤로 그는 약을 일절 먹지 않고 기도에만 전념하는 치우친 생활을 하게 됐다. 당연히 거의 나아가던 폐병이 악화되고 다시 병석에 눕게 됐다.

그런 사정을 듣고 출옥 후 어느 날 그의 집을 방문했더니 부부가 나를 방에 들여놓지도 않았다. 이유인즉 방언 은사도 못 받고 성령도 충만하지 못한 '육(肉)의 사람'이란 것이었다. 자기 부부는 성령 받은 사람만 상대하지 세상적인 사람들은 상대하지 않는다고 했다.

"전도사님은 인간적으로 가깝고 또 감사한 일도 많은 사이지만, 영적으로는 성령 체험, 은사 체험이 없으니 상대할 수 없겠습니다" 하며 문을 닫아버렸다. 당혹스럽기 그지없는 일이었다.

나는 문밖에 서서 닫힌 문에다 대고 병문안만 한 채 되돌아왔다. 예상치 못했던 일이었는지라 어떻게 해볼 도리가 없었다.

그래도 그가 걱정돼 약을 지어 그의 집을 다시 찾았다. 문밖에서 인사하고 들어가도 되겠느냐고 했더니 무슨 일로 왔느냐고 물었다. 약을 지어 왔노라고 했더니 자기는 은혜와 기도로 병을 고치지 약 같은 세상적인 수단은 필요 없노라는 대답만 돌아왔다.

나는 간곡히 권했다.

"최 집사님, 은혜로 병을 고치는 건 당연한 말입니다. 허나 약을 먹으면서 은혜를 구하는 게지 약을 끊고 은혜만 구하는 짓은 바르지 못한 생각입니다. 약도 하나님이 내셨다는 걸 아셔야 합니다. 지난번에 약을 잡수셔서 거의 회복되지 않았습니까? 그런데 약을 끊은 뒤로 상태가 몹시 나빠진 것 같군요. 지금이라도 다시 약을 먹으면서 은혜로 완치되도록 같이 기도드립시다."

그러나 최 집사는 방문을 닫은 채 말했다.

"체험자는 약으로 병 고치는 게 아닙니다. 조용기 목사님도 약을 끊고 성령의 불 체험으로 폐병이 나은 겁니다. 전도사님 성의는 고맙지만, 저도 어쩔 수 없습니다. 세상 사람 만나면 제 병이 도집니다."

그가 엉뚱하게 조용기 목사까지 들먹이는 데에는 할 말이 없었다.

세계에서 가장 큰 교회 목사님인 조용기 목사는 젊은 날 폐병에 걸린 적이 있었다. 그는 자신의 병이 약이나 의술로 치료되지 않을 줄 알고 깊은 기도로 은혜의 체험을 하고 완치된 사람이다. 조 목사의 이야기를 들은 그는 자신도 조 목사처럼 되기를 원하는 것 같았다.

나는 마지막으로 한 번 더 권하기로 마음먹고 간곡히 말했다.

"최 집사님, 옛날 우리 정을 생각하고 내 말을 들으세요. 은혜도 사람 따라 다르게 임합니다. 조용기 목사님이 약 없이 은혜로 폐병이 나은 일은 나도 들어 알고 있습니다만, 모두가 조 목사님처럼 되는 건 아닙니다. 집사님은 최 씨지 조 씨가 아니잖아요? 그러니 마음을 넓게 먹고 우선 이 약을 먹기 시작합시다. 그리고 우리 같이 기도합시다. 집사님, 그렇게 고집 피우다가는 기회를 놓칩니다. 어린애들과 젊은 부인도 생각하셔야지요. 그 나이에 회복될 수 있는데도 고집 때문에 기회를 놓치고 잘못되면 되겠습니까?"

나는 문틈으로 약봉지를 들여보냈다. 그리고 내가 보기 싫으면 안 봐도 좋으니 약은 받아먹으라고 권면했다. 이윽고 방안에서 기동하는 소리가 나고 문이 덜컥 열리더니 내가 들이밀었던 약봉지가 마당으로 내팽개쳐졌다. 이어서 외마디 소리가 들렸다.

"쉿, 사탄아 물러가라!"

나는 어이가 없어 멍청하니 섰다가 팽개쳐진 약봉지를 주워 들고는 교회로 돌아왔다. 오는 길에 약봉지를 쓰레기 더미에 던지며 방금 들은 대로 되풀이해 보았다.

"사탄아 물러가라, 사탄아 물러가라!"

잘못돼도 크게 잘못돼 있었다. 제 정신들을 잃고 헤까닥해진 세상인 듯했다. 단체로 정신병에 걸렸나. 이런 은혜는 없는 거다. 혼자 중얼거리며 청계천 둑 위를 걸었다.

얼마 후 최 씨가 죽었다. 나는 그가 죽은 후에야 그의 방에 들어갈 수 있었다. 그의 시신을 정성 들여 염하고 화장을 치르고 돌아오면서 생각했다. 예수를 안 믿는 것보다 훨씬 더 문제인 것이 그릇 믿는 것이다. 예수 믿는 일은 바로 믿지 않는다면 차라리 믿지 않는 게 낫다.

그러던 어느 날 교회의 대표급들이 모여 나를 부른다기에 의아스러운 마음으로 오라는 곳으로 갔다.

활빈교회의 대표급이라니? 도대체 어떤 분들이 모여 대표급이라고들 하고 있을까?

궁금히 여기며 갔더니 알 만한 얼굴들이었다. 내가 옥중에 있는 동안 활빈교회를 돕겠다고 들어온 분들과 방짜들이 주로 모여 있었다.

나는 거슬리는 감정을 안으로 삼키며 부드러운 투로 물었다.

“여러분이 나를 불렀습니까?”

그들 중의 대표 격인 민 목사가 말했다. 그는 고향 선배이자 신학교 선배로 내가 옥중에 있는 동안 활빈교회 당회장을 맡았던 분이다. 그가 내게 힐난하는 투로 말했다.

“우리들은 김 전도사님께서 옥중에 있는 동안 활빈교회를 지켜온 사람들입니다. 솔직히 말해 김 전도사가 석방된 뒤로 하는 처사에 우리는 실망이 큽니다. 그래서 오늘 이 자리에 활빈교회의 대표급들이 모여 의논한 결과 전도사님께서 활빈교회를 사임하시든지 아니면 그

동안 고생한 우리 의견을 존중하든지 둘 중 하나를 택해 달라는 뜻에서 이렇게 모였습니다."

나는 그 말을 듣고 웃음이 나왔다. 내가 얼마나 부드러운 사람으로만 보였으면 이런 말을 할까 하는 생각이 들어 그들에게 물었다.

"그래요? 여러분 의견이 그러시다면 내가 사임하고 안 하고는 뒤로 미루고, 여러분 의견이 뭔지나 먼저 들읍시다. 내가 존중해 드려야 할 여러분 의견이란 게 뭐지요?"

역시 민 목사가 답했다.

"여러 가지가 많지만 그중에서 몇 가지만 꼽겠어요. 첫째로 영적 은사를 거스르는 일을 그만둘 것, 둘째 그동안 수고한 사람들을 다 자르고 독단적으로 일 처리하는 일을 고칠 것, 셋째 빈민을 정치에 이용하여 개인의 정치적 야심을 꾀하는 일, 넷째 옛날과는 달리 돈을 낭비하고 다니는 일, 다섯째 NCC(한국기독교교회협의회)와의 싸움을 중단시킨 일, 이런 일들을 시정하라는 것이 우리 의견입니다."

나는 그 의견이란 것이 너무나 요란스러워 할 말이 없었다. 무엇이라 해야 할지 할 말을 모르겠노라고 했더니 민 목사가 나를 다그쳤다.

"김 전도사께서 할 말이 없다는건 우리 의견을 받아들일 의사가 없다는 것처럼 들리는데요?"

그의 기세가 등등하기에 나는 아니꼬운 생각이 들어 그에게 물었다.

"내가 여러분들 의견을 받아들이지 않으면 무슨 일이 벌어지는 거지요?"

"그야 활빈교회를 사임하겠다는 뜻으로 받아들이고 교인들에게 그렇게 알리는 거지요. 김 전도사의 지금 태도로는 활빈교회 사임이 분명하니 다음 예배 시에 교인들에게 그렇게 발표하겠습니다."

"그래요? 그렇다면 이 자리에서 결정할 게 아니라 교인들이 모두 모인 자리에서 전체 의견을 들어봅시다. 나는 민주주의를 좋아해서 민주주의 하자고 했다가 징역까지 갔던 사람이니, 이런 경우도 민주주의식으로 해봅시다."

그렇게 말하고 그 자리를 물러난 후 다음 주일예배가 끝난 다음 교인들에게 물었다.

"활빈교회의 주인이 되시는 성도 여러분, 지금부터 제가 하는 말을 잘 듣고 여러분이 결정해야 할 일이 있습니다. 다름아니라 여러분들께서 제가 없는 동안에 교회를 잘 지켜주셔서 이제 교회가 이만큼 자라게 되었습니다. 참으로 감사한 일입니다. 그런데 이즈음에 성도님 중에서 이제는 이 교회에 김진홍 전도사가 없어도 되겠다는 의견을 지닌 분들이 많으신 것 같기에 제가 이 자리에서 한번 확인하겠습니다. 제가 떠나도 된다는 처사가 여러분의 공통된 의견이시라면 저는 기쁜 마음으로 떠나겠습니다. 또 다른 판자촌으로 옮겨가 다시 개척 선교를 하겠습니다. 여러분은 터놓고 말씀해 주십시오."

말이 끝나기가 무섭게 신속히 반응이 나타났다. 넝마주이를 같이 하던 동료들이 불끈불끈 일어서며 말했다.

"그기 먼 소리여. 어떤 눔이 전도사께 그런 소릴 지껄였냐. 요사이 보자 보자 하니 별 시러배 같은 잡종들이 모여 까부는데, 이제부터는 이 어르신께서 가만 안 둔다는 걸 알아. 언 놈이냐! 뒷전에서 쑥닥거

리지들 말고 지금 나서라. 대갈통을 까부셔 삐릴끼다."

이렇게 서슬이 시퍼렇게 설쳐대니 자칭 대표급들이 슬금슬금 흩어져버렸다. 다음날이 되자 이런 소문이 주민들에게까지 알려지게 되었다. 이번에는 주민들이 열을 받아 교회로 모여들었다.

"교회에 이상스런 종자들이 있담서? 전도사님을 해꼬지할라는 종자들은 달구지를 분질러놔야디여."

주민들까지 그렇게 나오니 민 목사는 보퉁이를 챙겨 슬며시 동네에서 사라졌다. 다른 대표자들도 조용해졌다. 그런 일이 있은 지 얼마 후 방언파들이 내게 말했다.

"전도사님, 우리는 따로 예배드리기로 했으니 우리 요구조건을 들어주세요."

"아니에요. 그럴 거 없습니다. 세월이 약이라고 기다리세요. 얼마간 세월이 지나면 다 이해가 되고 응어리가 풀릴 겁니다. 여러분, 지난 세월을 돌이켜 생각해보세요. 우리가 어디 헤어져도 될 사이입니까?"

그러나 그들은 막무가내로 따로 나가겠으니, 자신들의 요구조건을 들어달라고 했다.

"어허 참, 정 그러시다면 그 요구조건이란 것들이 도대체 뭡니까?"

"예, 답십리에 있는 제2활빈교회 건물을 우리에게 줄 것과 오르간과 메가폰, 그 외 우리가 점찍는 교회 비품들을 주세요."

나는 그들이 내건 요구조건에 웃음이 났다. 그들의 순진성을 보여주는 것이라 여겨졌다. 나는 흔쾌히 말해주었다.

"예, 좋습니다. 한가지 이외에는 다 드릴 수 있습니다. 활빈교회에서 여러분이 살림나는 데 필요하다고 생각되는 것들이 있으시면 무엇이든 다 챙겨가세요. 그리고 절대로 싸우고 나갈 생각은 마세요. 웃으면서 헤어져야 세월이 지난 후에 다시 돌아올 수 있는 겁니다."

"그렇게 시원스럽게 가져가라니 고맙네요. 근데 전도사님, 한 가지 외에는 다 가져가라 했는데, 그 한 가지가 뭡니까요?"

"그건 활빈교회라는 교회 이름입니다. 다른 건 다 가져가도 좋은데 활빈교회라는 이름만은 절대로 가져갈 수 없습니다."

"하이고, 우습기도 해라. 활빈! 활빈! 말만 들어도 진절머리 나는 이름인데 그깐 이름을 왜 가져가요? 줘도 안 가져가요."

그렇게 해서 신령파, 방언파들이 분가해 떠나니 이른바 대표급들도 흩어지게 되고 활빈교회는 본모습을 되찾았다.

11 그럼에도 불구하고

그럼에도 불구하고

출옥 후 부딪힌 문제들 가운데 가장 심각했던 것은 가정 문제였다.

출옥 후 꼭 열흘째 되던 날, 아내는 할 말이 있노라며 조용한 곳으로 가자고 했다. 나는 앞으로 살아갈 일에 대한 좋은 이야기겠거니 생각하고 아내가 이끄는 대로 갔다.

그러나 아내가 제기한 문제는 전혀 예상 밖으로 심각했다. 그것은 이혼이었다. 아내는 이미 몇 달 전부터 마음으로 이혼을 결심하고 내가 출옥하기를 기다리고 있었노라고 말했다. 자기로서는 내가 가는 길과 내가 추구하는 이상에 더 이상 보조를 맞출 수가 없노라는 것이었다.

아내는 부잣집에서 편히 자라 빈민 운동이니 민주 투쟁이니 하는 일에 동참할 수가 없기 때문에 나와 헤어져 평범한 여성으로 살기를 원한다고 했다. 나는 처음에는 사태의 심각성을 미처 깨닫지 못하고 아내를 설득하려고만 애썼다.

"당신이 그렇게까지 말하는 게 이해가 됩니다. 그간 오죽이나 고생을 시켰으면 그런 생각까지 했겠어요. 나도 감옥에 있는 동안 당신과 아이들을 너무 고생시킨 일에 대해 반성했으니 앞으로 잘해봅시다."

그러나 아내의 결심은 확고했다.

"이미 그런 시기는 지났어요. 당신이 아무리 잘해보려고 애쓴다 한들 빈민촌은 빈민촌이지 달라질 것이 뭐가 있겠어요? 당신이 가정을 살리려는 마음이 있다면 가족들과 함께 미국으로 이민 가서 삽시다. 미국으로 가서 당신이 좋아하는 공부를 해서 박사 학위를 받고 그때 한국으로 와서 다시 일해도 되지 않겠어요? 이 상태로 있으면서 잘해보겠다는 건 불가능한 일이에요. 그러니 당신이 택일하세요. 가정이냐 빈민촌이냐 둘 중에 하나를 택하세요."

"여보, 활빈선교는 이제 시작인데 어떻게 미국으로 갈 수 있겠어요. 나처럼 사명감으로 사는 사람은 일 속에 가정이 있어야지 일을 떠나 가정을 살리는 건 불가능한 일입니다."

"그러니 제 말은 당신이 그런 생각을 하고 있으니, 일을 살리고 대신 나와 아이들은 놓아달라는 겁니다. 아이들은 내가 미국으로 데려가서 잘 기를 테니 당신은 그렇게 좋아하는 일을 하세요."

아내의 친정식구들은 미국에서 자리잡아 살고 있었다. 아내는 아이들을 데리고 미국으로 가서 살겠다는 결심을 굽히지 않았다. 함께 미국으로 가든지 아니면 이혼해달라는 요구였다.

나는 여러 날을 두고 생각하고 또 생각해 보았다. 내가 가정을 살리려고 청계천 빈민촌을 떠나 미국으로 갈 수 있을까? 도저히 그럴 수는

없는 일이었다. 내가 감옥에 있는 동안 주민들이 내게 베풀었던 정성이 어떠했던가? 특히 나의 출옥을 위해 40일간 철야기도 했던 일이며, 온 교우들이 사흘씩 돌아가며 금식기도 드렸던 일들을 생각하면, 출옥하자마자 그들을 떠나 미국으로 이민 간다는 것은 불가능한 일이었다. 그렇다고 해서 가정을 깨뜨릴 수도 없는 터였다.

나는 이러지도 저러지도 못한 채 아내를 설득하려고 애썼으나 끝내 실패로 돌아갔다. 몇 달간의 실랑이 끝에 아내는 아들 동혁이와 딸 은송이를 데리고 미국으로 떠났다.

아내는 그렇게 떠난 이후로 완전히 소식을 끊었다. 어느 곳에서 무엇을 하며 어떻게 살고 있는지 도무지 알 길이 없었다. 그런 중에도 세월은 흘러 6년 3개월이 지난 어느 날, 미국에서 엽서 한 장이 왔다. 내 쪽 주소만 쓰여 있고 미국 쪽 주소는 적혀 있지 않았다.

"저는 미국에 온 후로 그간에 재혼해 잘 지내고 있습니다. 그리고 아이들도 새 아버지에게 잘 적응하고 있습니다. 그리 아시고 그쪽에서도 알아서 하십시오."

나는 그냥 어리벙벙해져 혼자 중얼거렸다.

"그렇게 되었나."

그리고 엽서를 바람결에 날려버리고는 산으로 올라갔다.

그 후 나는 아내에 대해서는 잊고 두 아이에 대해서만 기도했다. 내가 정치범 신분으로 묶여 있어 미국으로 갈 수도 없는 처지였지만, 미국으로 간다고 한들 그 넓은 땅에서 아이들을 찾기는 어려운 일이었다. 나는 그냥 아이들이 건강하고 밝게 자랄 수 있기를 기도할 따름이었다.

공동체 마을인 두레마을을 시작한 이후로도 어딘가에 보호자가 없다는 아이가 있다는 말만 들으면 달려가서 데려왔다. 그러고는 기도실로 아이를 데리고 들어가 손을 잡고 기도드리곤 했다.

“예수님, 저는 두레마을에서 이 아이를 잘 돌볼 테니 예수님은 미국 땅에 있는 동혁이, 은송이 남매를 잘 돌봐주시옵소서. 나는 그들에게 손이 닿지를 않습니다.”

내가 그렇게 기도드리는 것을 아무도 알지 못했다. 나는 다만 미국에 있는 아이들이 보고 싶고 염려스러워 예수님께서 친히 돌봐주시기를 기도드릴 따름이었다. 예수님께 그런 부탁을 드리려면 그냥 기도만 드려서는 안 될 것 같고 나도 무언가 그에 상응하는 실천을 해야 할듯 싶기에 갈 곳 없는 아이들을 두레마을로 데려와서 돌볼 마음을 먹은 것이었다.

그렇게 지내다가 드디어 사면을 받고 미국으로 갈 수 있는 신분이 되었다. 미국으로 가던 첫 번째 여행부터 비행기에 타자마자 좌석에 앉으면 먼저 드리는 기도가 있었다.

“예수님, 이번 미국 여행에서 아이들을 꼭 만나게 해주시옵소서.”

그러나 막상 미국에 닿으면 그 넓은 땅에서 아이들을 찾기란 어려웠다. 뉴욕 어느 곳에 있다는 말만 풍문으로 듣고 뉴욕 지역으로 갈 기회를 마련해 여러 방면으로 아이들의 소재를 찾으려 애써보았다. 그러나 끝내 만나지 못하고 한국으로 되돌아올 때는 마음이 스산하기 이를 데 없었다. 공항에서 비행기가 솟아오를 때면 두통이 생기고 가

슴이 예리한 바늘로 찔리는 듯 아픔을 느끼곤 했다.

아이들은 어디에서 살고 있을까? 혹 흑인촌 같은 곳에 머물러있지는 않을까? 병들지는 않았을까? 의붓아버지는 어떤 사람일까? 아이들이 구박당하진 않을까?

생각은 염려를 낳았고 염려는 통증을 낳았다.

그렇게 헤어진 지 14년이 흘렀을 때 미국으로부터 긴 전보문이 날아왔다. 그날은 성탄절을 사흘 앞둔 날이었다. 둘째 은송이가 병들어 입원해 있는데 아버지를 찾으니 와달라는 내용이었다.

나는 성탄절 예배를 끝내자마자 김포공항으로 달려갔다. 무조건 빨리 가는 비행기를 타고는 전보문에 적힌 주소로 찾아갔다. 미국 동부의 대서양 바닷가에 있는 플로리다주의 올랜도란 도시였다

공항에서 택시를 타고 병원에 도착했을 때 병실 입구에서 은송이 엄마를 만났다. 나를 보고 주춤 놀라더니 말했다.

"와줘서 고맙습니다. 애들을 만나기 전에 제 이야기를 좀 듣고 만나세요."

"도대체 어떻게 된 겁니까? 어디가 어떻게 아프기에 입원까지 하고 있습니까?"

"다름 아니라 병든 아이를 오진해서 그냥 신경이 날카로운 걸로만 알고 두었더니 학교에서 졸도했습니다. 그래서 아이를 병원 응급실로 데려가 입원시켰더니 높은 열에 시달리고 헛소리를 하면서 '서울 대디'를 자꾸만 찾더라구요. 그래서 그동안 내가 잘못했음을 깨달았지요. 평소에는 서울 아버지란 말은 입도 벙긋하지 않고 잘 지냈었는데

병중에 헛소리하며 서울 아버지를 찾는 걸 보니 평소에도 서울에 있는 친아버지가 많이 보고 싶었던 게로구나, 내가 중간에 들어 아버지와 아이들 사이를 가로막고 있었구나 하고요…. 그래서 지금이라도 만나게 해주어야겠다는 생각으로 전보를 쳤습니다. 연말에 바쁘실 텐데 이렇게 빨리 와주셔서 고맙습니다. 다시 말씀드리는데, 그간 가족을 돌보지 않는 인정 없는 아버지라고만 생각하고 화가 나서 아버지와 아이들 사이를 가로막았던 일을 사과드립니다."

"예, 나도 책임이 크지요. 좌우지간 얘기는 나중에 하고 우선 아이부터 만나봅시다."

병실로 들어갔더니 아들이 병상 곁에 앉아 있고 딸은 잠들어 있었다. 머리맡으로 다가가 불렀다.

"은송아, 서울에서 아버지가 왔다."

내가 부르는 소리에 눈을 뜬 은송이가 눈을 반짝이며 말했다.

"아! 대디. 오셨군요. 저를 보러 오셨지요? 미국에 다른 일 때문에 오신 게 아니라 저를 보러 오신 거지요?"

"그럼. 이 연말에 바쁜데 다른 일로 미국에 왜 오겠니. 네가 아프다기에 모든 일을 다 제쳐놓고 보러 온게다."

"대디. I feel happy(행복해요)."

"그래. 네가 해피하다니까 나도 해피하다. 얼른 회복되어 아빠하고 여행도 다니며 즐거운 시간 보내자꾸나."

"그래요, 대디. 이제 일어날 거예요. 옛날에 오빠와 저 데리고 서울 창경원에 갔던 일 기억 나세요? 그때 날 목말 태워주고 아이스크림도

사주셨지요 기억나세요?”

“아냐. 그게 언젯적 이야기냐. 난 통 기억이 나지 않는다. 너희들과 헤어지던 때가 네 나이 두서너 살밖에 되지 않았던 거 같은 데 너는 어떻게 기억나니? 나는 전연 기억나지 않는다.”

“제가 기억하는 게 아니구요, stepfather(계부)가 우리에게 hurt(상처)를 주면요 오빠가 나를 데리고 다른 방으로 갔어요. 다른 방에서 오빠가 내게 말해주었어요. 서울에 있는 대디는 스텝파더하고 다르다고요. soft(부드럽고)하고 gentle(자상하시다)하다고요. 옛날에 우릴 데리고 창경원 동물원도 가주었고, 나를 목마도 태워주었고, 그리고 아이스크림도 사주셨다고 말해주었지요. 그래서 내가 마음에 기억하고있는 거예요.”

그 말을 들으니 가슴이 아파 할 말을 잃었다. 가슴이 메고 눈물이 나서 눈앞의 딸이 잘 보이지를 않았다.

“그래, 너희들 고생했구나. 이제부터 잘하자꾸나. 은송이 네가 회복되거든 창경원이 문제냐? 디즈니랜드도 가고 그랜드 캐니언도 가고, 아이스크림도 얼마든지 사 먹자꾸나.”

나는 딸 곁에 있는 아들 동혁에게 말했다.

“동혁아, 너희들을 만나니 너무나 행복하구나. 너희들은 그동안 아버지가 보고 싶지 않았니? 난 너희들이 보고 싶어 예수님께 기도했었다. 예수님, 미국에 있는 아들 동혁이와 딸 은송이를 만나게 도와주십시오 하고 기도했었단다.”

“아버지, 왜 그런 말을 하세요? 나와 은송이도 한국 아버지를 만나

단 며칠 만이라도 같이 살아보게 해달라고 밤에 태평양 쪽 하늘을 쳐다보며 기도했었어요."

"그래, 그 말을 들으니 가슴이 아프구나. 이제 만나게 됐으니, 예수님이 우리 기도를 들어주신 게야."

"대디, 난 지금 한국인 교회에서 학생회 회장인데요."

"그래, 훌륭하구나."

"그런데 얼마 전에 한 학생이 나에게 물었어요. 'Do you know Reverend Jin-Hong Kim?(너 김진홍 목사라고 아니?) He is great man(그는 훌륭한 사람이야)' 라고 말했어요."

"그래? 그래서 너는 뭐라고 대답했니?"

"뭐라고 대답하겠어요? 그냥 고개 숙이고 못 들은 척했지요."

"그래, 너희들 고생했구나. 지금이라도 너희를 만나게 됐으니, 너희에게 도움 되는 아버지가 되고 싶다. What can I do for you?(내가 너희를 위해 무엇을 도와주면 되겠니?)"

아들은 가만히 생각하더니 가볍게 고개를 가로저으며 말했다.

"다른 도움은 없어도 돼요. 저는 다만 친구들에게 'Pastor Jin Hong Kim is my father(김진홍 목사는 나의 아버지야)'라고 말하고 싶어요. 그렇게 말할수 있는 channel(통로)만 open(열어)해 주세요."

나는 그 말을 듣고 가슴이 저미는 듯 아팠다. 그 자리에서 무어라 할 말이 없었다.

"그래, 이제부터나마 잘하자꾸나."

그렇게만 이르고는 호텔로 갔다. 호텔 방에 들어가 침대 커버를 벗

겨 뒤집어쓴 채 나는 무작정 훌쩍훌쩍 울었다. 지난 20여 년간 디디고 섰던 발판이 무너지는 듯했다.

내가 그간에 무엇을 했을까? 가난한 사람들을 돕는다고 하면서 빈민촌에 들어가 살고, 빈민촌이 철거되자 농촌으로 함께 들어가 바다를 개간하고 두레마을을 세우는 등등 지난 세월이 아무런 의미가 없는 듯 여겨졌다. 내 아들, 딸은 미국 땅에서 병들고 기죽어 살아온 마당에 나는 무얼 하고 살아왔나? 내가 그동안 펼쳐 온 사업들이 모두 공연한 일들처럼 생각됐다.

그래서 나는 마음속으로 이제 한국에서 하던 일들을 모두 그만두고 미국으로 와서 아들딸의 아버지 노릇이나 잘해야겠다고 다짐했다. 두레마을도 그만두고, 교회도 후임에게 물려주고 미국으로 와서 세탁소를 하든지 식품 가게를 운영하든지 하며 그간 못했던 아버지 노릇을 해야겠다고 생각했다.

그런 생각을 하며 길고 긴 밤을 새우다가 새벽녘에 성경을 펼쳐 읽었다. 구약성서 열왕기상 19장에서 로뎀나무 아래 앉아 용기를 잃고 하나님께 죽기를 구하던 엘리야의 이야기를 읽고는 문득 깨닫는 바가 있었다.

'내가 이렇게 낙심하고 있어서는 안 되겠다. 어떻게 살아온 세월인데 이제 와서 주저앉을 수 있겠는가.'

마음을 새롭게 하고는 더욱 열심히 일할 것을 다짐했다.

열왕기상 18장에서 선지자 엘리야는 이스라엘 온 나라에 절대적인 영향력을 행사하는 인물이었다. 그가 기도하니까 3년 반이나 비가 오지 않던 하늘에서 비가 내렸다. 그리고 그는 우상을 숭배하던 바알 선지자 450명과 대결하여 이기고 그들을 일거에 숙청했다. 그때 그의 영적 권위는 온 나라에 두루 미쳤다.

그러나 다음 장인 19장에서 그는 용기가 떨어지고 좌절을 느껴 사막 한가운데로 도망했다. 이유인즉 바알 선지자들의 뒤에서 영향력을 행사하던 왕후 이세벨이 그에게 이르길 "네가 바알 선지자 450명을 해쳤지? 내일은 네가 죽을 차례다"라고 전해왔기 때문이다.

이 말을 들은 엘리야는 그만 겁이 나서 생명을 건지려고 도망길에 나섰다. 그리고 광야로 들어가 하룻길을 걸은 후 한 로뎀나무 아래 앉아 하나님께 구하기를 죽게 해달라고 호소했다.

"하나님, 저로 죽게 해주시옵소서. 나는 실패자고 낙오잡니다. 나는 이 땅에 살아 있을 의욕도 보람도 없습니다. 그냥 하늘로 데려가 주시옵소서."

엘리야가 낙심한 자리에서 그렇게 간절히 기도 드리다가 잠이 들었을 때 하늘의 천사가 그를 어루만져주며 머리맡에 숯불에 구운 떡과 한 병의 물로 상을 마련해 두고는 그에게 이르길 "일어나 먹고 마셔라. 내가 너를 이해하고 내가 네 편이다"라고 했다. 그리고 또 이르길 "네가 앞으로 가야 할 길, 해야 할 일이 많다"라고 용기를 주었다. 이에 엘리야는 일어나 먹고 마시고 힘을 얻어 사명자로서의 길을 다시 가기 시작했다.

나는 이 말씀을 묵상하다가 힘을 얻었다. 엘리야가 그날 밤 받았던 그 상이 오늘 내 머리맡에도 마련되어 있거니, 그때의 숯불에 구운 떡

과 한 병의 물이 오늘 나에게는 말씀의 힘과 성령님의 위로하심으로 임하여 있거니 생각했다.

성경에서 떡은 통상 말씀을 상징하고 물은 성령을 상징한다. 그래서 엘리야의 머리맡에 마련되었던 숯불에 구운 떡과 한 병 물로 마련되었던 상이 오늘 나에게는 말씀의 능력과 성령의 위로하심으로 다가왔다고 여기고 위로와 용기를 얻었다. 그래서 내가 이렇게 낙심하고 있을 때가 아니라 더욱 힘을 내어 해야 할 일을 하고 가야 할 길을 가야겠다고 다짐했다.

다음날 이른 아침, 호텔을 나와 한국행 비행기에 올랐다. 아들 동혁이가 공항으로 배웅나왔기에 "내가 한국에 가서 일정을 잡아 다시 올 테니 그때 며칠 함께 지내자"고 일렀다.

그리고 4개월 후 시간을 내어 미국으로 가서 아들과 딸을 로스앤젤레스로 불렀다. 사흘간 호텔에서 함께 지내고 난 후 헤어질 무렵 그들에게 물었다.

"동혁아, 은송아 너희들 14년이 지나 아버지와 사흘을 함께 지내니 어떠냐?"

아들은 한동안 생각하는 듯하더니 대답했다.

"예, 광야의 방황이 끝나고 이제 가나안 땅이 보이는 듯합니다."

나는 아들의 대답이 기막힌 표현이어서 그에게 말했다.

"너 참 좋은 표현을 하는구나. 꼭 목사 아들처럼 말하네."

그러고는 내가 다시 물었다.

"너희들 아버지가 쓴 책 『새벽을 깨우리로다』의 영문 번역판인 『I Will awake the Dawn』을 읽었니?"

『새벽을 깨우리로다』가 영문판으로 출간되기 전에 미국 출판사에서 내게 서문을 써달라는 요청이 왔다. 그때는 아이들과 연락이 닿지 않았던 때인지라 서문을 쓸 때 말미에 다음과 같은 글로 끝맺음했다.

> I dedicate this story to my son and daughter, Joshua and Grace. who live in the United States. I hope they can understand how I struggled in the search for truth and how their father met Jesus Christ.
> (나는 이 책을 미국 어딘가에서 살고 있는 아들과 딸에게 바친다. 그들이 이 책을 읽고 아버지가 만난 예수가 어떤 예수이며 아버지가 왜 아이들과 함께 살 수 없었던지를 이해할 수 있게 되기를 바란다. 성령이여, 도와주시옵소서.)

그때 나는 그 서문을 넣은 봉투를 우체국으로 직접 들고 가서 등기로 부치면서 봉투에 입을 맞추며 기도했었다.

"예수님, 이 책이 출간될 때는 아들과 딸을 만날 수 있게 해주시옵소서."

책이 출간되자 출판사에서 먼저 두 권을 DHL로 보내왔다. 그런데 그때는 아이들 주소를 알던 때였다. 나는 '아들에게' '딸에게'라고 사인을 하고 속달로 보냈었다. 로스앤젤레스에서 아이들과 사흘을 지낸

후 책을 읽었느냐고 물었더니 읽었노라고 했다.

"그래, 읽고 느낀 소감이 어떠냐?"

조심스레 묻는 내 물음에 딸이 답했다.

"I am proud of you(아버지가 자랑스러워요)!"

나는 딸의 대답에 감격스럽기 이를 데 없었다. 마치 14년간 막혔던 하수도가 탁 터지는 듯했고, 머리끝에서 발끝까지 시원한 바람이 지나가는 듯도 했다. 지난 14년 세월에 아들과 딸을 생각하고 얼마나 애태우며 고민해 왔던가.

그들이 어느 곳에서 어떻게 살아가고 있을까? 흑인촌 같은 곳은 아닐까? 마약이라도 피우지나 않을까? 행여나 훗날 만났을 때 나를 거부하지는 않을까?

"우리는 김진홍이란 이름의 아버지를 몰라요. 우리가 미국 땅에서 고생하며 살 동안 어디에 있다가 이제 나타난 거예요? 우리에겐 당신 같은 아버지 필요 없어요!"

아이들이 그렇게 나를 거부하지 않을까? 온갖 생각을 하며 괴롭게 지냈는데 14년이 지난 지금 병이 났던 딸이 아버지를 만난 이후 건강해지고 명랑해져서 아버지가 자랑스럽다는 말을 해주니 그 기쁨을 비길 데가 없었다. 나는 눈물이 나는 것을 억누를 수가 없어 화장실로 뛰어 들어가 한참이나 울다가 나왔다.

그 뒤로 나는 태평양 쪽에 있는 도시 오리건주의 포틀랜드에 조그마한 아파트를 하나 얻어 아이들을 그리로 옮겨 살게 하고는 아버지 노릇을 할 수 있었다. 그리고 미국을 방문할 때는 오며 가며 아이들에게 들러 머물곤 했다.

한번은 서울을 떠난 비행기가 포틀랜드 공항에 도착하자 남매가 마중 나와서는 공항에서 내게 종이 한 장을 주었다.

"아버지, 아버지를 위해 우리가 마련한 선물이에요."

"아, 그래? 무슨 선물이 종이 한 장이냐?"

그 종이를 펼쳐보니 둘의 성적표를 한 장에 복사한 것이었다. 둘의 성적이 전과목 A학점이었다. 나는 놀라워 그들에게 물었다.

"야, 둘 다 스트레이트로 'A'잖아? 너희들 웬일로 이렇게 좋은 성적을 받았니?"

"예, 아버지, 아버지를 만난 것이 고맙고 기뻐서요. 둘이 결심했지요. 우리 아버지를 기쁘게 해드리기 위해서 공부를 열심히 하자고 다짐하고 열심을 냈지요. 그래서 좋은 성적이 나왔기에 아버지께 선물로 드리는 거예요."

"그래! 참 고맙다. 너희들이 건강해진 것도 고맙고, 더욱이 공부를 잘할 수 있게 돼 더 고맙다."

나는 은송이를 처음 만나고 돌아온 후 한국의 두 아들에게 미국에서 있었던 일을 이야기했다.

나는 첫 아내가 두 아이를 데리고 미국으로 떠난 뒤 4년 반을 혼자 지내다가 가정을 이루었다. 천주교나 불교에서는 성직자들의 독신생활이 제도화돼 있어 혼자서도 무난히 지낼 수 있었으나 개신교에서는 성직자가 독신으로 지내기가 거의 불가능했다. 성도들의 가정을 방문

할 때나 병석에 누울 때가 특히 문제였다.

4년 반을 견디다가 결혼한지라 아들들이 어려서, 은송이를 만나고 왔을 때는 큰아이가 초등학교 5학년, 작은아이가 3학년이었다. 내가 그들에게 미국에 가서 형과 누나를 만나고 온 이야기를 했더니 아이들은 놀란 모습으로 나를 보다가 한 녀석이 말했다.

"아버지, 그럼, 우린 첩의 아들이야?"

나는 뜻밖의 물음에 아연하여 할 말을 잊고 가만히 있었다. 이것이 도대체 무슨 말인가? 어떻게 그런 의문이 마음속에 떠오를까 싶어 기가 찼다. 아내에게 나무라는 말을 했다.

"여보, 당신 내가 아이들을 보러 미국에 갔을 때 애들에게 사정을 설명해 주었어야지. 내가 애들에게서 이런 말을 들어야겠어요?"

아내라고 할 말이 없을 수 없었다. 아내는 시무룩한 표정을 지으며 말했다.

"당신이 저질러놓은 일을 왜 저에게 그러세요? 당신이 애들에게 제대로 설명하시구려. 난 어떻게 설명해야 할지 모르겠어요."

"당신 정말 이렇게 비협조적으로 나올 거야?"

나는 아들의 물음에 당혹하여 어떻게 답할 바를 모르고 곤혹스러워했다. 오래도록 아픔으로만 남아 있던 밖의 두 아이를 만나고 나니, 이제 안에 있는 두 아들이 문제가 될 줄은 생각도 못 했던 일이었다.

그러던 차에 남미 브라질에서 장문의 팩스가 왔다. 한 달간 남미 4개국을 순회하며 열기로 계획돼 있던 집회를 취소한다는 내용이었다. 1년여 전부터 남미 쪽에서 사람이 오고 그간에 팩스가 연속으로 오곤

해서 어렵사리 결정됐던 집회였다. 그 집회들이 취소된 이유인즉 내 가정 문제가 원인이었다. 목사답지 못하게 이혼하고 자녀들을 돌아보지도 않는 목사라는 여론이 현지에서 일어나 집회 강사를 바꾼다는 통보였다.

팩스 말미에는 '그런 비인격적인 사람을 강사로 세울 수 없기에 초청을 취소한다. 앞으로는 나다니지 말고 자신을 반성하며 가만히 있는 것이 좋지 않겠느냐'라는 충고까지 곁들여 있었다.

팩스 내용을 읽고 나는 "비인격적인 사람이라…. 말이 되네." 하고 중얼거리며 팩스를 서랍 속에 넣어버렸다. 그런데 눈치 빠른 아내가 곁에서 보고는 물었다.

"무슨 내용인데 그렇게 말도 없이 서랍에 넣으세요?"

"아니, 신경 쓸 것 없어요."

"신경 좀 씁시다."

아내가 서랍을 열고 팩스를 꺼내 읽고는 말했다.

"내가 비인격적인 사람과 함께 사는구먼요."

"모처럼 한 달이란 시간을 벌었으니 푹 쉽시다."

"그럽시다. 애들과도 시간을 가지고."

그런데 며칠 후 유럽 쪽에서 요청이 왔다. 유럽 내 몇 도시를 돌며 집회를 인도해달라는 요청이었다. 나는 차제에 아내와 아들들과 함께 유럽 여행을 하며 가족들과 단합의 시간을 가질 수 있었으면 좋겠다고 생각하고 주최 측에 연락했다.

"마침 한 달간 시간이 있어 그쪽 요청에 응할 수 있겠습니다. 그런

데 한가지 청이 있는데 들어줄 수 있을는지 모르겠습니다."

"목사님, 무슨 요청이신데요?"

"유럽 여행 중에 가족들과 시간을 좀 가지고 싶으니 이왕이면 아내와 두 아들이 함께 다닐 수 있게 배려를 좀 해주셨으면 합니다. 가능할는지요?"

"아이고, 목사님, 가능하구말구요. 그렇게 합시다. 저녁에는 집회 인도하시고 낮에는 가족들과 관광하시도록 우리가 주선하겠습니다. 아무 염려 마시고 가족과 함께 오십시오."

이렇게 남미 여행이 바뀌어 유럽 여행을 하게 됐다. 그런데 유럽의 성 베드로 성당을 방문했을 때다. 성당 한쪽에 베드로의 동상이 있는데 그 동상의 발가락에 입을 맞추고 소원 기도를 드리면 그 소원이 반드시 성취된다는 전설이 전해 내려오고 있었다. 그래서 관광객들은 너나 할 것 없이 베드로 동상 앞에 길게 줄을 서 있었다.

당연히 우리 가족들도 긴 줄에 섰다. 초등학교 5학년이었던 큰 녀석이 앞줄에 서 있었는데, 자기 차례가 오자 베드로 발가락에 입을 맞추고는 소리내어 기도를 드렸다.

"예수님, 나는 아버지처럼 두 번 결혼하지 않게 해주십시오."

그 말을 들었을 때의 내 느낌은 말로 표현하기가 불가능하다.

내가 철학 교수가 되는 길을 버리고 신학교로 갔을 때는 나름대로 야심이랄까 포부를 품고 갔다. 나는 목사가 되어도 시시한 목사가 되지 않고 일급 목사가 되겠다는 야심을 가졌다. 그런데 세상살이가 마음대로 되는 것이 아니어서 목사가 된 후 이런저런 문제가 생겨 일급 목사는커녕 꼴찌를 따라가기도 어려운 목사가 되었으니, 무슨 할 말이 있겠는가! 이런 처지에 대해 내 마음속 깊은 곳에서 우러나오는 단어가 하나 있다.

"그럼에도 불구하고…."

나는 서른 살에 빈민촌에 들어간 이래 잘해보려 애썼지만 잘하지를 못했다. 허물이 생기고 흉거리가 생겨 사람들의 질타를 받는 일도 있었다. 그러나 그렇다고 움츠러들어 일을 중단하거나 머뭇거리고만 있을 것이냐? 아니다 '그럼에도 불구하고'이다.

잘해보려 했지만 잘못되었음에도 불구하고 나의 주인 예수님은 나를 인정하고 나를 격려해 주고 계신다. 그 이상 바랄 것이 뭐 있겠는가? 어차피 예수의 머슴으로 나선 이상 예수께서 인정해 주시면 그것으로 넉넉한 것이다. 그래서 나는 '그럼에도 불구하고'(in spite of)를 자주 되뇌곤 한다.

출옥 후에 있었던 일로 되돌아가자.

출옥 후 부딪혔던 여러 가지 문제들을 하나하나 해결해 나가면서 그간 와해됐던 지역사회 조직을 복구하기 시작했다. 주민회를 재결성하고 각 분과위원회 활동을 정비하여 새출발의 기틀을 다져나갔다.

나중에 알게 된 이야기지만 내가 감옥에 들어간 이후 중앙정보부에서 대공 사찰 요원 네 명이 동네로 들어와 상주하면서 동네 사정과 활빈교회 활동 등을 정밀히 조사했다. 혹시나 기독교로 위장하고 빈민촌에 침투한 공산주의 프락치가 아닐까 하는 우려에서였다.

그들이 몇 개월을 빈민촌에 살면서 분석하고 평가한 결론을 듣고 나는 실소를 금할 수 없었다. 다름 아니라 김진홍은 '자생 공산주의자'(自生 共産主義者)란 결론이었다. 무슨 뜻이냐 하면 김진홍은 북한 측과 접선 된 공산주의자가 아니라 스스로 자습해서 생겨난 공산주의자란 뜻에서 자생 공산주의자란 이름이 붙게 된 것이다.

나는 그 말을 듣고 굳이 공산주의자라고 하려면 '성서적 공산주의자'라고 불러야지, 그냥 공산주의자라고만 부르면 여느 공산주의자와 구별이 되지 않잖느냐고 말해주었다.

그렇다면 여느 공산주의자와 성서적 공산주의자의 다른 점은 무엇일까? 굳이 비교해 보자면 흔히 말하는 공산주의자는 역사를 움직이는 주체가 '물질' 이라고 생각하는 반면, 성서적 공산주의자는 하나님이라고 생각한다는 점이다.

감옥에서 나온 후 지역 안의 주민회 조직을 점검하고 강화해 나가는 중에 갑자기 서울시로부터 판자촌을 전면 철거한다는 통고장이 날아왔다. 청계천 전지역을 철거하고 그 자리에 지하철 차고를 세운다는 계획이었다.

그리고 정부는 판자촌 철거 정책을 안보 차원에서 추진한다고 발표했다. 나는 정부의 한 고위층 인사를 만나 "판자촌 철거가 왜 안보와 관계가 있느냐"고 물었다. 정부의 고위층 인사는 월남의 예를 들어 설명했다.

"월남이 베트콩에 패망할때 사이공 시가 예상보다 훨씬 빠르게 무너졌습니다. 그 이유는 사이공 시 한복판에 '초롱가'라는 빈민촌이 있었기 때문입니다. 마치 서울시의 청계천 빈민가와 흡사한 형태의 빈민촌이었습니다. 이 초롱가에 베트콩 세력이 대거 잠복해 있으면서 세력을 넓히고 무기를 비축했답니다. 사이공이 함락되던 날 초롱가에서 무기를 든 게릴라들이 쏟아져나와 사이공 시는 일순간에 혼란에 빠져들었습니다. 이것이 사이공 시 함락의 실마리가 되었습니다.

한국 정부로서는 서울이 사이공의 재판이 되게 할 수는 없습니다. 서울시 중심가에 수만 세대의 빈민촌이 형성돼 있는 건 만약의 사태에 큰 혼란이 일어날 화근의 가능성이 있습니다. 그래서 청계천 빈민촌을 미리 정리해야 하는 겁니다. 예를 들어 서울시에 대포 몇 방이 떨어지게 된다면 그 많은 판자촌 주민이 어느 편을 들는지 김 전도사는 장담할 수 있겠습니까? 확실히 말할 수 없을 겁니다. 그러니 청계천 빈민촌 철거 문제를 안보 차원의 정책이라고 말하는 겁니다."

이 말을 들으며 나는 지난번 남북적십자회담이 발표됐을 때 지역 주민 한 분이 나를 찾아와 한 말이 생각났다. 중앙정보부장 이후락이 북한을 방문했다는 보도가 났을 때였다.

"김진홍 전도사님, 이제 좋은 세상 올 거 같습니다."

"갑자기 왜 그러십니까? 좋은 세상이라니요?"

"전도사님은 신문도 못 보고 라디오도 못 들었습니까? 이북과 통하게 된다는 소식 말입니다."

"물론 나도 들었습니다만 이북과 통하게 되는 것과 좋은 세상 오는 것이 무슨 관계가 있는데요?"

"전도사님, 사실이 그렇잖습니까. 이북은요, 먹는 밥과 사는 집은

나라에서 배급으로 준답니다. 그러니 철거 걱정, 양식 걱정은 안 해도 되는 세상 아니겠습니까?"

"그건 그렇다지만 자유가 없다지 않습니까?"

내 말에 그는 나를 이상한 사람이라도 보듯이 가만히 쳐다보더니 말했다.

"전도사님, 통 모를 말씀을 하시네요. 배고픈 놈이 자유는 무슨 말라빠진 자유입니까! 전도사님은 지금 자유를 가지고 있습니까? 내가 가진 자유는 굶는 자유밖에 없습니다."

나는 깜짝 놀라 그에게 말했다.

"우리에게 지금 배고픈 자유밖에 없다고 하시지만, 한가지 자유가 있습니다. 북한에서는 강제로 시키는 일만 해야 한다지만, 여기 남한에서는 자신이 좋아하는 일거리를 찾아 스스로 일하고 스스로 잘살게 될 자유가 있잖습니까?"

"전도사님, 제발 부탁인데요. 그런 일감이 있걸랑 저에게 소개 좀 해주십시오. 내 눈에는 그런 일거리가 도무지 보이지 않는구먼요."

그는 10여 년의 빈민촌 생활에 지치고 지쳐 자포자기 상태에 이른 사람이었다. 그는 자기 집이 철거당할 때 분을 참지 못해 해서는 안 될 말을 했다.

"이눔들아, 이남 땅에 살집이 없응게 북한으로 보내주라, 이눔들아."

이로 인해 철거반원들에게 몰매를 맞고 집은 나무토막 하나까지 모두 분질러졌다. 다음날 누군가에게 끌려가더니 닷새 후에 되돌아왔다. 그러고는 말이 없는 사람으로 바뀌었다.

서울시가 보낸 전면 철거 통고장을 받은 우리는 활빈교회당에 동네 대표들을 모아 대책을 세우는 토론을 했다. 회의에 회의를 거듭하고, 토론에 토론을 거듭했어도 뾰족한 해결책이 나올 리 없었다. 문제의 핵심은 정부가 강행하는 철거 작업에 순응하느냐, 아니면 전 주민의 힘을 결속해 철거 작업을 저지하느냐, 둘 중 하나를 택해야 했다.

서울시가 철거민들에게 보상하는 내용은 세대당 15만 원을 지급하거나 서민아파트 입주권을 주는 것이었다. 아파트 입주권은 숫자도 제한돼 있었지만 입주권을 얻게 되더라도 입주금 1천여만 원을 부담해야 했기에 철거민들에게는 그림의 떡이었다. 남은 방법은 15만원의 현금을 받아 제 갈 길로 떠나는 것인데, 서울 시내에서는 그 돈으로 사글세 얻기도 힘들었다.

우리는 교회당에 모여 토론에 토론을 거듭했으나 신통한 방안을 찾지 못했다. 더구나 내가 옥중에 있는 동안 와해된 주민조직이 재조직된 후 아직 힘을 발휘할 수 있는 단계에 이르지 못했던 때여서 더욱 난감했다. 여러 날에 걸친 토론 결과 서울시의 철거 정책에 순응하기로 하고 그 대안으로 두 가지 사업을 추진키로 했다.

첫째 사업은 서울시 어느 곳에 주민들이 공동으로 땅을 구입해 연립주택을 짓는 계획이었다. '내 집 갖기 운동'이라고 이름 붙인 이 사업은 제정구 군이 담당해 추진키로 했다.

둘째 사업은 빈민촌 주민들 가운데 지난날 농촌에서 농사짓다가 올

라온 이농민은 농촌으로 다시 돌아가는 '활빈귀농개척단' 사업이었다. 이 사업은 내가 주도키로 했다.

제정구 군이 주도한 내 집 갖기 운동은 240세대가 지원해 잠실 쪽 방이동에 대지를 구입했다. 참여한 각 세대가 10평씩 배정받아 연립주택을 세우는 사업이 추진됐다.

그러나 서울시가 건축허가를 내주지 않았다. 골머리를 썩이던 빈민촌과 활빈교회가 없어지는 판에 다른 지역으로 옮겨 앉는다는 것은 또 다른 불씨를 키우는 것이라 여겨 아예 건축허가를 불허한 것이었다. 240세대의 주민들은 방이동 대지 위에 천막을 치고 겨울을 지내며 버텼으나 실패로 끝나고 말았다.

제정구 군은 여기서 실패한 경험을 살려 다른 판자촌 지역인 신림동으로 옮겨가, 거기서 주민조직 활동에 성공해 철거민들이 경기도 시흥으로 집단이주하는 데 성공했다. 시흥에 '복음자리'라는 이름으로 판자촌 철거민 정착촌을 세우는 데 성공한 그는 그 공적으로 막사이사이상을 받았고, 그 지역에서 국회의원이 돼 국사에 중추적인 인물로 활약까지 했으나 애석하게도 1999년 2월 겨울 폐암으로 쓰러져 앞서가고 말았다. 그의 죽음은 개인에 그치지 않고 겨레 전체의 손실이라 하겠다. 다음은 2월 12일 국회장으로 거행됐던 장례식에서 내가 읽은 조사(弔辭)다.

오늘 우리는 함께 사랑하고 아끼고 기대하던 일꾼, 제정구 동지를 하늘나라로 먼저 보내는 자리에 모였습니다.

누군가가 이르기를 하늘은 하늘나라에 필요한 일꾼을 데려가기 위해 땅에서 가장 신실한 일꾼을 먼저 불러간다고 했습니다. 바로 제정구 동지에게 적합한 말인 듯싶습니다. 우리가 제정구 동지를 먼저 보냄을 더욱 슬퍼함은 그가 지녔던 인격의 향기 때문입니다. 이렇게 혼탁한 시대에 그렇게 정직한 사람을 어디 가서 만나겠습니까? 그렇게 의리 있는 사나이를 어디에서 찾겠습니까? 가난한 이웃들을 위해 그렇게 자신을 불태웠던 일꾼을 어디 가서 구할 수 있겠습니까? 그를 잃은 것이 어찌 가족들만의 슬픔이겠습니까? 그의 삶의 방식과 그의 인격을 접하였던 모든 이들의 슬픔이 아니겠습니까?

내가 그를 처음 만났던 때는 70년대 초였습니다. 그 시절 조국이 처한 상황은 암울 그 자체였습니다. 그때 서울대 정치학도였던 그는 정의로운 사회를 세우는 일에 온몸으로 저항하다가 캠퍼스에서 쫓겨났습니다. 청계천 빈민촌에서 빈민들과 함께 살고 있는 나를 찾아온 그는 그날로부터 빈민들의 친구가 되었습니다.

그 뒤로 그와 함께 살았던 기간은 불과 3, 4년이었지만, 평생에 그를 잊을 수 없는 것은 그의 사람 됨됨이 탓입니다. 그 당시 그는 동네 젊은이들을 모아 만든 넝마주이팀의 총무 역을 맡아 일했습니다.

지금까지도 내가 제정구 동지에 대해 놀라워하는 것은, 그가 총무를 맡아 일했던 기간 중에 공금을 사적으로 쓴 것은 단 한 건이라는 겁니다. 그것도 영어사전을 샀던 일입니다. 영어사전을 공금

으로 구입하고는 그 사전이 공금으로 구입했기에 공동의 것이라고 함께 사용해야 한다고 했습니다. 그는 청계천 빈민촌에 있는 동안에 동네에 환자가 발생하거나 억울한 일을 당한 이웃이 생겨나면 침식을 잊고 도우러 뛰어다녔습니다. 그래서 온 동네가 그를 사랑하였더랬습니다.

그렇게 살았었던 그가 국회에 들어갔을 때 옛날 청계천 가족들은 한결같이 기뻐하였더랬습니다. 그런 인재가 국회에 들어갔으니, 우리나라도 이젠 좋은 정치가 이루어질까 보다 하고 기뻐했습니다. 제정구 의원 같은 정치가들이 국회 안에 있다는 것만으로도 우리들 같은 서민들에게는 위로가 되었습니다. 그리고 조국의 장래에 대하여 소망을 품게 되었더랬습니다. 지난번 제정구 의원이 선거법 위반을 했다고 신문에 보도됐던 적이 있었습니다. 그 기사를 읽고 청계천 시절의 동지들은 말했습니다.

"제정구 의원이 선거법을 어겼다고? 그렇다면 선거법이 잘못되었던게지. 정구가 법을 어길 사람은 애당초 아닝게…"

이런 대화를 우리들이 나누었더랬습니다. 듣기로는 지난번 선거를 치르고 나서 제정구 의원은 자신이 속한 당을 위해 맡은 일을 끝내고 남은 선거비용을 반환했다는 이야기를 들었습니다. 우리들 민초들은 유능한 정치가를 원하지 않습니다. 진실한 정치가를 원합니다. 우리들 백성들은 잘난 정치가를 바라지 않습니다. 우리들이 바라는 정치인은 백성들의 자리에 함께 머물며 함께 웃고 함께 아파하는 정치가를 그리워합니다.

한번은 그가 나를 찾아와 국회의원 생활에 환멸을 느껴 국회를 떠나고 싶다고 했던 적이 있습니다. 그때 내가 진심으로 권하였더랬습니다.

"자네가 국회의원으로서 별일을 안 해도 의사당에 머물러 있는 것만으로도 밖에 있는 우리들에겐 위로가 되니까 국회 안에 있게. 자네들같이 순수함을 추구하는 국회의원들이 있으므로 조국이 언젠가는 보다 나은 세월을 맞을 수 있지 않겠나."

나는 그렇게 권했던 적이 있습니다. 이제 우리는 살아있는 그를 만날 길은 없습니다. 그러나 그가 사랑하였던 가족들과 더불어 그의 인격과 그가 남긴 사람과 사람 사이의 정과 의리는 계속하여 이어 나갈 수 있습니다. 이로써 우리는 그를 보내는 슬픔을 승화시켜 우리 모두의 보람으로 삼아나가야겠습니다. 그래서 그가 일생을 걸고 이루려 했던 나라, 사람답게 사는 나라를 이루어나가는 일에 우리 모두가 마음과 뜻을 합해야겠습니다.

제정구 동지, 안녕히 가세요. 뒷일은 우리에게 맡기고 마음 놓고 떠나세요. 동지의 남긴 뜻을 우리가 절대로 저버리지 않겠습니다. 감사합니다.

1999년 2월 12일

제정구를 하늘나라로 보내던 날에

두레마을 김진홍이 씀

한편 집단 귀농사업 역시 우여곡절을 겪으며 추진돼 갔다. 서울시의 철거 경고장을 받고 그 대책을 논의하려고 모였던 주민 회의에서 한 주민이 발언했다.

"나는 전남 신안군 한 섬에서 올라온 사람입니다. 손바닥만 한 농토를 대대로 부쳐 먹던 빈농 생활이 지겨워 지게꾼 노릇이라도 하겠다고 서울로 왔더랬습니다. 그런데 지게벌이는 용달차에 다 빼앗기고 이 동네에 들어와 굶기를 밥 먹듯 하며 지내왔습니다. 그나마 몸 붙이고 살던 판잣집도 철거하겠다니, 이제 서울 생활이 진력이 나서 꼭 농촌으로 되돌아가고 싶습니다. 흙으로 돌아가 땀 흘려 일해서 세금도 내고 자식들 교육도 시키고 사람 사는 것처럼 살아보고 싶습니다. 그런데 고향 떠날 때 그나마 있던 땅도 처분하고 와버렸으니, 고향으로 돌아가봤자 발 디딜 틈이 없습니다. 그러니 여러분이 의논해서 어딘가에 농사지을 땅만 구할 수 있다면 저는 지금 당장이라도 그리로 떠나겠습니다. 여러분들 의견은 어떠신지요?"

그의 발언에 대한 반응이 의외로 좋았다. 좌중 여기저기서 "옳소!" "그거 좋은 생각이오!" "공감이오" 하고들 반응을 보였다. 나는 그런 분위기를 접하고 처음으로 이들이 지난날 떠났던 농촌을 그리워하고 있구나 하는 것을 느꼈다.

그의 발언에 이어서 또 한 분이 일어서서 말했다.

"방금 발언하신 분의 말에 나도 적극 공감합니다. 나는 경남 합천에서 왔습니다. 땅마지기나 지키고 남부럽잖게 살았었는데 그놈의 노름판에 끼어드는 통에 노름빚으로 재산 다 날리고 하는 수 없이 처자식

거느리고 서울로 올라왔다가 이 뚝방촌까지 흘러들어왔시다. 배운 재주라고는 농사밖에 없던 사람이 이 서울 바닥에 와서 겪은 고생을 생각하면 치가 떨리오. 내 심정도 제발 몇 마지기 땅만 있으면 그리로 가서 농사짓고 평생 그곳에 살다 묻히고 싶소이다. 그러나 이 삭막한 세상에 어디 가서 그런 농토를 구하겠소이까?"

이야기의 흐름이 이렇게 흘러가자, 내가 일어서서 말했다.

"여러분, 잠깐 제 말에 귀를 기울여주십시오. 나는 오늘 이 자리에서 저로서는 생각도 못 했던 발언들을 듣고 놀랐습니다. 의외로 여러분 중에 많은 분들이 버리고 떠나온 농촌을 그리워하고 농촌으로 되돌아갈 꿈을 꾸고 있음을 알았습니다. 그런데 땅 구하는 일은 그렇게 불가능한 일만은 아니란 생각이 듭니다. 우리나라가 비록 땅은 좁고 인구는 많다고 하지만 아직은 놀고 있는 땅들이 전국 곳곳에 있을 겁니다. 그런 땅 중에 잘 교섭해서 우리가 집단으로 들어가 농사짓고 살게 된다면 우리 좋고 나라에 좋고 노는 땅 개간해서 좋고 식량 증산되어 좋고 다 좋은 일 아니겠습니까? 그러니 이제부터 그 땅을 어떻게 구할 건지 의논들을 해봅시다. 옛말에 사나이 셋이 모이면 안 되는 일이 없다 했는데, 우리가 이렇게 많이 모여 머리를 짜내면 땅 구하는 일도 걱정 없을 겁니다."

"옳은 생각이오. 그 말이 맞습니다. 땅 구할 길을 찾아 우리 함께 그리로 들어가서 농사짓고 자식 키우며 사람답게 살아봅시다!"

이런 토론과정을 거쳐 활빈귀농개척단을 조직했다. 귀농사업단 계획이 철거를 앞둔 주민들에게 발표되자 수백 세대가 앞을 다투어 신

청했다 1백 세대를 1차로 선발하여 제1차 활빈귀농개척단을 결성했다. 다음은 개척단의 발기문이다.

〈결단에 즈음하여〉

더 잘 살 수 있는 길이 있을까 하여 서울로 올라온 지 여러 해만에 우리가 얻은 것은 무허가 인생이란, 빈민이란 이름뿐이다. 가난과 질병, 그리고 절망이 우리의 전 재산이었다. 사방을 둘러보아도 탈출구가 없는 각박했던 상황속에서 우리는 한 길을 찾아냈다 . '혼자서 넘어진 것을 뭉쳐서 일어서자'는 길이다 '하나님은 스스로 돕는 자를 도우신다'는 이치다. 이에 우리는 모여서 의논하고 연구하고 기도했다. 떠나온 농토로 돌아가 새로운 삶의 의지를 흙 속에 심어보자는 결의를 다졌다. 이제 1백 세대 520명이 한 덩어리가 되어 활빈귀농개척단을 결성하면서 우리는 우리의 결의를 다짐한다.

"나태와 가난 속에서 대폿잔과 화투장을 쥐고 사느니 단결과 노동 속에서 괭이와 삽을 쥐고 죽자고."

1975년 8월

활빈귀농개척단 단원 일동

개척단은 단원 중에서 여섯 명을 뽑아 두 명씩 3조로 나누어 정착 대상지 답사를 보냈다. 1조는 휴전선 부근의 유휴지를 답사하고 2조는 강원도 산간지방을 답사하고, 3조는 경기도 화성군의 남양만 간척지를 답사하여 귀농 정착이 가능한지 불가능한지를 조사 보고케 했다. 조사팀이 현지 조사를 마치고 돌아온 후 교회당에 단원들이 모여 그들의 보고 내용을 검토했다.

휴전선 부근의 유휴지가 가장 적합하겠다는 결론에 이르렀다. 대개 군대를 다녀온 사람들인지라 군복무 시절 휴전선 부근에서 노는 땅들을 숱하게 보아온 기억이 되살아나 그리로 가면 원 없이 농사를 지을 수 있을 것이란 생각들이었다.

그래서 우리는 정부에 보낼 진정서를 작성했다. 철거를 앞두고 지금 서울시가 제시하는 정책은 우리가 따르기 어렵다. 서민 아파트 입주권이 좋긴 하나 우리들로서는 입주비 1천여만 원을 부담할 능력이 없다. 그리고 세대당 지급하겠다는 15만 원으로는 사글세 얻기도 턱 부족이다. 그래서 논의에 논의를 거듭한 결과 떠나온 농촌으로 되돌아가 농사짓고 세금 내고 자식들 기르며 사람답게 살기를 원한다. 그러나 우리들이 지난날 살았던 농촌은 이제 돌아가도 발붙일 땅도 집도 없으니, 우리가 가서 개척민으로 살아갈 땅을 할애해달라. 우리가 들어가기 원하는 땅은 휴전선 부근의 임자 없는 땅이다. 6 · 25 전쟁이전에는 훌륭한 농토였으나 전란 통에 주인들은 흩어지고 황무지로 남아있는 땅으로 우리를 보내달라. 거기서 스스로 땀 흘려 개척자들로 살아가겠다. 이런 요지의 글을 써서 서울시장 앞으로 발송했다.

그런데 그런 진정서를 보낸 뒤 사흘째 아침이 되자 난데없이 까만 지프가 세 대나 빈민촌으로 들이닥치더니 제각기 김진홍을 찾았다.

분위기가 살벌하고 기세가 등등했다. 또 무슨 일인가 싶어 나갔더니 그들 중에 한 명이 나서며 내게 말했다.

"수고스럽지만 좀 가주셔야겠습니다."

"가다니, 어디로 가자는 게요?"

"가보면 압니다."

"여보시오, 왜 이러시오? 최소한 어디로 가는지나 알아야 할 거 아니오?"

"거 잘 아시면서 왜 그러세요."

"잘 알다니요? 난 통 모르겠는데요. 그쪽에서 알면 좀 가르쳐 주시구려."

"남산으로 좀 가십시다."

"그래요? 요즘 정권 안보하느라 바쁘실 텐데. 우리 같은 조무래기한테 왜 자꾸 신경을 쓰시오. 일이나 하도록 그냥 두시지 왜 또 찝쩍거리는 게요!"

"우리가 뭘 압니까? 데려오라니 심부름 온 게지요."

나는 무슨 일인가 하여 모여드는 주민들에게 미소를 지으며 "곧 다녀오겠습니다. 별일은 없을 겝니다" 하고는 지프에 탔다.

역시 차는 남산 기슭으로 가더니 눈에 익은 골목길로 들어가서는 조사실로 갔다. 그러고는 매눈같이 날카로운 눈을 한 조사관이 묻기 시작했다. 그의 손에는 우리 개척단이 서울시장 앞으로 보낸 진정서가 들려 있었다. 그는 그 진정서를 뒤적이며 내게 묻기 시작했다.

"김진홍, 이런 진정서를 보낸 의도가 뭔가?"

"의도요? 그 안에 의도를 충분히 썼을 텐데요?"

"글쎄, 씌어 있긴 한데 빈민들을 집단으로 데리고 휴전선 땅으로 들어가겠다는 숨은 의도가 뭔지 묻는 거지."

"숨은 의도라니요? 거기에 무슨 숨은 의도가 있갔시요. 글자 그대로 노는 땅에 가서 농사짓고 살겠다는 거지요."

"말 그대로는 좋은데 다른 의도가 있는 것 같아서…."

"도대체 무슨 생각을 하고 있는 겁니까? 다른 의도라니요? 예를 들어 무슨 의도인데요?"

"가난한 사람들하고 휴전선 부근에 모여 있다가 적당한 시기에 집단 월북을 한다든지, 그쪽에 있으면 북쪽과 접선하기도 쉬울 테고…."

어처구니가 없었다. 세상에 어떻게 머리가 그런 쪽으로 돌아가는지 신기했다.

"아니, 지금 무슨 말을 하는 거요? 우리가 월북한다고요? 내 나라 내 땅 두고 왜 그쪽으로 갑니까?"

"김진홍, 음흉스럽게 숨기지 말고 터놓고 말하라구. 청계천 빈민촌 주민들은 북쪽을 더 좋아한다며? 집 주고 배급 주고 하는 곳이라며 그쪽을 더 좋아한다던데…. 여기는 매일 철거만 하고 사람 대접 안하는데, 집도 땅도 새끼들 교육도 무상으로 주는 북을 더 좋아한다는 말이 있어."

"여보세요, 그런 간 떨어질 소리 마세요. 내가 그들 속에서 몇 년을 살아보니 다른 어떤 사람들보다 순수하고 나라 사랑하는 마음도 지니고 있습디다. 모처럼 농토 찾아 들어가 황무지를 개간해 사람답게 살

고 싶다는 주민들의 좋은 맘을 그렇게 곡해하지 마시라요."

"여하튼 정부 입장으로는 휴전선은 안 돼. 북쪽이 너무 가까워. 김진홍 자네 생각은 그렇지 않다쳐도, 같이 간 사람들 중에 몇 명이라도 북쪽으로 넘어가 버리면 자네도 책임을 면할 수 없게 되는 게야."

"꼭 그렇다면 휴전선에서 떨어진 곳으로 보내주시라요. 제주도도 좋고, 부산이든 여수든 우리는 땅만 있으면 그리로 들어가서 농사짓고 살려는 겁니다. 굳이 휴전선 쪽이라야 되는 건 아닙니다. 거기에 노는 땅들이 있다기에 그곳으로 가려던 거지요."

"그건 내 선에서 답할 문제가 아니고, 좌우지간 휴전선 쪽은 안 돼."

이런 대화를 나눈 후 나를 집으로 데려다주었다. 나는 개척단 단원들을 모아 다시 회의를 열었다. 휴전선 쪽이 허락이 안 된다면 두 번째 후보지로 경기도 화성군 간척지를 대상 지역으로 계속 추진하기로 했다. 그래서 지금 우리가 살고 있는 남양만 간척지가 선택된 것이다.

우리는 서울시와 농수산부, 청와대 등에 진정서를 다시 보냈다. '화성군에 있는 남양만 간척지로 철거민들을 보내달라. 거기서 땅을 가꾸며 농사짓고 민주시민으로서 당당히 살아가겠다'라는 내용을 담은 진정서였다. 처음에는 역시 거절당했으나 끈질긴 교섭 결과 1차로 50정보의 논을 확보하게 되었다.

우리 활빈귀농개척단 단원 50세대는 남양만 지역의 15개 마을에
골고루 흩어질 수밖에 없었다.
결국 흩어져 정착한 일은 오히려 전화위복이 되어
남양만 지역 15개 마을 전체를 하나로 조직할 수 있었으며,
각 지역에 일곱교회를 동시에 세울 수 있었다.
이즈음 나는 목사 안수를 받았다.
새로 정착한 터전에서 받은 목사라는 직위는
나에게 더욱더 책임감을 갖게 했고, 희망찬 각오를 다지게 했다.

12

1975년 겨울날, 활빈귀농개척단

1975년 겨울날, 활빈귀농개척단

1975년 말 선발대가 현지에 도착하여 기초 작업을 시작했다. 남양만 간척지는 불과 2.2킬로미터의 바다를 막으면 960만 평의 넓고 넓은 뻘밭이 농지로 바뀔 수 있었다.

선발대가 현지에 도착했을 때는 넓은 땅에 바다풀만 무성했다. 이런 소금땅을 개간해 농토를 만들고 산기슭을 밀어 집을 짓고 마을을 세울 것을 생각하니 어디서부터 어떻게 시작해야 할지 꿈처럼 아득하기만 했다. 넓은 바다 한가운데에서 손바닥만 한 조각배를 타고 있는 기분이었다.

바다를 막는 제방을 쌓고 있는 이화리에 터를 잡았다. 헛간 하나를 빌려 연락처 겸 사무실로 삼고는 정착 사업을 시작했다

1975년 11월이 지나 초겨울의 쌀쌀함이 느껴지는 때에 우리 활빈귀농개척단은 서울을 떠나 남양만 갯벌로 향했다. 트럭을 10대 빌려 판

잣집 뜯은 자리에서 골라낸 쓸 만한 나무토막들과 냄비, 담요 등을 싣고 서울을 떠났다.

수원을 지나 시골길로 접어들자, 비포장도로가 시작되었다. 남양만이 가까워질수록 길은 험해지고, 흔들리는 트럭 위에서 떨어지지 않으려고 애쓰는 가족들의 모습을 보며 인솔자인 내 마음은 실로 난감했다. 겁도 없이 괜스런 짓을 벌인 것이나 아닐까 하는 마음이었다. 농사 경험도 없고, 예산도 없는 터에 수백 명 식구를 데리고 갯벌로 들어가는 것이 당최 무모하고 어리석은 일이라는 생각이 들기 시작했다. 그러나 지도자가 되어 그런 불안한 생각이나 모습을 드러낼 수도 없어 혼자 속으로만 삼키고 태연한 척 할 수밖에 없었다.

남양만에 가까이 오니 길이 너무 험해 트럭 위에 앉아 있기가 여간 어렵지 않았다. 트럭이 하도 요동을 치니 한 임산부가 “이거 애 떨어지겠구만요” 하고 고통스러운 표정을 지었다. 나는 트럭을 세워 운전수 옆자리에 그녀를 앉히고는 그 차는 늦게 와도 좋으니 조심스레 운전하며 뒤따라오라고 일렀다.

드디어 남양만 갯벌의 넓은 땅이 눈앞에 나타났다. 모두들 “히야, 넓은땅이구먼!” 하고 탄성을 질렀다. 그 순간에는 모두 기대에 넘치는 얼굴들로 변했다.

그러나 갯벌로 접어드니 얼마 전 비가 온 뒤라 길바닥이 미끄럽기가 빙판길이나 다름없었다. 트럭이 미끄러지고 흙탕으로 빠져들어가 감당할 수가 없었다. 우리는 트럭을 세운 다음 처자식들은 트럭에 앉혀 두고 남정네들이 내려 삽으로 길을 만들며 차가 뒤따라오게 했다.

그때부터 나는 지도자란 길 없는 곳에 길 닦는 사람이거니 생각한다. 그래서 나는 지도자(指導者)란 말을 한문으로 쓸때에는 길 도(道)를 넣어 '指道者' 로 쓴다. 그리고 선교란 길이 없는 곳에 길을 만들어 나가는 것이라고 생각한다. 바로 예수님께서 '내가 곧 길이요 진리요 생명이다' 하셨음에 따라 길 되신 예수님을 따라 길 없는 곳에 길을 열어나가는 것이 바로 선교라 생각한다.

농촌에서 농민들이 살아갈 길이 없을 때 농민들의 살길을 열어나감이 농민 선교요, 산업사회에서 산업에 길이 없을 때 경영자들과 노동자들이 더불어 힘을 합하여 산업을 일으키는 길을 찾을 때 그것이 산업 선교다. 그리고 민족이 분단된 지 반세기가 지난 지금처럼 통일의 길이 보이지 않는 때 통일의 길을 찾아나가는 것이 바로 통일 선교다.

경기도와 충청남도 사이에 아산만이 있고, 아산만의 경기도 쪽 입구에 남양만이 있다. 그 남양만에서 육지와 바다를 잇는 목을 막아 960만 평의 농지가 개간됐다. 농지는 행정구역상 절반은 화성군에 속하고 나머지 절반은 평택군에 속한다. 그 땅에서 모두 1천 200세대가 새 농촌을 세우는 일에 도전했다. 1천 200세대 가운데 460세대가 서울에서 내려간 사람들이었고, 그중에서 50세대가 활빈교회 교인들이었다.

처음에 우리 50세대는 한 마을을 이루어 이스라엘의 키부츠처럼 협동 농장을 세우려 했다. 그러나 행정당국은 우리가 구상하는 공동체 생활이 공산주의식 집단농장 형태와 비슷해 우리 체제에 합당치 않다며 허락하지 않았다. 또 서울에서 워낙 악명을 날렸던(?) 활빈교회와 주민들인지라, 한 마을에 모여 있으면 다루기가 어려울 것이라 생각했던지 한 곳에 모여 사는 것을 허락하지 않았다.

우리 활빈귀농개척단 단원 50세대는 행정 관청의 계획에 순응하기로 하고 남양만 지역의 15개 마을에 골고루 흩어질 수밖에 없었다. 처음에는 모두 완강히 반대했으나 다시 생각해 보니 그리 나쁜 일만은 아니라는 생각이 들었다. 왜냐하면 그렇게 되면 우리 활빈운동의 터전이 남양만 지역 전체로 넓혀지는 것이 아니겠는가 하는 생각이 들었기 때문이다.

생각했던 대로 전 지역 주민들이 우리들의 활동 범위에 쉽사리 들게 되었다. 결국 흩어져 정착한 일은 오히려 전화위복이 되어 남양만 지역 1천 200세대, 15개 마을 전체를 하나로 조직할 수 있었으며, 각 지역에 일곱교회를 동시에 세울 수 있었다. 이즈음 나는 목사 안수를 받았다. 새로 정착한 터전에서 받은 목사라는 직위는 나에게 더욱더 책임감을 갖게 했고, 희망찬 각오를 다지게 했다.

이어서 우리는 각 세대가 배정된 마을로 들어가 먼저 화장실을 짓고, 이어서 갯벌 위에 천막을 쳐 공동체 생활을 하며 개척자의 길을 시작했다.

우선 해야 할 일은 소금땅을 농토로 만드는 일이었다. 농자금도, 장비도, 경험도 무엇 하나 제대로 갖추지 못한 우리는 삽과 괭이만을 들고 소금땅에 도전했다.

갯벌 바닥에 수로를 닦은 뒤 남양호 물을 끌어들여 소금기를 없애는 일에 겨울 한 철을 보냈다. 한겨울의 바닷바람은 차고 매서웠다. 그 바람을 견디며 겨울을 지내는 동안 손등이 터져 피가 흘렀다. 우리는

손등에 흐르는 피를 혓바닥으로 핥으며 삽질을 거듭했다. 그리고 소금물에 절어버린 손톱들이 일어나 뒤로 젖혀졌다. 그렇게 젖혀진 손톱을 반창고로 싸매면서 일을 했다.

무엇보다도 힘들었던 것은 먹을거리 문제였다. 갯벌 바닥에 천막을 치고 합숙 생활을 하는 터라 제대로 된 주방과 식탁을 마련할 수 없었다. 큼직한 가마솥을 걸어두고 보리쌀 한 말을 부은 다음 바다에서 건진 망둥이, 숭어, 새우 등을 넣고 끓였다. 산과 들에서 소나 토끼가 먹는 풀이면 사람에게도 해가 되지 않으려니 생각해 그것들을 채소 대용으로 먹었다. 아카시아잎이나 질경이, 비름나물, 쑥 등이 우리의 채소였다.

남양만 곳곳에 세워진 일곱 교회가 주민 봉사활동과 지역사회 개발 사업의 중심이 됐다. 교회당 건물들은 낮에는 탁아소가 됐다. 600여 명의 아이들을 27명의 교사가 돌봤다.

그런 상황에 나는 마을 은행인 '남양만신용협동조합'을 설립해 저축운동을 폈다. 탁아소 교사들을 앞세우고 지역 내 가정을 방문하며 저축을 독려했다.

"십 원이든 이십 원이든 주머니 속에 두지 마시고 저축합시다. 흩어져 있으면 별 쓸모없는 잔돈이지만 모이면 생산자금으로 바뀝니다."

그렇게 저축을 권하고 다니니까 주민들이 나를 보며 한심하다는 듯이 말했다.

"목사님, 정신 있는기요, 없는기요? 정신차리시라요."

"왜 그러세요?"

"지금 끼니도 제대로 못 챙겨 죽도 아니고 밥도 아닌 꿀꿀이죽을 먹고 지내는 터에 저축은 뭔 저축이야요. 목사님, 아직 치매 걸릴 나이도 아니신데 왜 그러고 다니세요?"

"그건 모르고 하는 말입니다. 먹을 것이 있는 사람들은 저축을 안 해도 되지만 우리처럼 먹을 것이 없는 사람들은 저축해야 합니다. 있는 사람들은 언제든 가진 것으로 살아갈 수 있지만 우리처럼 갯벌 바닥에 내려와 맨몸밖에 없는 사람들은 무슨 희망으로 살겠습니까? 각 가정에 흩어져 있는 푼돈들을 모아 목돈으로 만들어 생산적인 일에 투자해야 합니다. 그래야 장래가 있습니다. 지금 굶을수록 저축하고 투자해야 미래가 열립니다"

그런데 아이러니컬하게도 저축하면서 살자는 내 말에 주민들보다 교인들의 반대가 더 심했다.

"목사님, 어리석은 짓 하지 마세요."

"왜요?"

"그러잖아도 돈이 없어서 교회 헌금도 못 하는 형편인데 저축하고 나면 헌금을 더 못 하게 되잖아요."

"그렇지 않습니다. 돼지도 잡아먹으려면 길러서 잡아먹듯이 교인들에게 헌금하게 하려면 먼저 경제력을 길러줘야지요. 지금 헌금한들 얼마나 하겠습니까? 부자 되게 만들면 헌금도 제대로 할 게 아닙니까?"

주민과 교인들에게 이런저런 핀잔과 비난을 들으면서도 나는 열심히 저축을 권유하고 다녔다. 그런데 가장 자주 들려오는 핀잔은 그렇

게 저축하여 기금을 만들어두면 엉뚱한 사람들이 챙긴다는 불신감에 따른 소리였다.

"목사님, 괜한 일 하십니다."

"왜 그러세요?"

"목사님이 그렇게 동네방네 다니며 애써봐야 결국 도둑눔 키우는 일밖에 되지 않을 낍니다."

"그게 뭔 말씀이세요?"

"그렇잖구요. 우리 한국 사람, 누굴 믿어요? 나중에 엉뚱한 놈이 그 돈 가지고 도망가 버리면 목사님만 어려워지지 않겠어요?"

"글쎄요. 그렇게만 생각하면 아무 일도 못 하지요. 혹시 신용조합에 사고라도 난다면 제가 책임을 져야지요. 제가 별로 값은 못 나가는 사람이지만 그 정도 책임질 힘은 있습니다. 다른 사람을 못 믿으시겠다면 날 믿고 저축하세요. 절대로 잘못되지 않도록 제가 책임지겠습니다."

그렇게 시작한 신용조합이 이제는 160억 원의 자산을 이뤘다. 농촌에서 그만한 자산이 모이니까 주민들의 경제운용에 큰 도움이 된다. 조합원끼리 서로 보증을 서고 신용대부로 자금을 활용하니 얼마나 좋은 일인가. 나도 궁할 때면 신용조합에서 자금을 빌려 때가 되면 이자를 지불하고, 힘이 되면 갚는다. 서민들이 서로 믿고 힘을 모으면 큰 일을 이룰 수 있는 것이다.

그렇게 겨울을 지내고 봄이 되자 우리는 못자리를 만들고 볍씨 뿌릴 채비를 하였다. 그런데 어느 날 농림부에서 활빈교회 앞으로 공문을 보내왔다. 농림부 장관 이름으로 작성된 문서는 '남양만 간척지에 염분이 너무 많아 농작물이 자라기에 적합하지 못하니 금년에는 파종하지 말라'는 내용이었다 만일 파종했다가 수확에 실패할 경우 정부는 책임질 수 없다는 단서까지 붙어 있었다.

나는 15개 마을 대표들을 활빈교회로 소집했다. 각 마을에서 두 명씩 30명의 대표들이 교회에 모여 이 문제에 대해 토론했다.

"여러분, 오늘 이렇게 오시라고 한 건 농림부로부터 온 문서 때문올시다. 다름 아니라 우리가 겨울 동안 정성 들여 물길을 트고 길을 닦고 개간한 이 남양만 땅이 소금기가 너무 많아 금년 농사는 불가능하니 파종하지 말라는 통보가 왔습니다. 이에 대해 마을 대표인 여러분들의 의견을 듣고자 합니다."

"아니, 목사님, 그기 뭔 말입니까? 일이백 세대도 아니고 무려 천이백 세대가 모여 있는데 농사짓지 않으면 어떡하라는 겁니까? 그렇게 되면 모두 떼거지가 될 텐데, 떼거지가 나면 목사님이 거지 왕초 하실라요?"

"그러니 의논하자는 거 아닙니까? 터놓고 이야길 나눠봅시다."

"목사님, 이야길 나누고 자시고 할 것도 없시다. 간단하다구요. 농사를 하늘님이 짓는 게지, 농림부 장관이 짓는 게 아닙니다. 대한민국에서는 정부가 하라는 일에 반대로만 하면 일이 된다고 합니다. 금년 농사도 마찬가지야요. 정부에서 하면 망한다 했으닝게 농사지으면 반드시 성공할낍니다. 여러분, 어떻습니까? 제 말이 틀림없지요?"

"옳소! 죽기 아니면 까무러치기요. 농림부 장관이 무슨 농사를 알아

서 그딴 문서를 보낸기요? 우리 목숨 걸고 한번 부딪쳐봅시다!"

"좋소! 그럽시다!"

회의 분위기는 이렇게 돌아가고 모두가 의기투합했다. 나는 '대한민국은 정부가 하라는 바의 반대로만 하면 성공하는 나라'라는 그들의 말에서 관(官)에 대한 민(民)의 불신이 보통 문제가 아님을 느꼈다. 지하자원도 자본도 없고 오직 사람만 많은 나라인 처지에 관과 민이 서로 믿지 못한다면 나라의 장래가 어떻게 될까 자못 염려스러웠다.

회의 막바지에 우리는 돼지 족발을 안주로 막걸리잔을 돌리면서 첫 파종에 온 힘을 다하기로 했다.

각 마을로 돌아간 대표들은 지역 내를 호별 방문하며 못자리 설치에 필요한 주의 사항을 전달했다. 간척지에 소금기가 너무 많아 벼가 죽을 수도 있겠으니, 이에 대비해 볍씨를 많이 뿌려서 한두 차례 모내기 실패에 대비하자는 사항이었다.

나는 마을 사람들에게 제안했다.

"우리 마을에서 각 농가의 평균 경작 면적은 2정보, 육천 평입니다. 각 가정이 제각기 못자리를 따로 하면 인력 낭비, 예산 낭비, 시간 낭비가 심합니다. 그러니 열 가정이 합하여 이십 정보에 필요한 못자리를 함께 하는 공동체식 못자리를 만듭시다. 그래서 열 가정 중에서 날마다 돌아가며 한 사람만 못자리를 돌보고 나머지 아홉 사람은 다른 일을 할 수 있도록 합시다. 그렇게 하면 예산, 시간, 일손 모두가 절약되는 게 아니겠습니까?"

내 제안에 주민들이 호응하여 10세대 단위로 못자리를 만들었다. 그러고는 순번을 정해 날마다 한 사람씩 나와 못자리에 물을 대는 일이며 잡초를 제거하는 일을 맡았다.

그러나 이상과 현실에는 차이가 있게 마련이다. 이 일도 순조롭게 진행되지 않았다. 못자리에 자주 물이 마르고 잡초가 무성히 자라 보기가 민망스러웠다. 개인이 하는 이웃 못자리들에 비해 모가 자라는 모양이 볼품없었다.

벼농사는 못자리 농사가 절반인지라 우리는 조급해졌다. 공동체 못자리에 참여한 열 가정을 모아 못자리가 제대로 되지 않는 이유를 물었다. 그런데 모두가 한결같이 남 탓으로 돌렸다.

"내가 당번이었던 날에는 못자리에 물이 찰찰 넘쳤는데, 이 씨가 물려받은 뒤로 잘못된기야요."

"아니, 이 사람이 뭔 소릴 그렇게 한당가. 사돈 남 말하고 있는기여. 자네가 논바닥에 물이 바싹 마르게 해놓은 걸 내가 제대로 물을 댄 기여. 사람이 입은 삐뚤어졌어도 말은 바로 하랬다고 젊은 사람이 그런 소릴 하면 못 쓰는 기여."

"아니, 이 씨, 어따가 나에게 떠넘기는 거요? 그쪽에서 잘못했으면 사나이답게 인정하시라요."

이런 식으로 시비만 늘고 못자리 사정은 달라지지 않았다. 조급해진 우리는 어쩔 수 없이 열 가정 몫의 못자리를 다시 10등분 하여 각자가 자기 몫만 돌보도록 했다. 그랬더니 며칠 안에 잡초가 씻은 듯이 없어지고 못자리에는 항상 물이 찰랑찰랑 넘쳤다.

이런 우여곡절을 거치면서도 모는 자라서 모내기하는 시기가 됐다.

첫 모내기를 끝낸 뒤로 나는 날이면 날마다 논에 나가 모가 제대로 뿌리를 내리고 자라는지 살폈다. 벼는 생명력이 강한 작물인지라 한번 뿌리를 박고 나면 여간해서 죽지 않는다. 그래서 날마다 뿌리를 박고 살아남는지 살피러 다녔다.

그러나 불행하게도 심어놓은 모들은 하루가 다르게 붉은색으로 바뀌며 죽어가는 게 완연했다. 낙심이 됐으나 처음부터 한두 번 실패할 것을 각오하고 있던 터였다. 용기를 내어 두 번째 모심기에 들어갔다. 나도 마을 사람들과 함께 논에 들어가 모심기에 참여했다. 나는 한 포기 한 포기 모를 심을 때마다 기도했다.

"예수님, 이 모를 꼭 살려주십시오. 예수님께서는 이 땅에 계시던 때에 죽은 나사로도 살리셨는데, 이 모를 살리시는 게 문제가 되겠습니까? 이 모를 꼭 살려주셔서 개척민들에게 행복한 가을걷이를 허락해 주시옵소서."

모두들 한 논에서 줄을 지어 줄모를 심고 있는 동안 나는 기도하며 심느라 지체하자 다른 사람들에게 방해가 됐다. 모줄을 넘길 때마다 내가 머뭇거리고 있으니 곁에 있던 교인이 말했다.

"목사님, 지금 모심는 기요, 예배드리는 기요? 뭘 그리 꾸물거리시오. 그렇게 꾸불거리시려면 아예 빠져버리쇼."

"어허, 난 지금 이 모를 살려달라고 기도하느라 늦어지는 게요."

"그럼, 논둑으로 나가셔서 기도하십쇼."

그러나 두 번째 심은 모도 죽어갔다. 주민들의 실망은 처음에 비할 바가 아니었다. 이러다간 농사도 망치고 돈도 떨어지고 갈 곳 없는 거지 신세가 되는 것이나 아닐까 하는 염려가 마음속으로 스며들었다.

도리없이 세 번째 모를 심을 때는 모두가 심각해졌다. 마을 사람들이 두레를 이루어 모내기를 하는 자리는 항상 흥겹게 마련인데, 그때는 그런 흥이 일지 않았다. 이번에 심은 모마저 살아나지 못하면 우리는 떼거지가 된다는 생각이 각자의 마음을 눌러 흥겨운 자리가 될 수 없었다.

세 번째 모심기가 끝난 뒤로는 날이 새기 무섭게 논으로 달려 나갔다. 밤새 모들이 살아나고 있는지 보기 위해서였다. 그러나 우리의 기대는 무너져 갔다. 드넓은 논바닥이 발갛게 타들어 가기만 했다. 논바닥이 그렇게 타들어 가니 우리 마음도 함께 타들어 갈 수밖에 없었다.

며칠이 지나니 마을 주민들의 얼굴에서 웃음이 사라졌다. 어른들이 어두운 얼굴로 있으니 아이들조차 말이 없었고, 아이들이 말이 없으니, 강아지들조차 풀이 죽은 듯했다. 주민 중에는 땅을 헐값에 넘기고 이사 가는 사람들까지 생겼다.

나는 이런 때일수록 지도자의 처신이 중요하다 생각하고는 낙심하고 있는 주민들을 찾아다니며 설득했다.

"이러고 있을 때가 아닙니다. 힘을 냅시다. 한 번만 더 심어봅시다."

"목사님, 이미 글렀시요. 철도 이미 늦었고 모도 없잖습니까?"

"철이 늦은 건 하늘에 맡기고, 없는 모는 사방에서 모아봅시다."

"아니, 목사님, 어거지 쓸 일이 따로 있지요. 없는 모를 어디서 모은다는 겝니까? 모라는 게 가게에서 물건 사 오듯이 할 수 있는 게 아니잖아요?"

"글쎄, 그렇게 기가 팍 죽어서 안 되는 쪽으로만 생각하면 끝이 없어요. 여기까지 와서 우리가 손 털고 말 일이 아니잖습니까? 다시 한 번 알아서 부딪쳐봅시다."

우리는 새벽녘에 트럭에 몇 사람씩 태워 사방에서 모를 구해 오라고 보냈다. 어디든 가다가 들판에 남아 있는 모가 보이면 주인을 찾아가 얻어 오든 사 오든 하라며 당부했다.

"주인을 못 찾겠거든 그냥이라도 뽑아오세요. 이미 모내기 철도 지난 때니 논에 있는 모는 금년 모내기에서 남아도는 모일 겝니다. 허나 그냥 뽑아오지는 마시고 논둑에 우리 주소를 적은 말뚝을 세워두고 오세요. 그냥 와버리면 절도짓이 됩니다."

한낮이 지나면 용하게도 한 트럭씩 모를 싣고 돌아왔다. 어디 가서 어떻게 구했는지 가뜩가뜩 모가 실려 있었다. 모내기하고 난 뒤 여기저기 논에 남은 모들이 제법 있었던 모양이다.

그러나 그렇게 해도 모가 모자라자, 저녁나절에 사람들이 대책 회의를 하려고 모였다. 나는 모인 사람들을 보고는 일찍 잠자리에 들었다. 막 잠이 들려는 참에 세 사람이 찾아왔다. 옛날 서울에서 함께 넝마주이를 했던 대원들이었다.

"목사님, 오늘 저녁은 목사님이 일찍 주무셔서 아무것도 모르는 걸로 합시다요."

"왜? 뭔 소리요? 일찍 잤으면 자는 게지 아무것도 몰랐던 걸로 하잔 건 뭔 말이요?"

"모가 모자라 안 되겠습니다. 우리 몇이 의논했는데, 이웃 마을에 가서 심어놓은 모라도 뽑아서 심자고 의견을 모았습니다. 그러니 나중에 문제가 생기더라도 목사님은 몰랐던 걸로 합시다. 알리바인가 뭔가 하는 거 있잖습니까? 말하자면 우리 선에서 끝내겠다 이 말입니다."

나는 깜짝 놀라 단호하게 말했다.

"이 사람들이 정신이 있는 기여 없는 기여. 이 사람들, 정말 큰일 낼 사람들이구먼. 모기 다리에 피를 빼먹을 일이지 농민들이 심어놓은 모를 뽑아다 심어?"

"알 끼 됩니까? 눈에 뵈는 게 모밖에 없는 판인데. 그래, 이제 와서 모 없다고 빈 논을 그냥 두고 있을 겁니까?"

"야, 이 사람들아, 그렇게 마음 쓰면 하늘님이 우릴 도와줄 수 없는 기여. 아무리 어려워도 순리를 따라야 하늘이 도와주는 게지. 절대 그런 짓 말게."

"하~그거참, 이렇게 나올 줄 알았심더. 아무 말 하지 말고 그냥 해버리는 긴데."

나는 그들에게 절대로 그러지 말라고 재삼 당부해 보냈다. 그런데 이 소문이 어떤 경로인지 이웃 마을들에 알려졌다. 이웃 마을에서는 주민들이 동원돼 한밤중에 논을 지키고 있었다. 활빈교회 패들이 모 훔치러 온다는 소문에 놀라 마을마다 비상이 걸린 것이었다.

이런 북새통을 겪으며 네 번째 모내기가 끝난 날 분위기는 더 심각했다. 마지막 안간힘을 다해 심은 모가 사느냐 죽느냐에 따라 우리의 진로가 바뀔 판이니 심각하지 않을 수 없었다.

누가 먼저 말한 것도 아닌데 마을 사람들이 이심전심으로 논둑에 모여들었고 기도회가 열렸다. 교회 다니는 사람들만 모인 것이 아니었다. 교회에 발걸음도 하지 않았던 사람들까지 모두 모여 있었다. 교인이 아닌 사람들도 급할 때는 기도가 소중한 줄 알고 있었던지 교인들에게 말했다.

"야, 이 사람들아, 하늘님께 대고 기도혀. 이럴 때 좀 봐주시라고 기도 하랑께."

기도 내용은 간단했다. 비를 내려달라는 기도였다. 소금기 있는 논에서 모가 살아남을 단 한 가지 해결책은 비였다 이제까지 비는 오지 않고 하늘에서 햇볕이 내리쬐니 논바닥 물이 끓게 되고, 그 열기에 바닥의 소금기가 올라와 모 뿌리를 치니 모들이 말라죽을 수밖에 없었다. 비가 와서 논바닥의 소금기가 씻겨 내려가고 구름이 햇볕을 가려 모가 뿌리를 내리게만 되면 벼농사는 성공한 것이나 다름없었다. 그러나 비는 오지 않고 하늘에서 뜨거운 햇빛만 사정없이 내리쬐니 모가 살아남을 수 없을 터였다.

활빈교회 교인들이 앞장서서 기도드리기 시작했다. 어른들만 기도하는 것이 아니라 어린이들도 따라서 기도에 참여했다. 초등학교 3, 4학년짜리 들이 따로 모였다. 새까맣게 그을린 얼굴들이 고사리손을 모은 채 하늘을 향해 기도드리는 모습은 보는 이들을 숙연케 했다.

"예수님, 비를 내려주셔요. 모를 살려주셔요. 예수님, 아버지와 어머니와 마을 사람들이 애써 심은 모들이 말라 죽지 않게 비를 내려주셔요."

나는 아이들의 그런 모습을 보며 가슴이 찡하고 눈물이 흘러내려 참을 수가 없었다. 그렇다고 지도자가 울고 서 있을 수도 없어서 바닷가 풀더미 속으로 들어가 울며 기도했다.

"하나님, 우리 어른들의 기도는 안 들어주시더라도 저 아이들의 기도는 들어주십시오. 저 애들의 기도가 응답받지 못하고 비가 오지 않아 심은 모들이 다 죽으면, 제가 저들에게 하나님이 살아계신다는 것을 어떻게 설교하겠습니까. 제발 하나님, 저 애들의 기도를 들으셔서 비 오는 흉내나마 좀 내주십시오."

그런 중에도 시간은 흘러 밤이 깊어지자 마을 사람들은 대부분 집으로 들어갔다. 그러나 새벽녘까지 그 자리에서 기도를 계속하는 교인들이 있었다. 나는 풀더미 속에 앉아서 기도하다가 졸다가를 되풀이했다. 그런 와중에 날이 밝아오기 시작했다.

그런데 밤사이에 기적이 준비되고 있었다. 하늘에서 빗방울이 떨어지기 시작한 것이다. 처음엔 한두 방울씩 떨어지더니 얼마 지나서부터는 제대로 비가 쏟아졌다. 그렇게 비가 오기 시작하자 마을 사람들은 마치 미쳐버린 듯했다.

"이거 비 오는 거 아냐!"

"비 오는기 맞제!"

"그럼, 비 오는 기구말구. 저 하늘에 구름 좀 봐. 비가 와도 보통 비가 아니겠는데?"

"히야, 진짜 비가 오는구먼. 이거 미치겠구먼."

어떤 이는 감격에 겨워 소리를 지르며 남의 마누라까지 안고 딩굴고

야단이었다. 나는 빗줄기를 피할 생각도 않고 담뿍 비를 맞으며 하늘을 우러러 감사기도를 드렸다.

"하나님, 감사합니다. 허물 많은 저희들을 사람 대접해 주시어 저희들의 기도를 들어주시니 감사드립니다."

그렇게 시작된 비는 장대비로 바뀌더니 일주일이 지나도록 계속 내렸다. 비가 갠 후 논으로 나갔더니 논마다 모들이 파랗게 살아 산뜻하게 자라고 있었다. 나는 논으로 들어가 벼포기에 엎드려 입을 맞추며 말했다.

"하나님, 감사합니다. 이 모가 가을까지 살아남아 수확을 거두지 못할지라도, 이것만으로도 평생 감사드리겠습니다."

나는 그간에 쌓인 피로가 한꺼번에 몽땅 풀리는 것을 느끼며 논둑길을 걸었다. 걸으며 큰 소리로 찬송을 불렀다.

"참 아름다워라 주님의 세계는…."

그렇게 살아남은 벼들은 쑥쑥 자라 가을에 풍작을 이루었다. 벼 이삭들이 익어 고개를 숙이기 시작하자 황금빛 들판을 바라보며 나는 마음속으로 다짐했다.

'하나님이 이렇게나 돌봐주시는데, 평생을 진실하게 살아야지. 세상 것들을 추구하지 말고 오로지 하늘 일에 전념해야지.'

이제 2, 3주만 지나면 가을걷이를 시작할 수 있겠구나 생각하며 집으로 돌아오는데, 논바닥에 엎드려 있던 한 주민이 나를 불러세웠다.

"목사님, 우리 벼는 올벼(早生種)가 돼서 수확할 때가 되었습니다."

"아! 그래요? 축하합니다! 우리 마을에서 제일 빠르겠군요!"

"예, 그런 거 같습니다."

"그러면 언제 벼 베기를 하시겠습니까? 그날은 저도 한몫하지요."

"글아니라도 그 문제 땜에 목사님을 한번 찾아뵈려고 했었습니다."

"저와 뭘 의논하실 일이라도 있습니까?"

"예, 다름이 아니고 실은 오늘 벼를 베려고 몇 포기 베기 시작하다가 머뭇거려져서 아무래도 목사님을 뵙고 말씀드려야겠다고 생각했구먼요."

"무슨 문제가 있으신지요? 지금 얘기해주시면 좋겠는데요."

"그럼요, 지금 말씀드리죠. 제가 벼를 베려고 낫을 대다가 문득 금년 농사는 내가 지은 농사가 아니라 하늘이 지어준 농산데 이렇게 베어서 먹을 일이 아니잖나 하는 생각이 들었습니다. 우리가 벼 심을 때 일이 생각나더라고요. 금년 농사는 우리들이 네 번째 모내기를 해놓고 나서 하늘이 비를 주지 않았으면 될 수 없는 농사였잖습니까!"

"옳은 말씀입니다. 그때 정말로 하늘이 도우셨지요."

"그래서요, 내 생각에 그냥 벼를 베어 먹을 게 아니라 뭐랄까 제사랄까 풍년제랄까 뭔가 하늘에 대고 감사드리고 수확하는 게 좋을 거 같아서요. 그래서 벼 베기를 멈추고 목사님을 찾아뵈려 한 겁니다."

"그거참, 좋은 생각이십니다. 저도 미처 생각하지 못했던 걸 생각하셨습니다. 교회에서는 그걸 풍년제라 하지 않고 추수감사예배라고 합니다. 해마다 11월 셋째 주일이면 그해 추수를 감사하는 예배를 드리는데, 굳이 그날 드려야 하는 건 아니니까 금년에는 좀 앞당겨서 드리도록 합시다."

그래서 활빈교회는 1976년 추수감사예배를 여느 교회보다 한 달 앞당긴 10월에 드렸다. 그날은 온 마을의 축제였다. 감사 예배를 드리고 나서 잔치가 열렸다. 햅쌀로 송편을 하고, 호박전을 부치고, 또 바다에서 망둥이를 건져다가 무를 충충 썰어 넣고 매운탕을 끓였다. 온 마을 사람들이 떡을 먹고 매운탕을 먹으며 울고 웃고 야단들이었다. 어느 부인이 말했다.

"이밥이 웬 밥인교. 실컷 묵자. 묵다 죽을 작정 하고 묵자. 묵다 죽은 귀신은 때깔도 좋대여."

그 말에 맞추어 한 남정네가 말했다.

"옳은 말이여, 이밥 못 묵고 죽은 귀신은 억울하제~어이, 주방, 밥 자꾸 하라구. 이렇게 좋은 밥, 또 먹고 또 먹고 해지도록 묵어보자고."

그렇게 주고받는 이야기들을 한 식탁에서 듣고 있던 마을 주민 중에는 고개를 돌리고 눈물을 닦는 사람도 있었다. 나 역시 그런 장면을 보노라니 가슴이 찡하고 눈시울이 젖어와 그 자리를 피하고 말았다.

그렇게 식사를 마친 후 교회 마당에 모여 농악놀이를 하고 질펀하게 놀았다. 축제는 밤까지 계속돼 화롯불을 지피고 흥겹게 놀았다. 나는 활빈교회의 추수감사예배가 온 마을의 잔치가 된 것이 기뻤다. 그리고 생각했다.

'이런 것이 목회(救會)로구나! 교회의 주인이신 예수 그리스도의 뜻을 받들어 교회를 섬긴다는 것은 바로 예수님이 사랑하셔서 죽기까지 하신 백성을 섬기는 것이고, 백성을 섬긴다는 것은 백성들 속에서 함께 웃고 울며 백성들이 행복을 누리도록 뒷바라지하는 것이로구나.'

첫해에 그렇게 풍년이 들었다는 소식이 알려지자, 11월 어느 날 농림부에서 공무원 두 사람이 나를 찾아왔다.

"목사님, 남양만 간척지에서 금년 농사가 예상외로 좋은 성과를 거뒀다기에 현지 답사차 나왔습니다. 간척지 농사는 일반적으로 오륙년이 지나야 정상적인 수확을 거둘 수 있는데, 남양만에서는 경작 첫해에 높은 수확을 올렸다지요? 어떤 농법을 쓰셨는지요? 다른 간척지에 영농자료로 쓸까 합니다."

"그 문제라면 내가 답할 일이 아닌 것 같군요. 내가 농사지은 건 아니니까요. 우리 교회 교인을 두어 명 부를 테니 직접 물어보시지요."

나는 김 집사와 이 집사를 불렀다.

"집사님들, 이 어른들은 농림부 00부서에서 나왔대요. 우리의 금년 농사 성적이 좋다고 하면서 무슨 농법을 썼느냐고 물으러 왔답니다. 우리가 쓴 농법을 잘대주시라요."

내 말이 떨어지기가 무섭게 김 집사가 나서서 가슴을 탁 벌리며 기세 좋게 말했다.

"무슨 농법을 썼느냐고요? 바로 기도농법(祝禱農法)을 썼시다."

"농담하지 마시고 진담으로 해주시지요."

그들은 받아 적으려고 노트와 펜을 든 채 말했다. 기도 농법을 썼다는 말을 농림부 사람들은 농담으로 받아들인 모양이었다.

"농담이라구요? 이 어른이 농담 먹고 컸나? 내가 왜 농담합니까? 농림부에서는 금년 농사는 안되니 책임지지 못한다고 장관 문서까지 보냈습니다만, 우리는 벼를 심어놓고 기도했고 하늘님이 비를 주셔서

농사에 성공한 겁니다. 그러니 기도 농법 아니고 뭐겠습니까? 정부에서도 괜스레 농민들에게 이거 해라, 저거 해라 지시해서 농민들 망하게 하지 말고 기도 농법을 전국에 보급하시라요. 그러면 나라가 잘될 것잉게."

그래서 '기도 농법' 이란 말이 생겨났다. 세월이 지난 지금에 와서 보면 살림살이가 그때보다는 한결 좋아졌지만, 그래도 가끔 어려운 일을 당하면 일꾼 중에서 누군가가 말한다.

"목사님, 염려할 게 뭐 있습니까? 기도 농법으로 밀고 나갑시다."

그러면 다른 한편에서 호응한다.

"옳소! 이번 일도 기도 농법으로 풀어나갑시다. 기도 농법은 우리가 특허 낸 농법이잖아요."

첫해 농사가 그렇게 성공한 이래로 다음 두 해에 걸쳐서 연이은 풍작을 이루었다. 첫 3년을 그렇게 성공하고 나니 우리는 신바람이 났다. 잇단 성공으로 농민 선교와 농민운동으로는 한국에서 최고의 팀을 이루겠다고 의욕이 왕성해졌다.

「황무지가 김진홍 목사 자·전·에·세·이
장미꽃같이」

2 새벽을 깨우리라

지 은 이 김진홍
발 행 인 방경석
편 집 장 방지예
디 자 인 방지예
교 정 임미경
제 작 SD SOFT
등 록 제 301-2009-172호(2009.9.11)
주 소 경기도 동두천시 정장로 43
전 화 010-3009-5738
발 행 처 미문커뮤니케이션

Printed in Korea
979-11-983072-8-6(04230)
979-11-983072-6-2 (세트)

1세트(3권) 가 격 63,000원

일어나라 빛을 발하라

이는 네 빛이 이르렀고 여호와의 영광이
네 위에 임하였음이니라 이사야 60:1

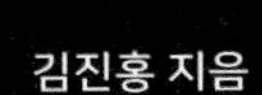

김진홍 목사 말씀 산책
창세기에서 계시록까지

이사야

imoon communication